仕事と勉強ができる人の
リアル
「ノート&メモ術」
覚
JN088205
SE
SHOEISHA

# はじめに——達人のノートを覗いてみたい

僕は、20代前半からノートに興味を持って、さまざまな媒体に執筆してきた。なんと、30年以上ノートやメモにこだわってきたことになる。

80〜90年代はシステム手帳全盛の時代で、紙のノートに〝書き方の技術〟が追加された黎明期と言えるだろう。その後パソコンが登場して、ノートアプリが続々とリリースされる。Excelなどの汎用的なソフトを利用してノートを作っている人も少なくなかった。さらに、スマホ時代の到来でノートは大きく様変わりする。クラウドにファイルを保存し、あらゆるデバイスで見られるようになった。

これが、この30年間のノートの進化を数行でまとめたものだ。ところが、周りを見渡していただくと、今も紙とペンを使っている人が少なくない。それは単に慣れているからとか、紙が好きだからというわけではないだろう。それならば、紙の手紙も多く使われるはずだが、今や手書きの手紙は、特別な私信以外ではほとんど見かけなくなった。

長年デジタルのノート術を自分で極めていくことを自らのテーマにしつつ、自分自身もロディアのノートに手書きをしている。もはや、どちらが良いとか優れているとかいう話ではないように思うわけだ。

そこで、さまざまなジャンルの達人のノートを見せていただくことにした。何か答えが見つかるのではないか——と考えたわけだ。もちろん、人のノートを覗いてみたいという純粋な興味があったことは言うまでもない。

その結果出来上がったのが本書である。デジタルの利便性と効率化の高さは、ある意味で予想通りだった。ところが、紙のノートには新しい発見があった。それは管理保存し、蓄積することの達成感とでも言うべきだろうか。本書38ページの石川先生の高校時代から50年間蓄積したノートを見ると、そこには研究に捧げた人生のすべてが集約されている。これはもう、一生に一度しか作れない大切な記録であり、それをいつでも見返せるのは、なんとも素敵だ。

さらに、情報を記録するだけではなく、SNSでノートを公開している人も少なくない。同じ趣向の人とつながったり、書いたものを見てもらうことで自分のモチベーションにつなげたりしているわけだ。2章では、そのようにSNSをフル活用したノート術、勉強術を公開している人達のリアルな記録を紹介していく。

## 幸せと達成感。深く広い「記録の世界」

情報を蓄積管理し、再活用しようと思うのならデジタルのノートが正解である。だが、書いたものを見て幸せを感じたい、達成感を得たいなら、アナログに勝るものはないということ。これが僕が30年間考え続けた、「なぜ人が効率の悪い紙のノートを使い続けるのか」というテーマの結論であり、本書が導き出した真理と言っても過言ではないはずだ。

ただ、56ページの根津さんのデジタルで集約されたノートにも、同様の幸せや達成感がある。つまり、デジタルに手書きしたり、紙をデータ化しても得られるものはさほど変わらない。活字ではなく、手で書くという行為が、時にデジタルの効率化を上回ることがある――こんなことを考えながら本書を読み進めていくと、ノートには、とても深く広い「記録の世界」が広がっていることを感じていただけるだろう。

# 目次

## 1章 あの達人のノートが見たい！

## 2章 SNSで広がるノート術の今が見たい！

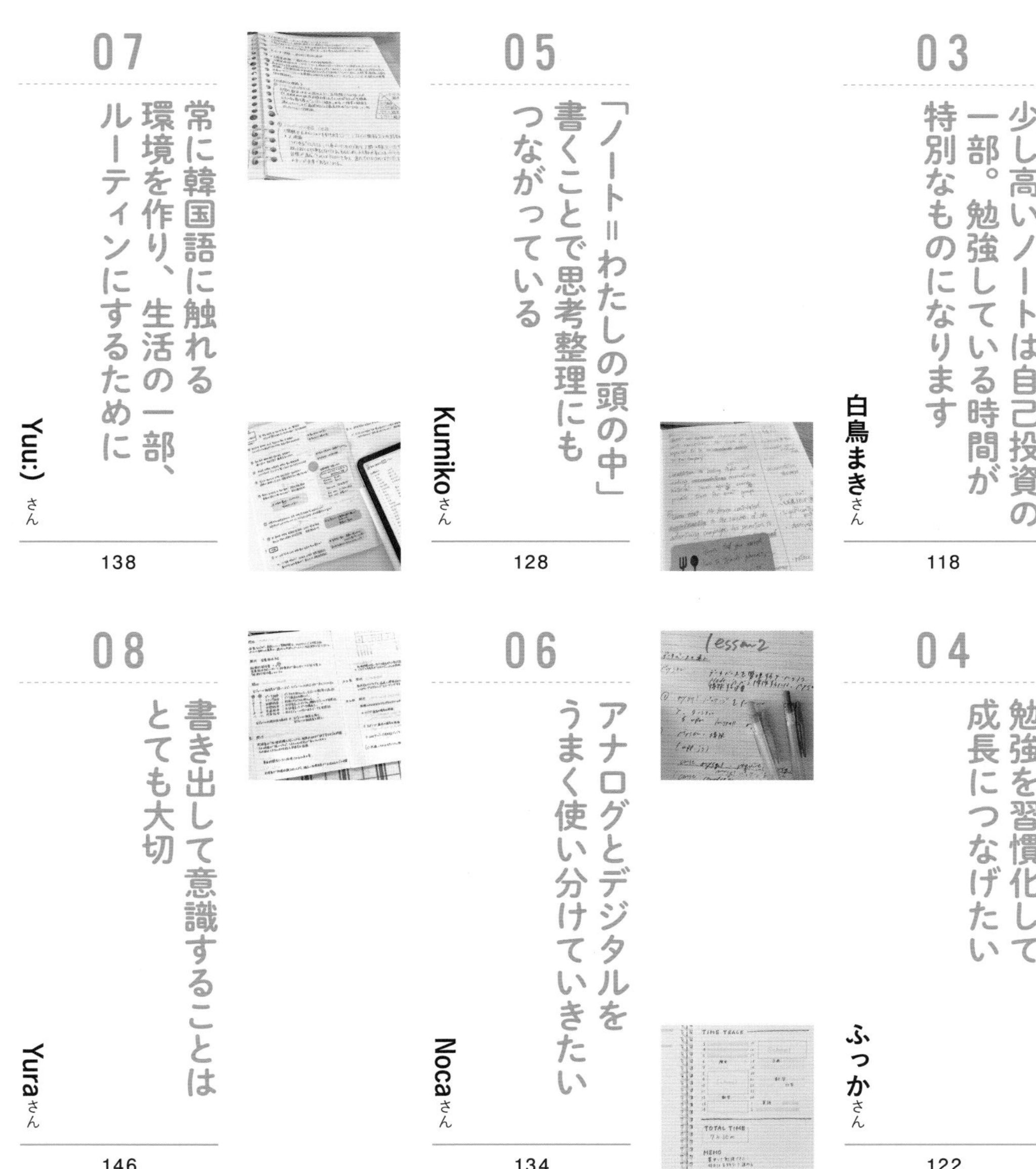

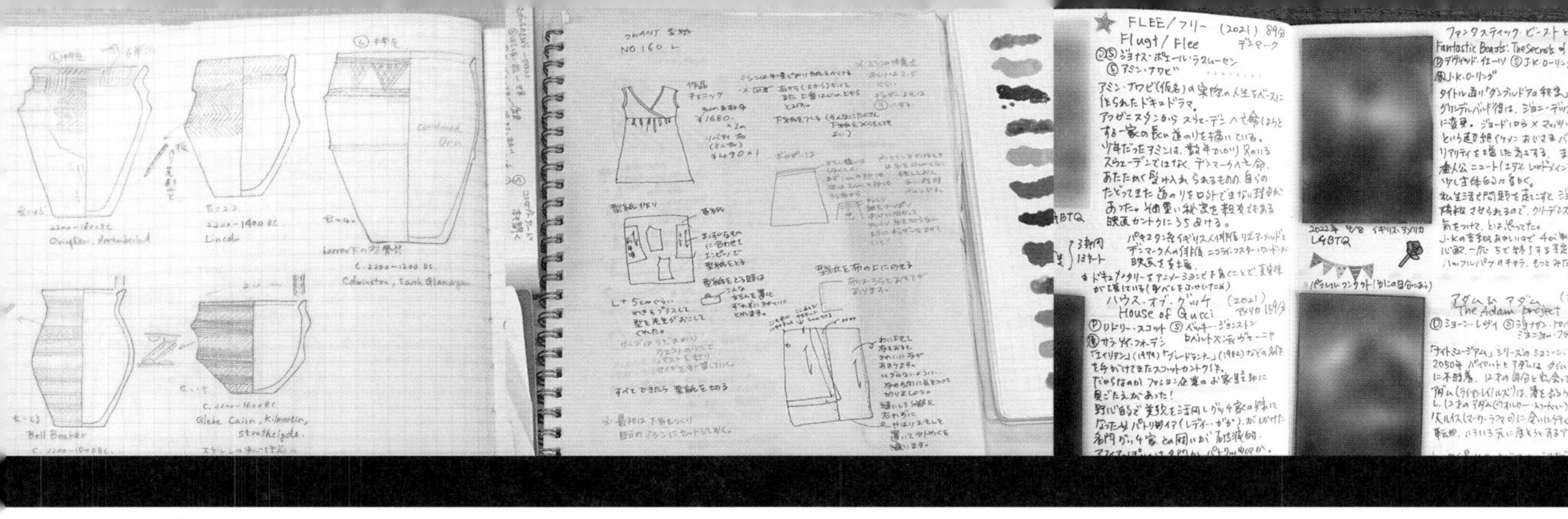


ビジネス、クリエイティブ、
メディカル、アカデミック……
各界で活躍する達人たちのリアルノート術

# 1章 あの達人のノートが見たい！

01

notebook

# こだわりすぎてオリジナルノートを販売

毎日、文房具。
編集長
**髙橋拓也**さん

文房具の魅力を紹介するWebマガジン「毎日、文房具。」の代表　兼　編集長。文房具が大好きで、Webマガジンを通じて文房具の素晴らしさを日本中、世界中に発信することをライフワークにしている。文房具売り場のプロデュースや文房具メーカーと共同で販売促進企画を行うなど活躍の幅を広げている。

「毎日、文房具。」というWebマガジンを運営する髙橋さんだが、普段は会社員として働いている。平日は勤めている会社の仕事に全力投球をし、休日や夜の時間を活かして毎日、文房具。を運営しているのだ。「毎日、文房具。は、2014年から個人で運営しています。会社の仕事も大好きなので両方に全力投球です」

一部デジタルな製品も取り上げているが、基本的にはアナログな文房具の情報をWebページで配信している。ご自身もデジタルのツールも使っている。

「どちらが良いではなく、長所と短所を理解して使い分けることが大切だと思っています。私は2つの仕事をしているので、作業量が多くなります。そこで、小さなノートを使って、ToDoの管理と優先順位をつけています。利用するのは紙が圧倒的に多いです。デジタルは検索性に優れていたり、コピペがしやすいのがメリットですね。私

01

毎日、文房具。のWebページはアナログ製品の情報が中心で、たまにデジタルのものも登場する。

の場合はアウトプットはWebやX（旧Twitter）などのデジタルになります」

手を動かしながら考えるのが昔からのクセになっているという髙橋さん。トータルではアナログのノートの出番が圧倒的に多いという。

## 1日に1ページのToDoを管理

髙橋さんは、ToDoを4つのカテゴリーに分けて書いている。

「ToDoは4つに分けています。自己啓発の本などによく書いてある方法で、もう10年は続けています。左が緊急度が高くて、上が重要度が高いという切り分けで、週に一度棚卸しをします。このToDoをプライベートと会社の仕事の両方で書いています」

毎日のToDoは左側の2コマで管理することが多く、4コマ使うのは週に一度の棚卸しのときが多いそうだ。

当然だが、右下は緊急度も重要度も低いので、そもそもやるべきことはあまりない。このスペースは書くことが少ないので、メモにも使っているという。

「頭の中のものを吐き出す感じで書いていきます。その日に終わらなかったものは次の日に持ち越して書いていきます」

このToDo管理は、確かに昔から言われている手法で、1日単位で終わる仕事をしている人にはとても参考になる方法だ。

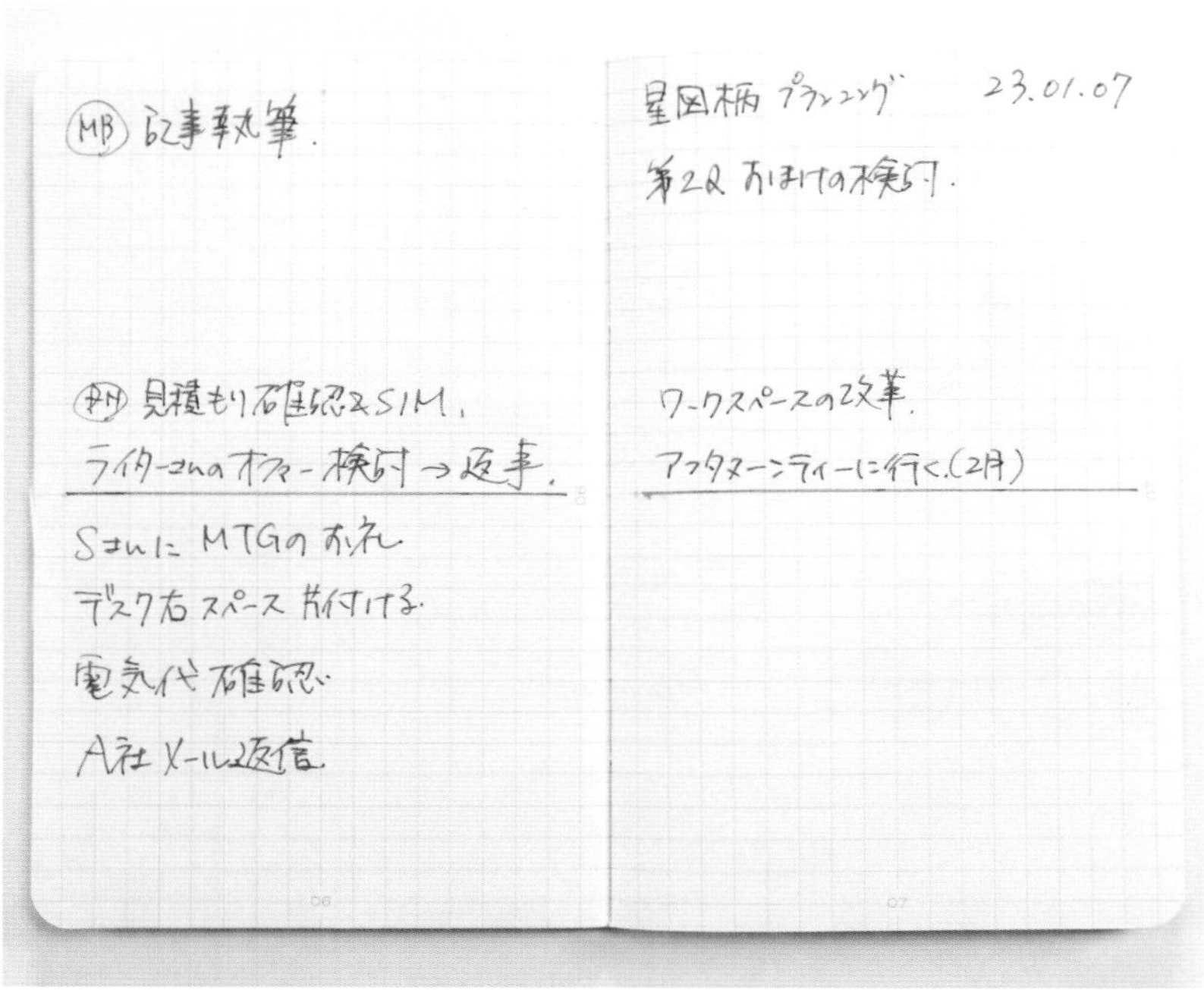

02

4ブロックに分けたToDoで、左上が緊急度と重要度が高い。

## 書くのが面倒だから着手する

このToDoは、デジタルでも利用可能だ。それをあえてアナログのノートに書いているのはなぜだろう。

「私の個性もあると思いますが、書くことで頭にインプットできると感じています。特に本業の方のToDoは、書くことを自分に課しているので、右上の『重要度は高いけど急ぎではない』項目は、毎日転記しなければならないんです。それ自体が面倒なので、ならばやってしまおう——となるわけです」

デジタルだとコピペで終わるが、手書きだと面倒だからいっそ作業をしてしまえという感覚になるという。こんなモチベーション管理にはアナログこそが高橋さん向きだ。さらに、毎日お気に入りの万年筆で書くことでテンションが上がるという。だからこそ、ノートにこだわり、製品化までしているのだ。

「細かい記述はいろいろあって、作業の順番で矢印を入れたり、来週に引き継ぐことはぐるぐると丸を書いて強調してあったりします。このあたりの作業はアナログの方が早いですね」

## ついにノートを自作する

高橋さんは、日々自作のノートを使い販

03

終了したものは赤線で消している。ちなみに日付は付箋を貼り付けている。

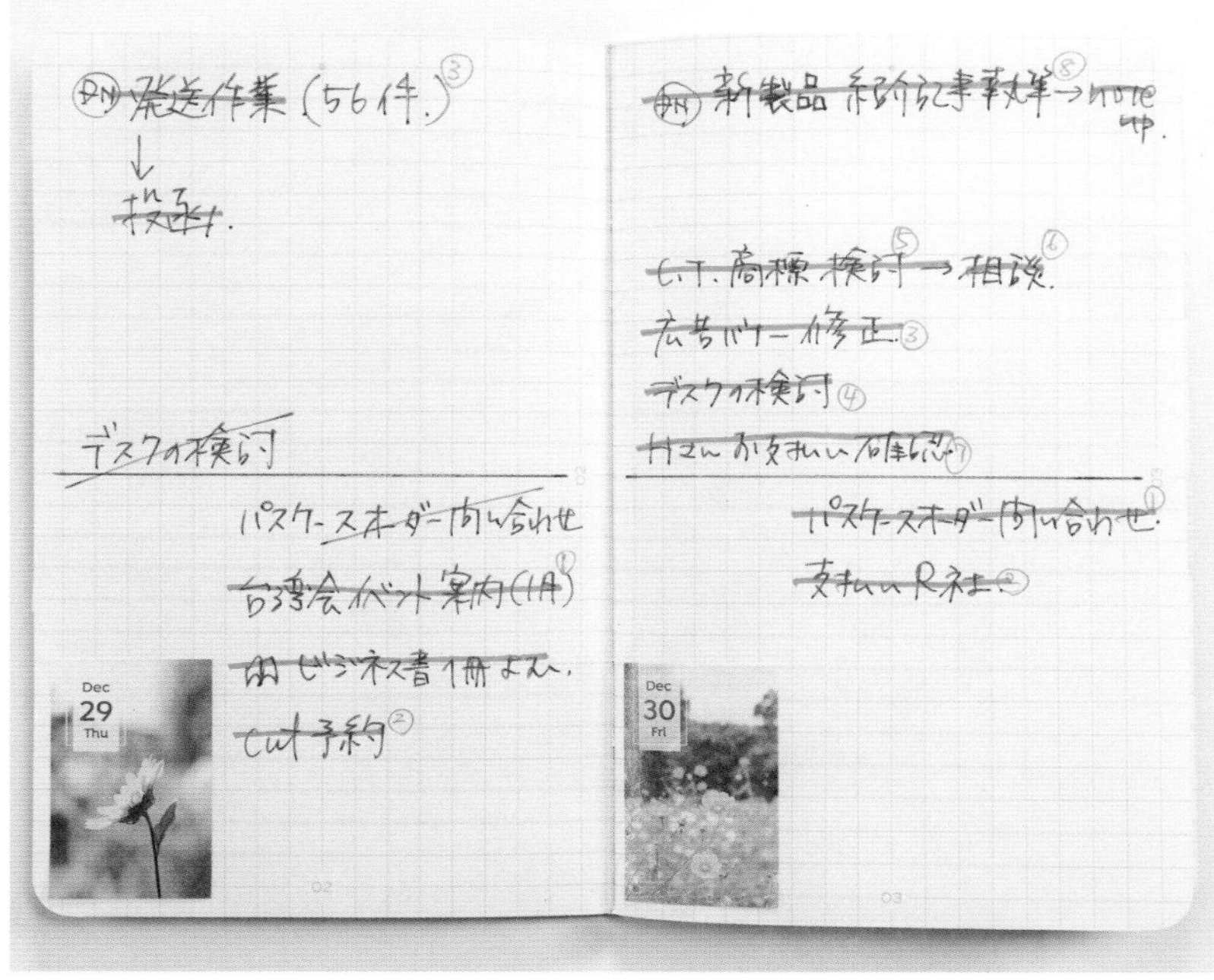


売もしている。

「私は、いつでもポケットに入る小さいノートを使っています。Ａ6スリムくらいのサイズです。いろいろなノートを試した結果、自分で欲しい機能やサイズ、紙の手触りなどを考えて自作しました。ある意味で趣味なのですが、自分のために作ったものを販売する形でスタートしています」

　このノートの表紙が面白い。デジタル時計の表示のようにマスを塗りつぶすと数値が書ける枠が用意されている。

「私もここを書くことで、『これだけ溜まった』というモチベーションにつながります。今のノートは67冊目なのですが、継続するための工夫でもあります」

　個々の情報をノートから探すのは大変だが、溜まっている量が目に見えるのがデジタルとの違いでもある。毎日書き続けるのは、高橋さんにとっても苦痛だという。だからこそ、好きな文具を使ってモチベーションを保ち、背中を押してもらっているそうだ。

「自分用のノートを作るのも冒険で、最初はロットを抑えて作りました。その上でみんなの反応を見たいから販売してみました。おかげさまで欠品が続いてしまい、自信を持って量産に入ることができたわけです。同じものを使い続けると飽きてくるので、紙やデザインにいろいろと変化を入れたバリエーションを販売しています」

　罫線をアクアカラーにしたり、表紙のデザインを変えることでいろいろと遊びながら

表紙には連番を書き込む枠を用意する。

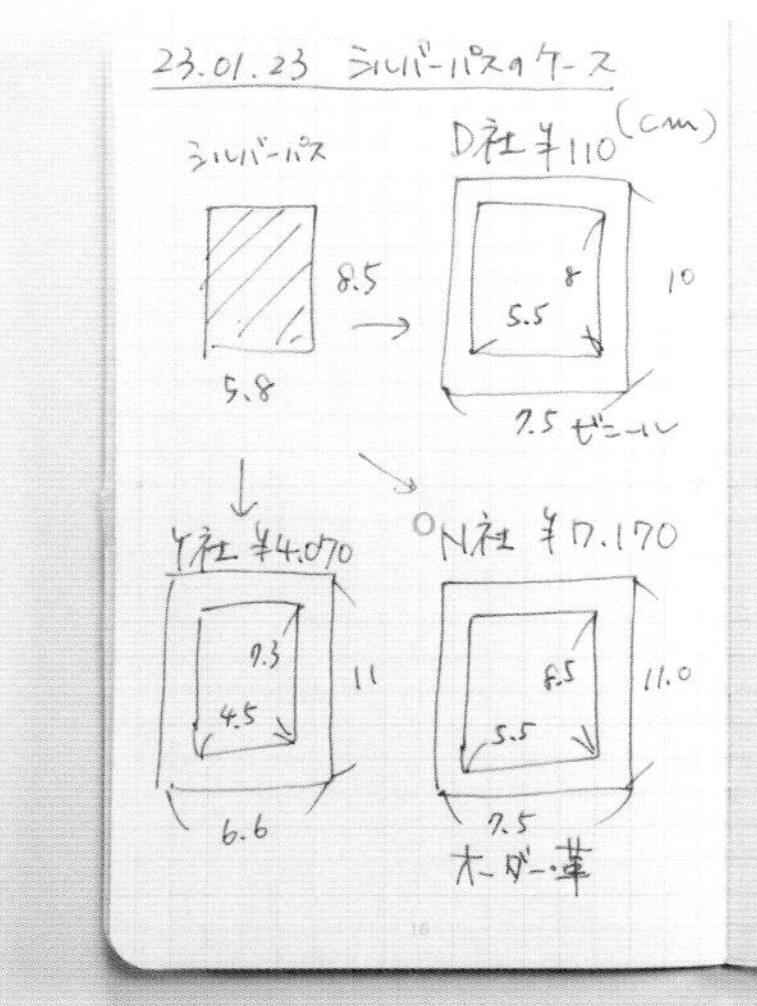

もちろん、ノートはToDo以外にも利用している。

06

気に入った万年筆で書くとモチベーションがアップする。

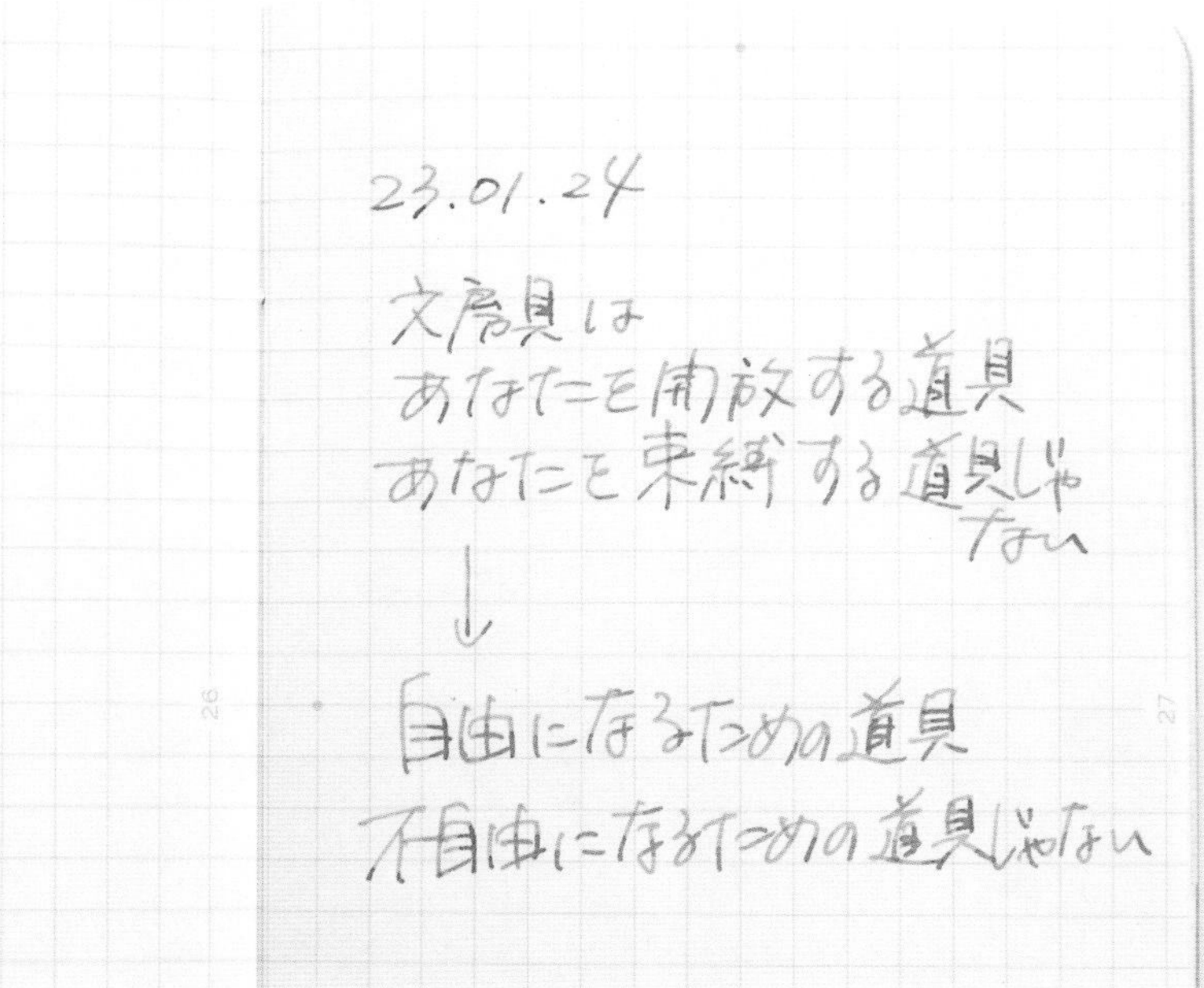

23.01.24
文房具は
あなたを解放する道具
あなたを束縛する道具じゃない
↓
自由になるための道具
不自由になるための道具じゃない


販売しているという。価格は3冊で1500円程度。小さなノートとしては高いのだが、手を出せない価格ではない。

「普通のノートの代わりにたくさん売ろうという気持ちはありません。私がこだわった機能を気に入って使ってくださる方向けです。実は価格も他社の高級ノートと近いレンジにしています」

基本的には直販で、一部知り合いの文具店で販売してもらっているという。

## アイデアは最終ページから書く

ToDo以外にもノートにはいろいろと記載していく。日々思いついたアイデアももちろん書いている。

「良いアイデアを思いついたり、湧いてくることがあると思います。これを普通に前から書いていくと埋もれてしまうので、ノートをひっくり返して後ろのページから書いています。アイデアだけが後ろから溜まっていくのであとで探しやすいわけです」

大事なアイデアだけが別の形で溜まっていくわけだ。

旅行や出張の予定なども書くことで理解しやすくなるという。時系列で自分の動きを書くことで、空き時間が見つかって有効に活かせることにもつながる。

文房具が好きで、こだわって自分から情報を発信している髙橋さんだが、最近の売り場縮小には悲しい思いをしているという。

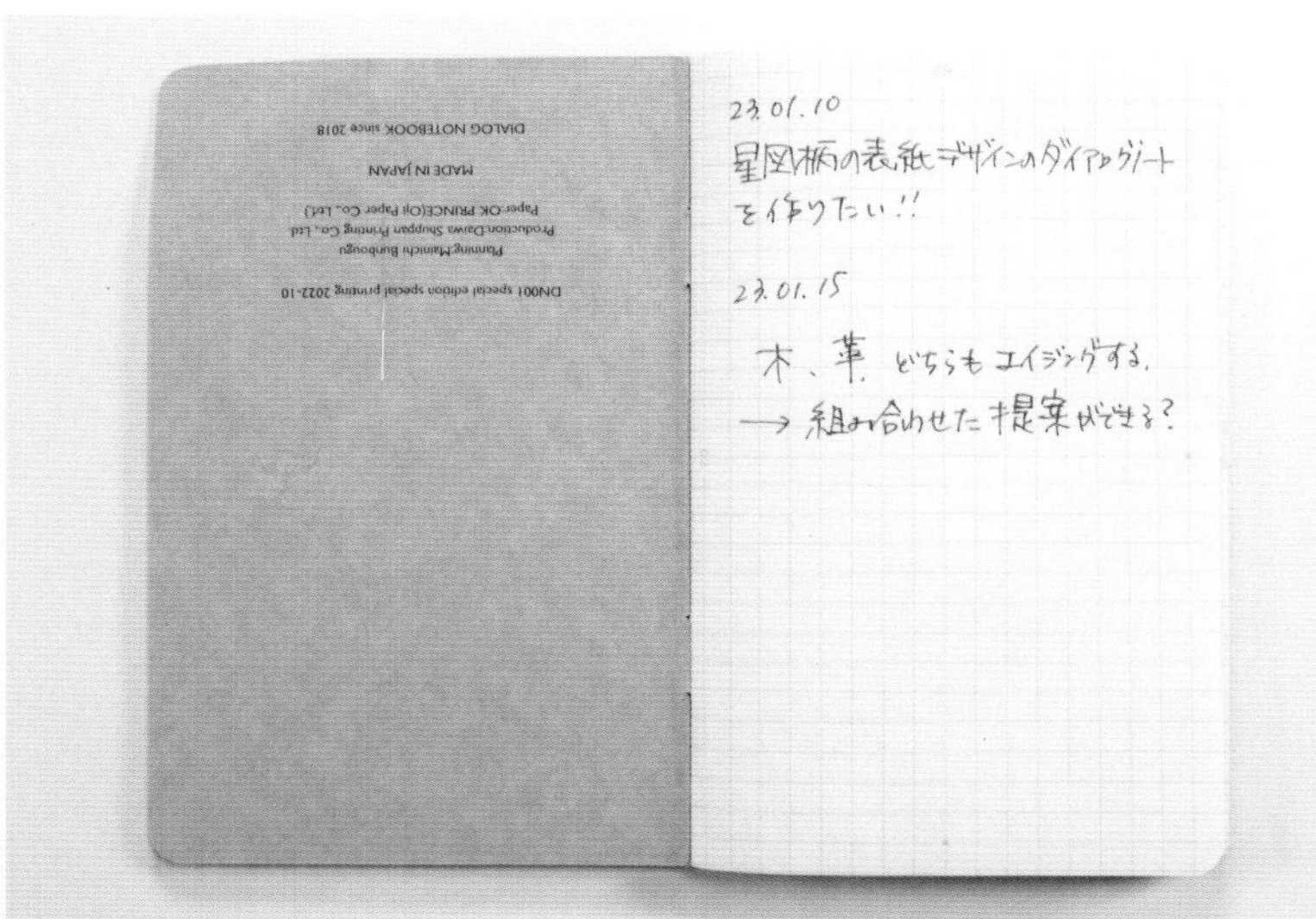

最終ページから書くことでアイデアを溜めていく。

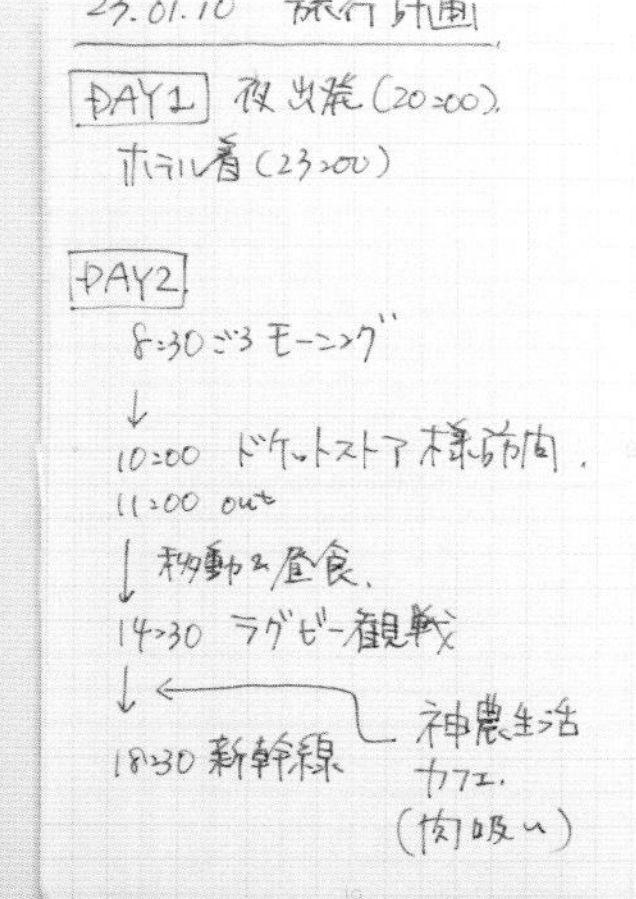

タイムスケジュールを可視化して、空き時間を見つけていく。

## 09

買い物の比較もノートに書いていくと情報を整理しやすいという。

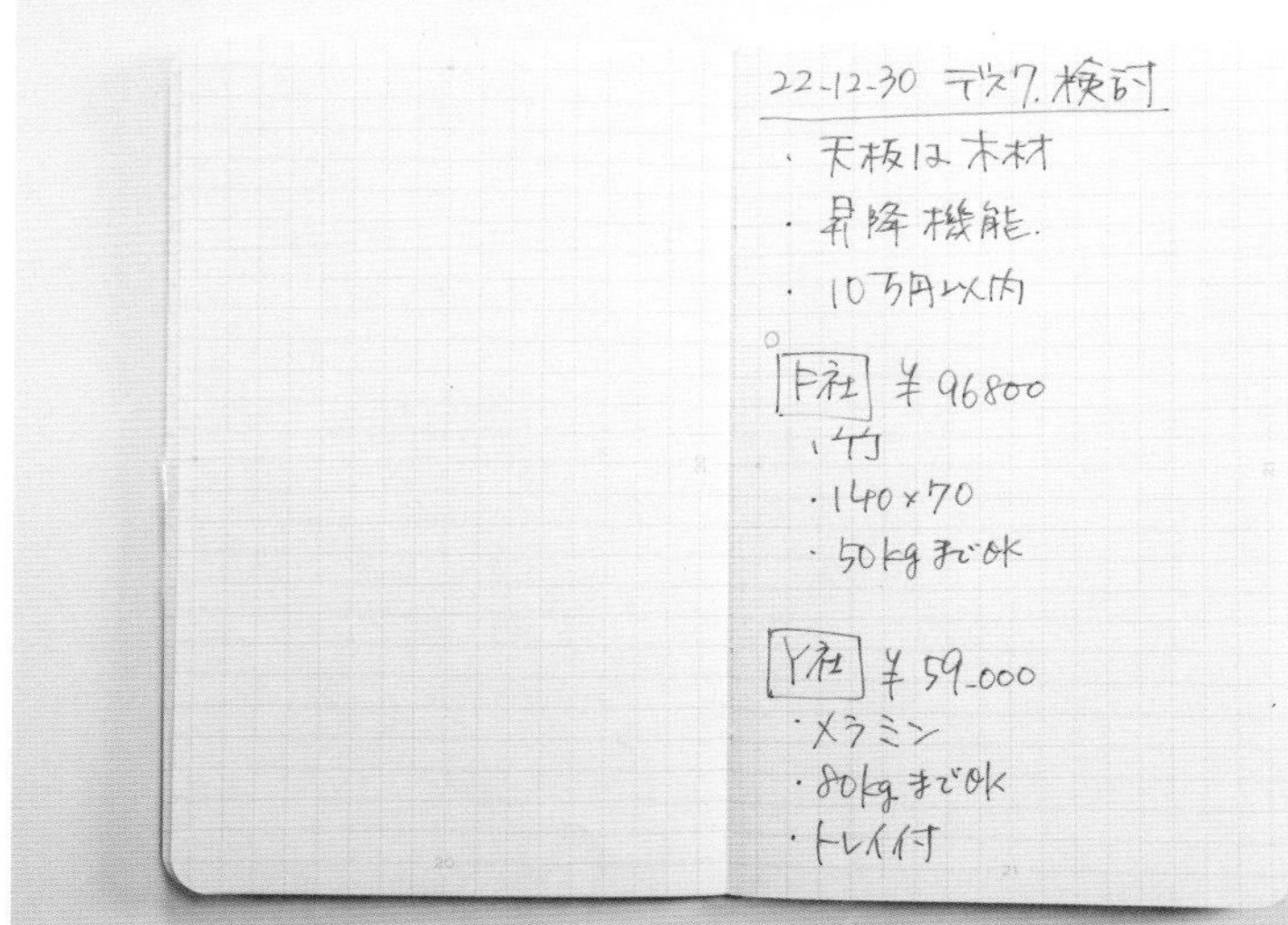

高橋さんは、「今後は文具売り場の支援に力を入れていきたい」と語る。さらに、革製品が好きなので、今後は文具にも取り入れて新しい製品を企画していきたいと考えているそうだ。

02

notebook

# 経営者の成長を支えるノート

アチーブメント株式会社
代表取締役会長 兼 社長
**青木仁志**さん

北海道函館市生まれ。若くしてプロセールスの世界で腕を磨き、トップセールス、トップマネジャーとして数々の賞を受賞。その後に能力開発トレーニング会社を経て、1987年、32歳で選択理論心理学を基礎理論としたアチーブメント株式会社を設立。会社設立以来、延べ47万9,852名の人財育成と、7,000名を超える中小企業経営者教育に従事している。

アチーブメント株式会社の青木仁志さんは、僕が尊敬する経営者だ。法人、個人のコンサルティングを行う企業のトップでもあり、目標達成の支援をテーマに長年活動している。そんな青木さんは、経営者が目標を達成するためのサポートになるノートの書き方を提唱しているので、お話をお伺いした。

まずは、青木さん自身のノートについて話を伺った。

「ずっと紙のノートに書いてきました。昔はモレスキンを使っていましたがその後、デイタイマーという手帳に移行して、今は自社で手帳を開発して販売しています」

手帳を徹底的に使い込んできた青木さんだが、最近はデジタルも使い始めているという。

「秘書との連携やチームプレーをするには、やはりデジタルの方が便利ですね。スケジュール管理はデジタルになっています」

10:03
4G
メモ
ここ10年で、アチーブメントグループを世界最高峰の人材教育コンサルティング会社に仕上げる。
まず2027年9月末40期までグループ売り上げ100億を達成、経常利益20億を達成。
正社員300名従業員数全体500名。
JPSA会員1万人認定ベーシックプロスピーカー以上1000名JPSA支部200支部を実現する。
2027年40期に事業継承のステージ1にはいる。


01

青木さんが記録したiPhoneのノート。会社の中期的な展望が記載されている。

紙の手帳の良さを認めつつも、ご自身はiPhoneを使うことも多いという。

「書いたものを反芻して自分の思考を集中させて、プランを立てたりするには紙がいいですね。ただ、ちょっと記録したりするときには、iPhoneの音声入力を使うこともあります」

## 習慣化するためにノートに書く

今回見せていただいたのは、中期的な会社の計画の骨幹を記録したノートで、iPhoneに書き込んでいる。会社をどのように成長させるかを経営者として考えて書き留めたものだ。

「普段でも書くことが降りてきたときにノートに取ります。だから、音声入力が手っ取り早いこともあります。毎朝、秘密のカフェで自分の人生や会社のことを考える時間を作っています。スープを飲みながら、じっくりと考えます。そんな時にもノートに記録して、何度でも読むことで習慣化できます」

書いて記録することで、自分の考えが明確になり何度でも振り返れるし、自分自身に刷り込める。

「私は、プライベートとビジネス両方とも無理をしません。経営は自分だけで考えて突き進んでもうまくいかないのは車の運転と同じですね。周りの状況や前の車の様子をうかがいながら最適な走りをするタイプ

## 02

こちらは、音声入力で作成した人生の目的のノート。

13:09
検索
2023年10月16日 13:09
人生の目的は、真の成功者になること。
まず、自分自身が５つの基本的欲求を満たせる人生を全うすること。
心身ともに健康である状態を維持すること、愛に満たされた人生を全うすること、職業で卓越して業界のモデルとなり、また仕事を通して縁ある人を幸せに導くこと、そして、自分自身、巨万の富を得て、成功哲学の実践者になること、そして、人生を楽しみ、納得のいく人生を全うしたと言い切れる、長寿で長生きで、そして健康で楽しい人生を全うすること。
そして事業においては社員を幸せにし、お客様に誠実を通し、そして高額納税者として、社会に貢献し、そして家族を守り、社員を守り、縁ある人を幸せに導いていく人生を全うすること。
そしてキリスト者として証の人生を全うしていくこと。
そのために売り上げアチーブメントグ

です。だから、どう進んでいるのかをいつでも確認する必要があります」

### 苦労した時代のノート

青木さんは、若いときに何度も大きな苦労をしてきたという。1993年頃、新しい教材を開発しようとして、1億5000万円分の在庫を抱えたことがあった。当時は社員10名の会社だったので、とても大きな負債だ。今回はその時に書いた、自分への約束のノートを見せていただいた。

「ここで諦めたら倒産ですから、どうやって乗り越えていくかノートにまとめて何度も読みましたね。夜寝る前に大きな声で読んだりしていました。妻は、さぞかしうるさいと思ったでしょうね」

　1993年のノートが保存してあるのも素晴らしいが、その内容も刺激的だ。

「当時は若かったので、自分の力で遮二無二取り組んでいくしかなかったのです。今なら、人の力を借りれますし、信頼もある程度できています。しかし、当時の自分は自分でできる限りのことをよく頑張ったと思います」

　大きな負債を背負い、心が折れそうになるのをぐっとこらえた思いの丈が詰まったノートである。

1993年、大きな在庫を抱えて苦しんでいるときに書いたノート。

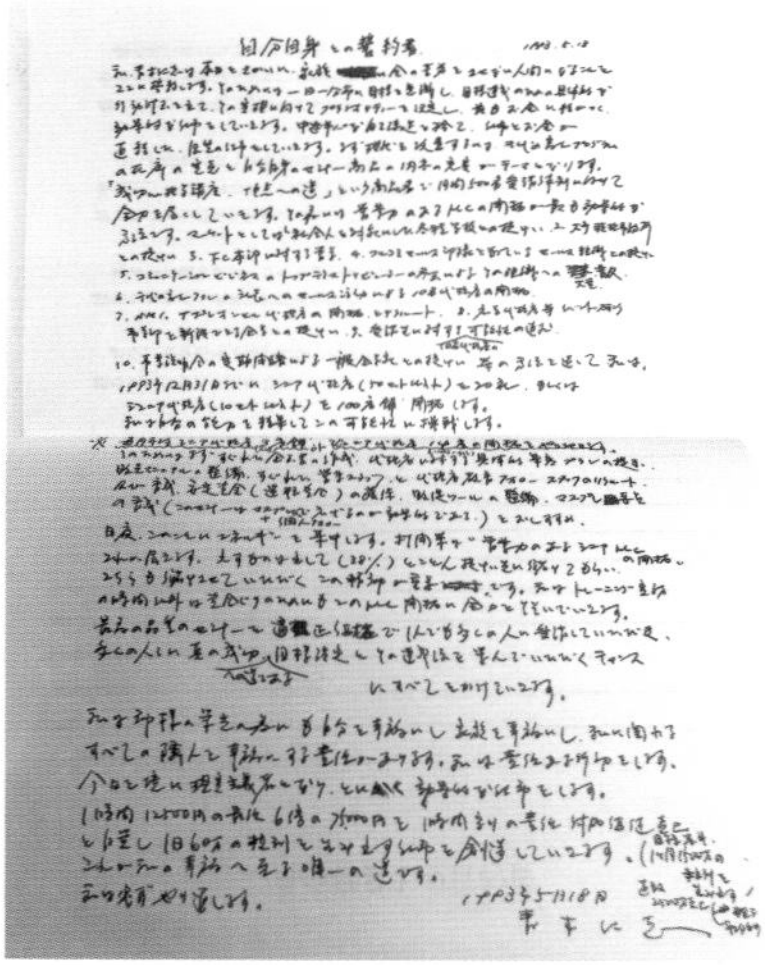

04

秘書がまとめた情報はPDFにしてあり、いつでもiPhoneで閲覧できるようにしている。

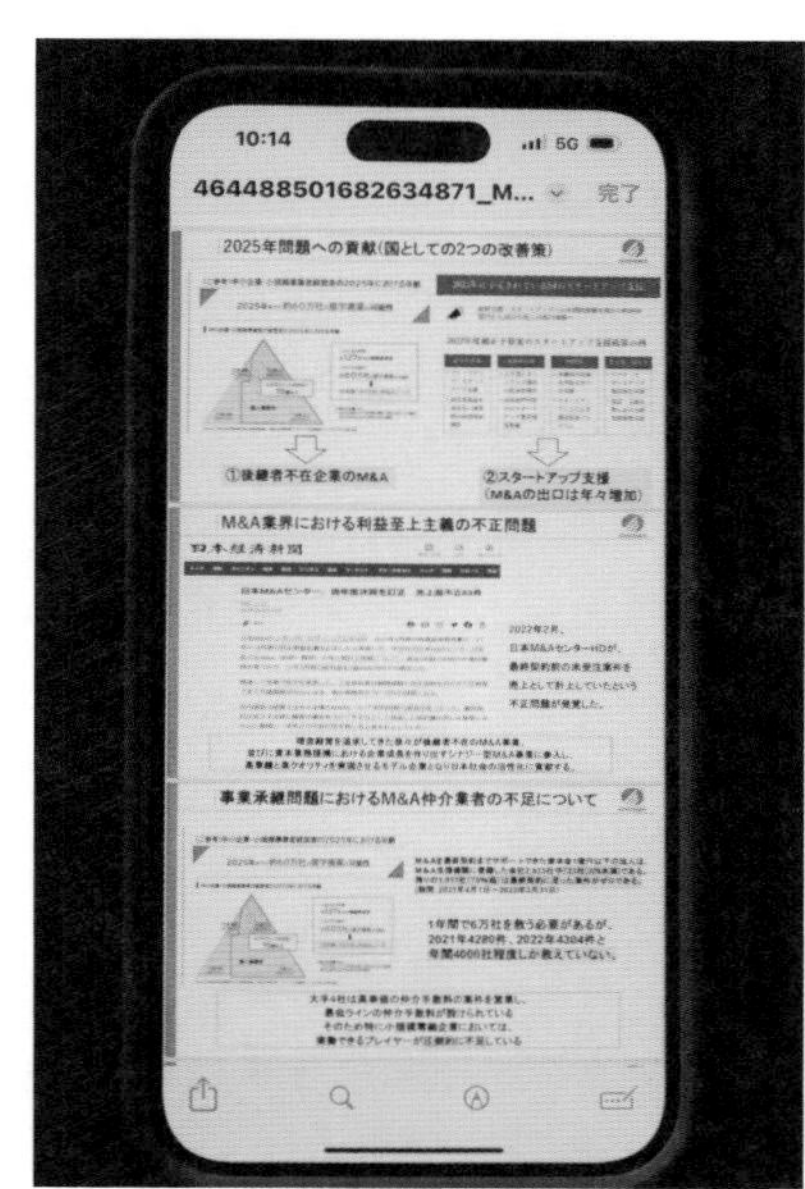

自己資源分析表

| | 仕事・職業経験 | 能力・知識 | 技術・技能・資格 | 財産・資産 | 人的ネットワーク | その他 |
|---|---|---|---|---|---|---|
| いつでも使える状態になっている資源 | 法人営業3年の経験<br>交渉力<br>マネジメント（1対1） | 交渉力<br>マネジメント（1対1） | | 持ち家<br>積立貯金<br>投資信託 | 顧客、<br>会社の先輩・後輩<br>ボランティア団体 | フルマラソンを走れる体力 |
| 少し磨けばまだ自分にとって有効な資源になり得るもの | 営業企画 | 複数人のマネジメント | 商業簿記<br>ビジネス英会話 | | 異業種交流会で出会った方々<br>大学関係 | |
| 現在のままだと陳腐化してしまう恐れのあるもの | 貿易実務の経験 | 1対マスのプレゼンテーション力 | 1対マスのプレゼンテーション力 | 車（調子が悪い） | 遠い親戚<br>高校までの友人 | 剣道 |
| 今後、必要になってきそうな資源 | 事業開発の経験 | 採用に関する知識 | 不動産の知識<br>中国語 | 子どもの教育資金 | 専門職の方々とのつながり<br>大物経営者とのつき合い | 健康な歯を保つ<br>ゴルフなどの仕事につながる趣味 |

記入例 P110

109

# 05

理想の人生を生きるためには現状分析ができていることが重要。そのための自己資源を分析する表がこちらだ。

## 今は記録をPDFにしてもらう

今は、秘書にノートを作ってもらうことも多い青木さん。周囲の力をうまく借りながら、自分の役に立つノートを作り続けている。会食や会合などに出かけた際には、資料を作ってPDFで共有してもらう。

「常に、さまざまな業界の最先端にいる方と会食をしたり、話を伺うようにしています。その時に役立つと思ったら、秘書に頼んでPDFのファイルで記録にしてもらいます」

PDFにすることで、いつでもスマホで閲覧できる。経営や実生活で使えない形では意味がない。必要だと思った情報は、いつでも使えるように準備するわけだ。

## 青木さんのノート術

青木さんが、著書『超一流の書く習慣』で提唱しているノート術を少しだけご紹介しよう。今回紹介するのはあくまでも記入例となっている。青木さんが長年かけて編み出したノート術の一端がご覧いただけるはずだ。

満足する人生を送るために、パワーパートナーとともに成功するという考えが重要。そこで、人脈マップを作り自分の人間関係を整理してみる。人生の目標は仕事の目標とは違う。この「目標の構造化シート」を使ってあらゆる目標を分類していこう。

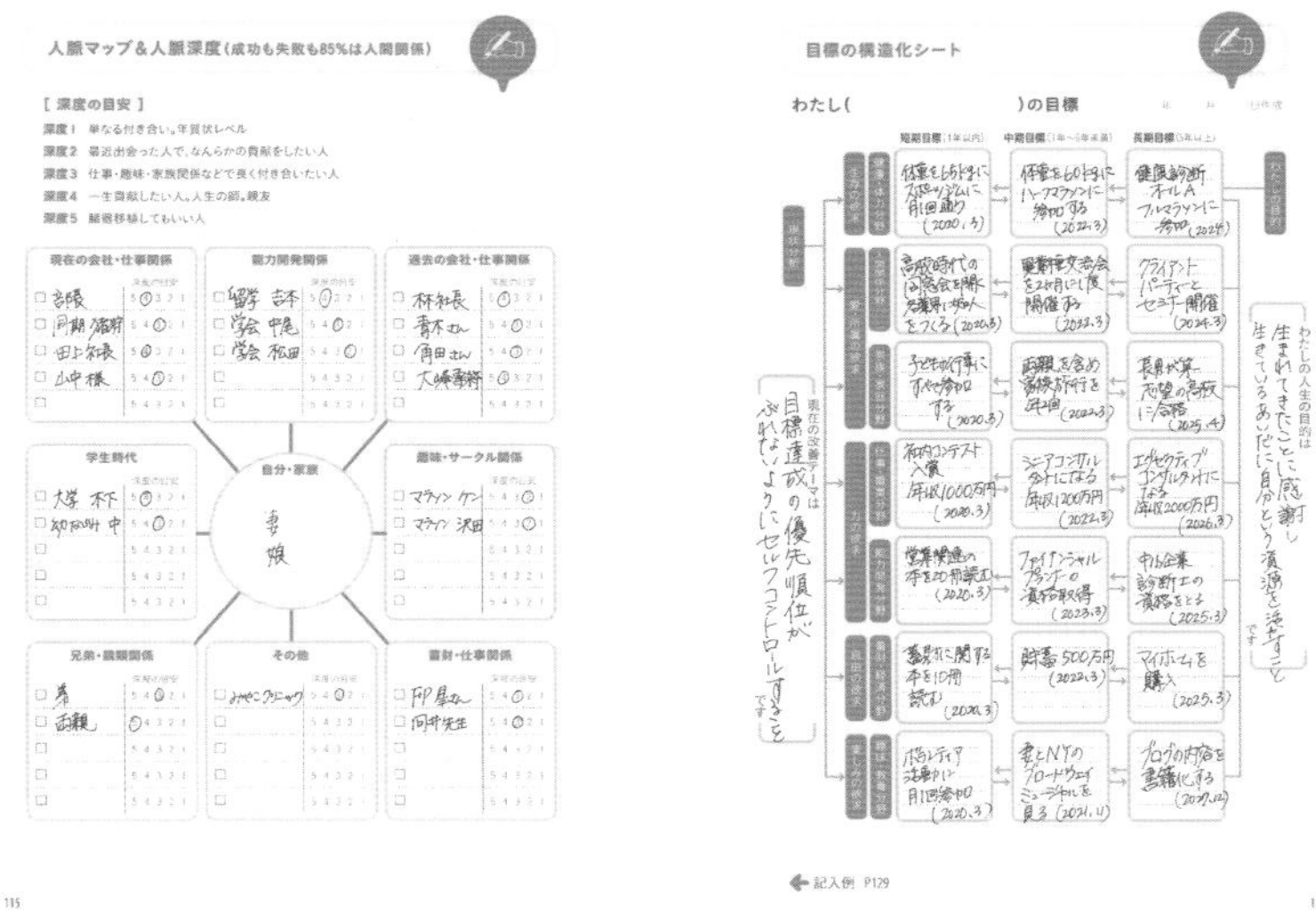

人脈マップ＆人脈深度（成功も失敗も85%は人間関係）

［ 深度の目安 ］

深度1 単なる付き合い。年賀状レベル

深度2 最近出会った人で、なんらかの貢献をしたい人

深度3 仕事・趣味・家族関係などで長く付き合いたい人

深度4 一生貢献したい人。人生の師。親友

深度5 経営移様してもいい人

現在の会社・仕事関係／能力開発関係／過去の会社・仕事関係／学生時代／自分・家族／趣味・サークル関係／兄弟・親戚関係／その他／書財・仕事関係

記入例 P129

目標の構造化シート

わたし（　　　）の目標

短期目標（1年以内）／中期目標（1年〜5年未満）／長期目標（5年以上）

わたしの人生の目的は 生まれてきたことに感謝し 生きているあいだに自分という資源を活かすこと です

現在の改善テーマは 目標達成の優先順位がぶれないようにセルフコントロールすること です

| 短期目標 | 中期目標 | 長期目標 |
|---|---|---|
| 体重を65kgに スポーツジムに月1回通う（2020.3） | 体重を60kgに ハーフマラソンに参加する（2022.3） | 健康診断オールA フルマラソンに参加（2024） |
| 高校時代の同窓会を開く 起業界に友人をつくる（2020.3） | 異業種交流会を2か月に1度開催する（2022.3） | クライアントパーティーとセミナー開催（2024.3） |
| 子どもの行事にすべて参加する（2020.3） | 両親を含め家族旅行を年2回（2022.3） | 長男が第一志望の高校に合格（2025.4） |
| 社内コンテスト入賞 年収1000万円（2020.3） | シニアコンサルタントになる 年収1200万円（2022.3） | エグゼクティブコンサルタントになる 年収2000万円（2026.3） |
| 営業関連の本を20冊読む（2020.3） | ファイナンシャルプランナーの資格取得（2023.3） | 中小企業診断士の資格をとる（2025.3） |
| 蓄財に関する本を10冊読む（2020.3） | 貯蓄500万円（2022.3） | マイホームを購入（2025.3） |
| ボランティア活動に月1回参加（2020.3） | 妻とNYのブロードウェイミュージカルを見る（2021.11） | ブログの内容を書籍化する（2027.12） |

記入例 P129

こちらは年間の行動計画表。他にも、数年にわたる中長期の計画表を作り、自身の基本欲求を満たせるように行動していく。行動計画表を毎日見ることが重要だ。

年間行動計画表

年　月　日作成

今年の最重点目標：チームの年間売上目標の達成

| 今年の目標 | | | |
|---|---|---|---|
| 1 | チームの達成 | 4 | 年2回家族旅行 |
| 2 | マニュアル改訂 | 5 | 収入の20%貯蓄 |
| 3 | 体重70kg維持 | 6 | ゴルフのスコア80 |

| 行動計画 | 成否のポイント | 4月 | 5月 | 6月 | 7月 | 8月 | 9月 | 10月 | 11月 | 12月 | 1月 | 2月 | 3月 | 達成による成果のイメージ |
|---|---|---|---|---|---|---|---|---|---|---|---|---|---|---|
| 出来事 | 家族 | | 母BD・妻BD | | 結婚記念日 | | | | | | Y息子BD | | I次BD | |
| | 仕事 | 新人研修 | | | レク企画 | | | 内定式 | | | 昇格試験 | | | |
| 1.チームの年間売上目標達成 | ・メンバー全員の表彰<br>・メンバーとの面談（月2回） | 月2回面談 → | | | | | | | | | メンバー全員表彰 → | | | チーム表彰されている |
| 2.マニュアル改訂 | ・6月までに完成しトライアル期間をおく | ヒアリング | 作成 | 完成 | トライアル導入 | 修正し再度リソース | 月2回のトレーニング → | | | | | | | ・メンバー1人1人がスキルアップしている |
| 3.体重70kg | 定期的な運動<br>食事管理 | 月2回のジム →<br>夕食の量をコントロール → | | | | | | | | | | | | 適正体重を維持している |
| 4.年2回家族旅行 | ・半年前に予定確保<br>・年2回妻の実家へ | | | | | 妻の実家 | 家族旅行 | | | 妻の実家 | | | 家族旅行 | 妻や子どもたちとよい関係を維持している。 |
| 5.収入の20%貯蓄 | ・マネー管理アプリを使う<br>・イベントの予算管理 | → | | | | | | | | | | | | 出費の無駄がない状態 |
| 6.ゴルフのスコア80 | ・年間12ラウンド<br>・月2回レッスン | 月1回 →<br>月2回 | | | | | | | | | | | | 友人や取引先と楽しむ |

記入例 P158-159

03

notebook

# プロが振り返りのために記録するノート

『スパイダーマン：ノー・ウェイ・ホーム』は、ファンの気持を受け止めて、愛として送り返す最高のプレゼント

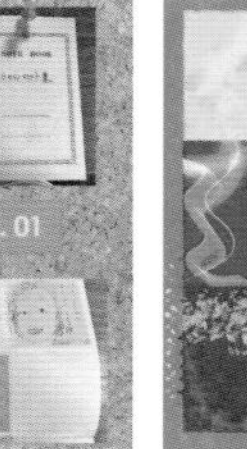

映画愛にあふれた記事と登場人物の特徴をとらえたイラストで、映画関係者からも注目されている。

海外ドラマ・映画ライター

**峯丸ともか**さん

雑誌やWebで欧米ドラマや映画の紹介記事を執筆。日本の海外ドラマファンの数を増やすべく、初心者さんに興味を持ってもらえるような海ドラ愛にあふれる記事を届ける。海外ドラマファンのためのマガジン発行中/なにみるマガジン編集長/PASSAGE本棚主。猫が癒やし。

峯丸さんは、海外ドラマや映画のライターとして活躍している。好きが高じた仕事なので、言うまでもなく、無類のドラマ・映画好きだ。そんな峯丸さんは、2022年の1月から鑑賞した映画をすべて手書きのノートに記録し始めた。

「書き始めたのは秋ですが、1月に見た映画から振り返って書いています。通常は年に100本以上見ますが、昨年はあまり見られていなくて、半分くらいかと思います。映画館では月に4～5本見ていて、残りは配信で視聴しています」

なぜ手書きのノートを始めたのだろうか。

「Webや雑誌で映画の記事も書いていますし、ブログも運営しています。ところが、自分の気持ちは、記事内にあまり載せられません。依頼された内容に沿って書く必要があるし、ブログなどでも本音を書きすぎることはできないなと思っています。すると、自分の中にある映画に対する核の部分

## 01

峯丸さんが書いている映画記録ノート。

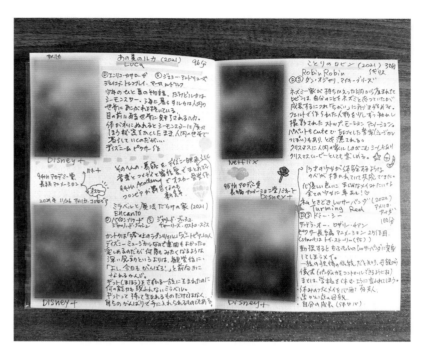


が取り出せていないという感覚になって、その部分を吐き出すように書くには、日記風のノートが良いかなと思って始めたわけです」

　僕自身も製品のレビューをしているので、その気持ちがよくわかる。自分が思っているけれど伝えられないことは確かに少なくないのだ。

### なぜデジタルではないのか

　ブログも運営しているなら、デジタルでも良さそうな気がするが、なぜ紙のノートなのだろうか？

「パソコンならば、検索などですぐに情報を取り出せます。ただ、その方法だと面白みがないと思うのです。特にビジュアルに対する愛着が違ってきます。仕事柄、本来はパソコンでもまとめていくべきだと思うのですが……。とにかく、このノートを書いていると楽しいんです。書いているうちに、情報の整理と心の整理ができるのが良いと思ってます。デジタルだと情報の整理だけになってしまうので」

　ノートを書くのは心の整理が最も重要なポイントだと、改めて気づいたという峯丸さん。ノートはその時の気分で自由に書いている。

「映画のタイトルはもちろん、公開年や監督、原題、出演者などを一目瞭然でわかるように冒頭部分に書いています。あとは映

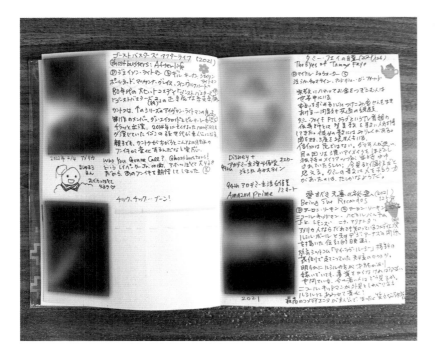


02

まだ書いていない部分にも、先に写真だけが貼られている。

画の写真をプリントして貼り付けています。その下には想いを中心にメモをしていきます」

ノートを続けるために、映画を見たらまず写真を用意しているという。Canvaというアプリを利用して10本分を印刷して切って貼る。つまり、最初に画像を用意するわけで、貼り付けたら「書かなきゃいけないな」という気持ちになるという。本書を書くにあたって、なぜ紙なのか、アナログなのかの深掘りをテーマにしているが、ここが一つのポイントだ。紙は楽しいが書くのは実は負担だ。だから、みなさんそれぞれに書くための動機付けを工夫しているわけだ。それにしても、10本分も溜めて忘れないのだろうか。

「意外に忘れません。ノートを書く前に一度思い出します。すると、たくさん書きたいことが出てきて困ってしまいます。このノートだと感想の部分を書ける量は200文字くらいなのです。字もきたないですし間違えたりしていますが、気にしません。仕事の記事は、熟考して書いて、それでも何度も書き直したりします。このノートは一度で書くようにしたいのです」

峯丸さんは、感想をすぐにアウトプットするのがあまり好きではないという。一度寝かせて、自分の中でよく熟成させてから書きたいそうだ。つまり、単に面白かったではなく、なぜ面白かったのか、なぜ引っかかったのかなどをよく考えてから書きたいという。

ページは基本的には半分だが、たまにはみ出すことも。

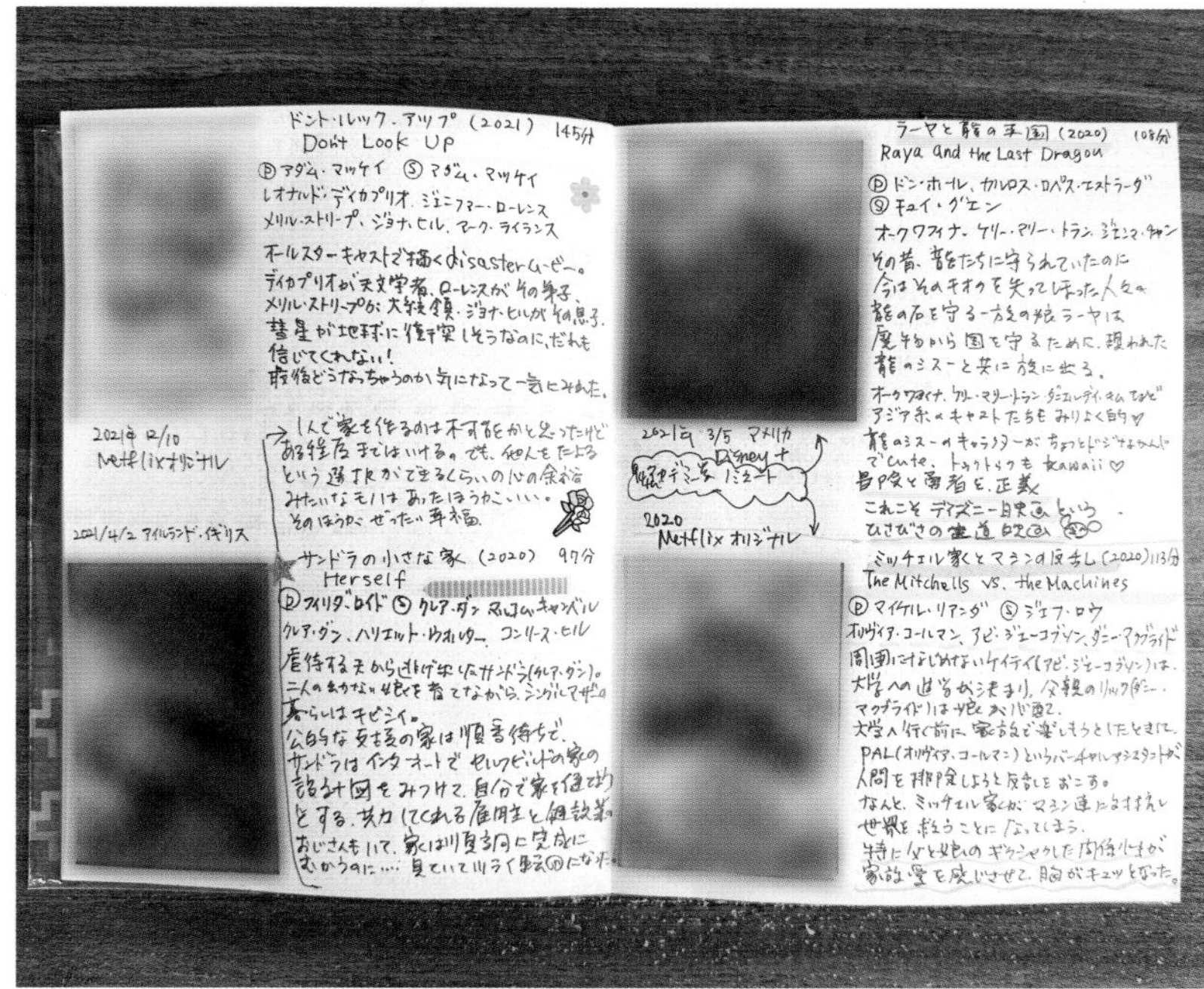


## 自由に書いていく

使っているノートは、KOKUYOの「ノートブック〈PERPANEP〉ペルパネプ（ツルツル）4ミリ方眼A5」という製品だ。A5サイズなので、持ち歩きにも便利で情報量もそれなりに書ける。だが、必ず1ページを半分にして使っている。大作映画だから1ページ使おうということはないのだろうか。

「すべて均等に二分の一にしています。自分の生涯のベストテンに入る映画でも、このノートでは均等にします。とはいえ、スペースを少しはみ出すこともあります。書いているうちに、思いがあふれてきて『これ意外に好きだったんだ』なんて気づくこともあるのです」

ノートにはちょっとしたイラストが添えられており、ラインマーカーで色も付けている。

「黒だけだとつまらないから色を付けているだけで、特に色合いに意味はありません。ラインマーカーは試行錯誤しました。最初は万年筆で書いていたのですが、ラインマーカーが滲んでしまって。今は、ファインライターというペンで書いています」

たくさん貼り付けられているシールも、実は元々集めていてたくさん持っていたものを使っているという。余談だが、シール好きほど使い道に困っていたりするものだ。

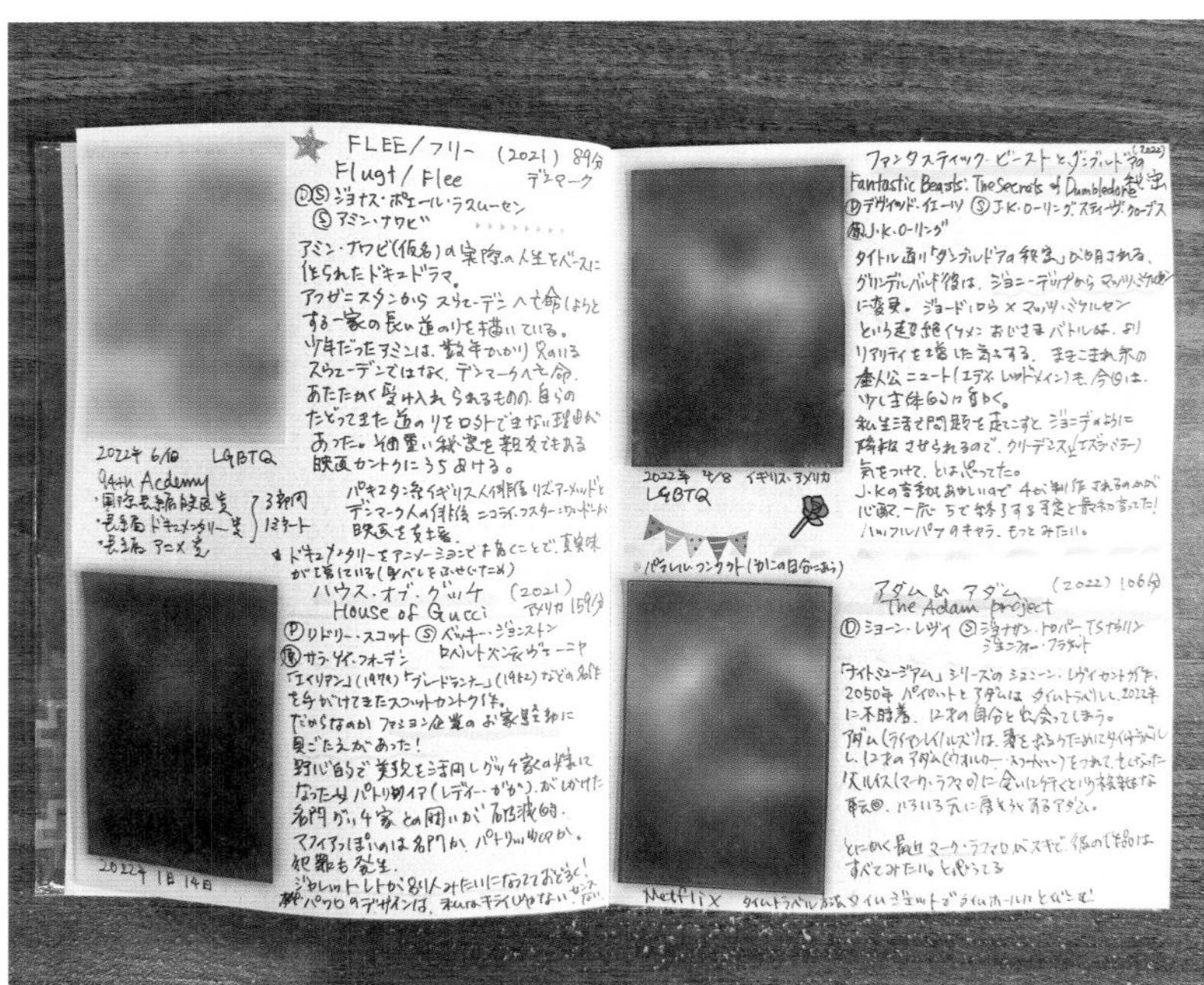

散見されるシールは楽しいから貼り付けているそうだ。使っている文具とノート。

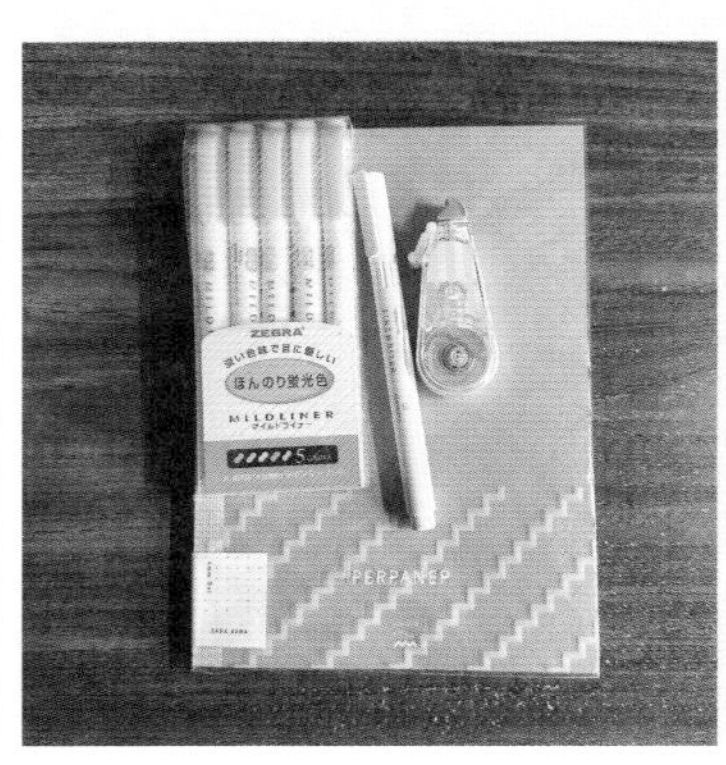


峯丸さんも手帳には貼りきれないので、ここで消化できないかと考えているとか。

字を間違えてもあまり気にしていないが、ホワイトの修正テープを用いている。

## ベストテンも記録している

作品ごとの記録だけでなく、データが記載されているページも用意されている。

「毎年、自分の年間ベストテンを考えていこうと思います。どんな映画を鑑賞してきたかを振り返れば、情報も整理しやすくなります」

つまり、それまでに書いたノートを利用して年間のまとめをしているのだ。とても楽しそうな作業ではないか！

さらに、プロらしくアカデミー賞の予想もしているという。

「このノートは、アカデミー賞を予想するための候補者の選定をするのに役立っています。2023年のアカデミー賞も、9部門予想して7部門は的中しました。ただ、日本での公開日は授賞式のあとになる場合もあります。事前にノミネート作品が見られないこともあるので、予想は難しいです」

## 気楽に書いていくのはどうだろう

峯丸さんは、カフェなどに出かけて楽しみながらノートを書いているという。

「スマホなどで検索して情報を調べるのが

作品を見てまとめている、ノートの集大成といったページ。アカデミー賞の予想はとても楽しそうだ。

15分、書く作業が15分くらいで、30分もあれば1つの作品について書けます。カフェでそんな作業をしているのがとても楽しくて、もう一度映画に向き合えています」

もちろん、映画以外でもこんな記録ノートをつけることができるので、みなさんも自分の趣味で試してみてはいかがだろうか。

「人に見せることを考えていなかったので、文字などもきたないんです。でも、KOKUYOさんのWebサイトに映画記録ノートの書き方として掲載していただいたら結構反響があって、これからは作品ごとにインスタグラムに上げてみようかなと思っています。ただ、本音が書いてあるのでちょっとまずいかなとも考えているところです」

何より情報が溜まったノートを見返すのはとても楽しいという。確かに、これだけ溜まってくれば楽しいに違いない。

04

notebook

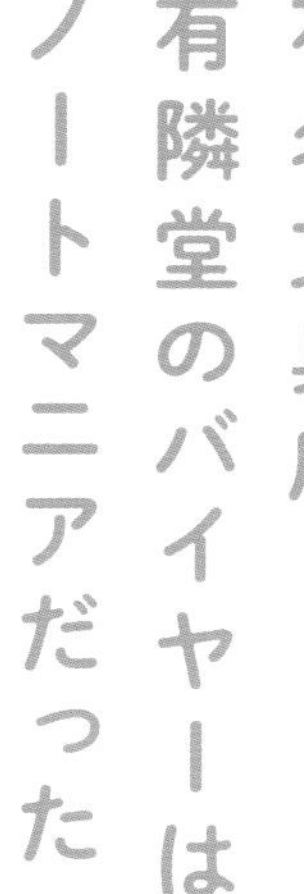

# 有名文具店 有隣堂のバイヤーは ノートマニアだった

有隣堂

**岡﨑弘子**さん

1966年7月生まれ（丙午）有隣堂文房具バイヤー。日記と絵葉書を描く祖父の影響で画材に興味をもつ。幼少期、家のお隣が町の文房具屋さんだったので入りびたり、文房具大好き少女として成長。アルバイトで入った本屋（有隣堂）だったが、1990年に正社員となり、その後なぜか2回もTVチャンピオン「文房具通選手権」（テレビ東京）に出場。2020年からは有隣堂のYouTubeチャンネル「有隣堂しか知らない世界」に出演。このYouTubeがきっかけとなり自身の名前を冠したショップ「岡﨑百貨店」をオープンすることになるなど、自分では想像もつかない方向に進んでいき今に至る。

本と文具店の「有隣堂」では、「有隣堂しか知らない世界」というYouTubeのチャンネルを運営している。そこで、文具のマニアである岡﨑さんを発見。特にノート周りには非常にこだわっている姿を拝見して、早速取材を申し込んだ。あり得ないほどの文具マニアで、膨大な「私物」の文具がYouTubeに登場する。どうして、そんなに文具を大量に持っているのかと、感心するやら驚くやら。興味のある方はぜひご覧いただきたい。

最初に見せていただいたのは岡﨑さんが仕事の記録を書いているノートで、バイヤーらしく商談の内容などを書いていくという。

「使っているのは、プラスの『カ・クリエ』というノートです」

カ・クリエは、細長いノートで高さがA4サイズになっている。A4の書類を3つに折りたためば挟み込みやすいわけだ。しかも小さめなので鞄への収まりもいい。

01

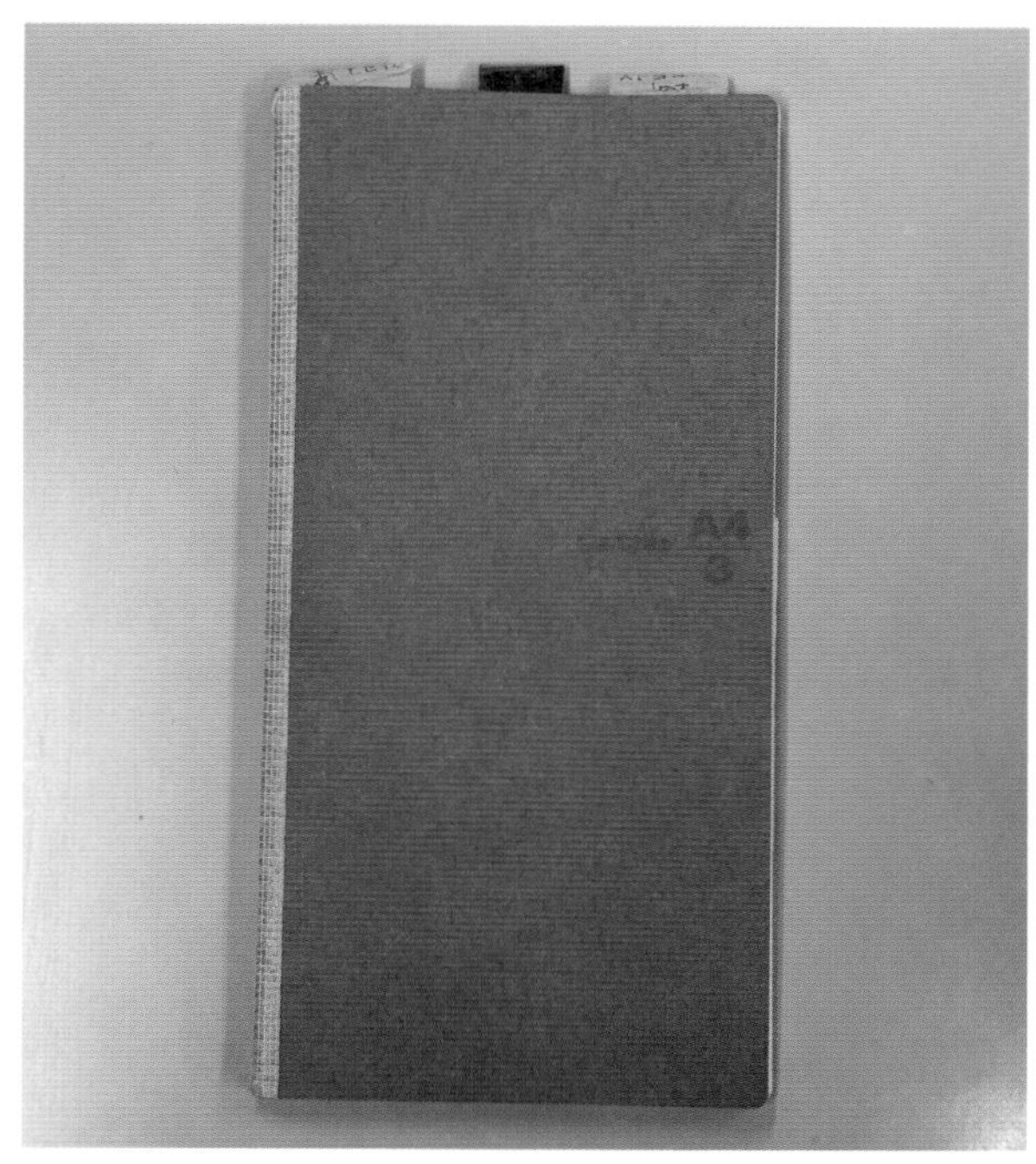

岡﨑さんが使っている「カ.クリエ」。

## もはやノートはボロボロだ

岡﨑さんの使っているカ・クリエは、5ミリの方眼だ。同シリーズのノートには、無地や横罫線もあるが、方眼が好みだという。

「結局、方眼のマスに文字を入れているわけではないんです。でもなんか落ちつくというか……。もちろん、図が描きやすいというのはあります」

ということで、岡﨑さんのノートを見せていただいたが、これがもうボロボロなのだ。

「1日1ページくらい書くことが多いのですが、名刺や書類なども貼り付けるので、分厚くなりすぎて背中が切れてきちゃうんです」

背の部分をカラフルなテープなどで補強してあるのだが、それもまたボロボロになっているのがいい感じだ。

文字の色も統一されていないが、これはバイヤーらしく製品の選択に役立っている。つまり、1ページ程度は書かないとペンの良さがわからないというわけだ。

「色が裏に抜けないノートが好きですね。まあ、カ・クリエも抜けてしまうことがあるのですが、そうするとペンをちょっと考えます」

さらに、紙の手触りなども気にしているという。

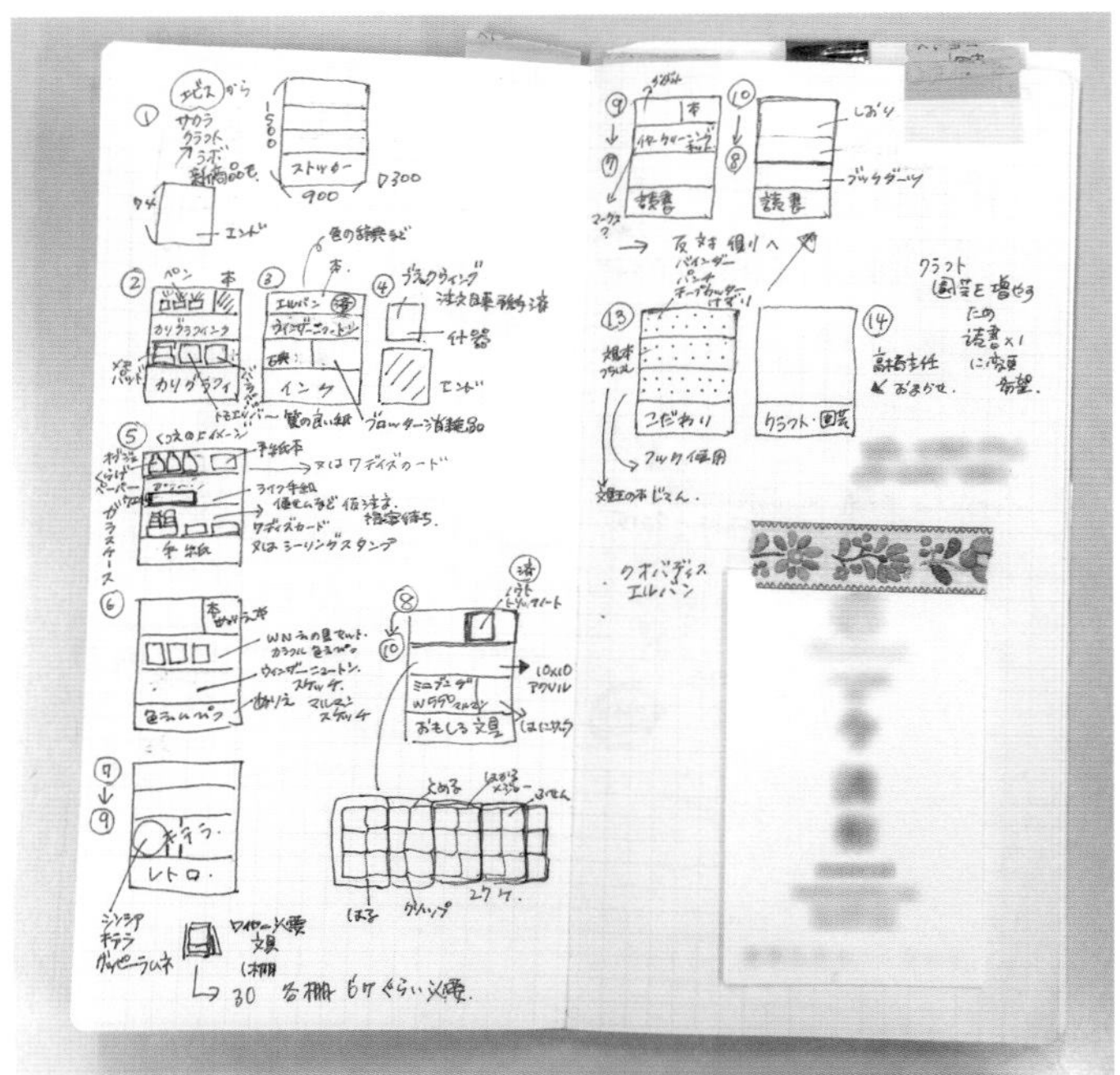

## 02

方眼を活かして図を描いたノート。とにかく緻密できれいだ。

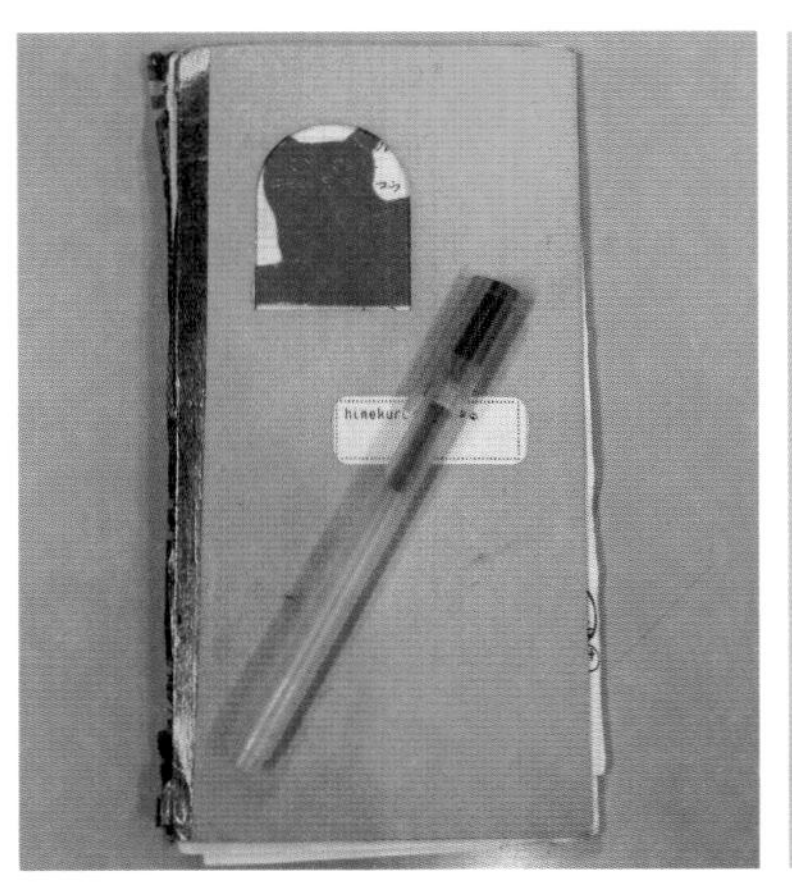

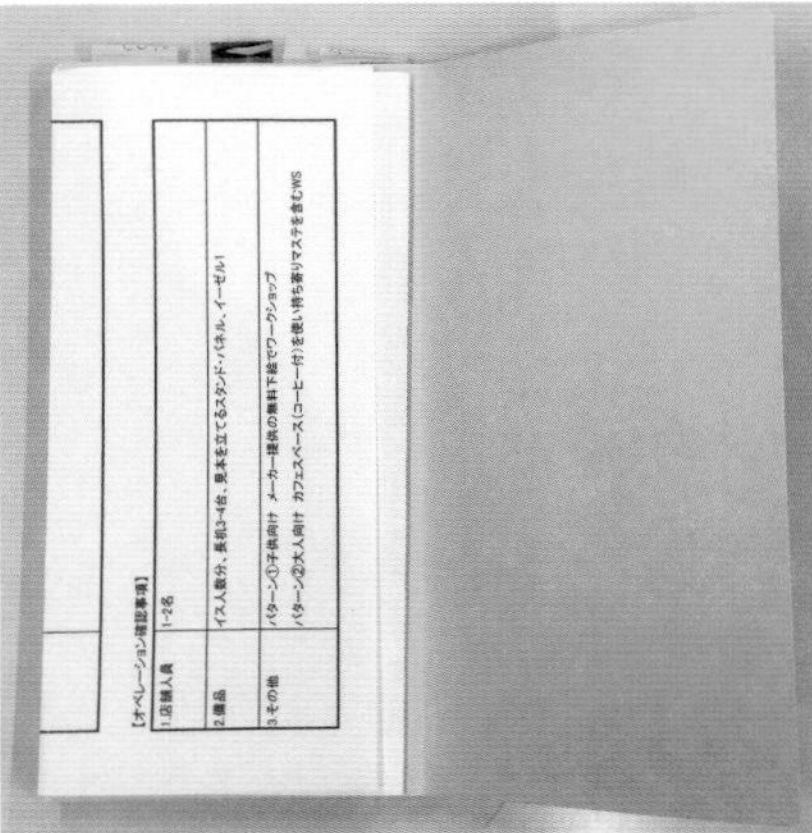

ペンはいろいろと使ってみる。このように書類も挟み込んでいくので、分厚くなるわけだ。

04

美しいインクのチャート。

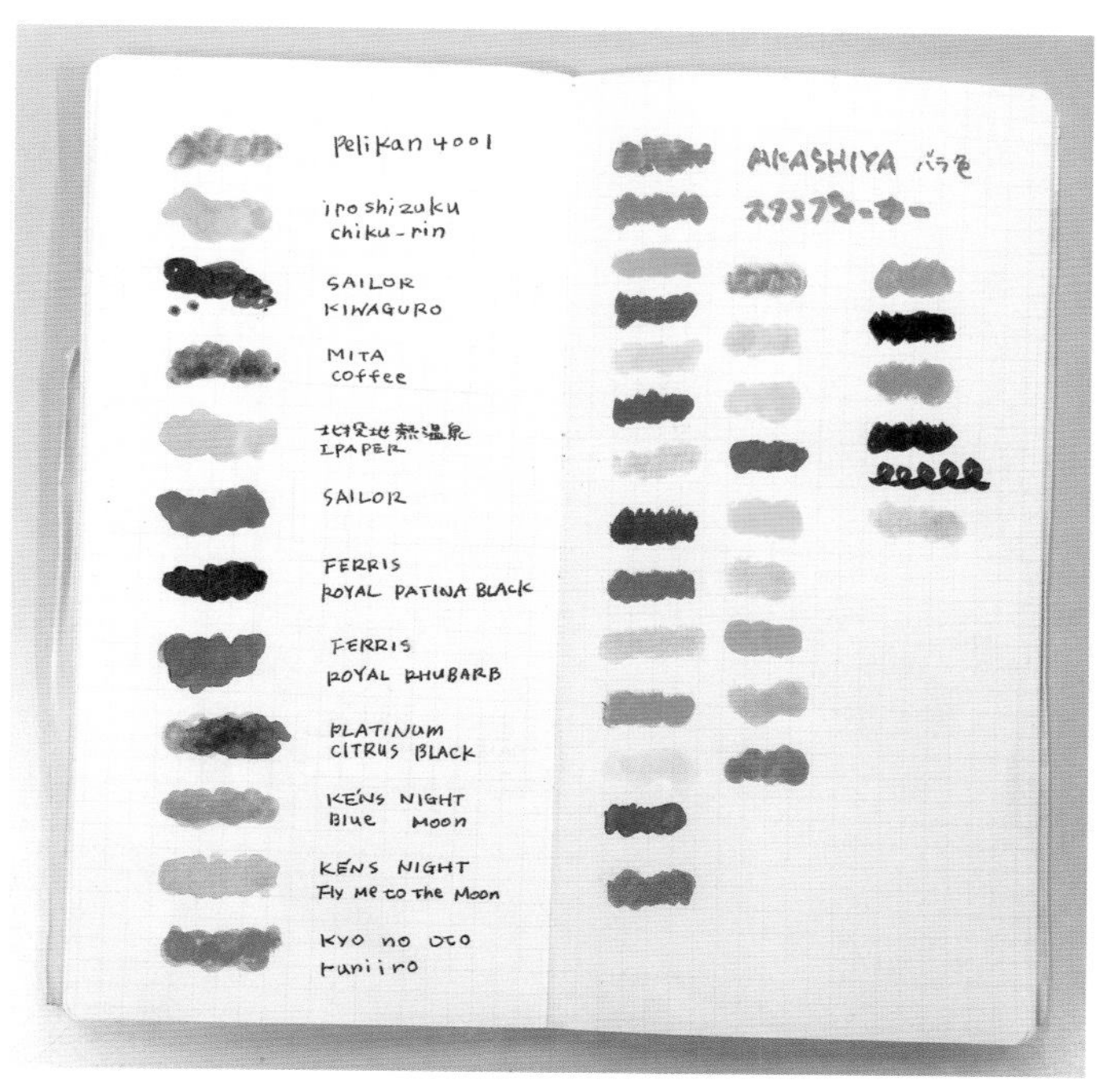


## 滲まないノートで インクのリストを作る

岡崎さんと文具の話を始めると、とどまることなく、関連する製品にどんどん話題が移っていく。

「紙質といえば『トモエリバー』がとても好きなんです。とても薄くて、超軽量なんですね。それでいて万年筆で書いても裏に写りにくくていいんです」

と、カラーチャートのようなページを発見した。

「仕事的にインクを集めているので、リストを作ったんです。少し前にインクのブームがあったのですが、その流れのような感じです」

なるほど、万年筆がお好きなのかと思ったら、好むのはガラスペンだそうだ。

「好きなのはガラスペンですが、この色のチャートは綿棒で作ります。ガラスペンだと細すぎて色がわかりづらいのです。インクのチャートを作っておかないと、ダブって買っちゃうんですよ」

実は、仕事で集めているというのも少々怪しい。どうやら仕事を言い訳に自分が好きで集めているようだ。とはいえ、インクのマニアは何千本も集めているという。その人たちに比べると、大したことがないとのことだが、我々から見れば十分以上にマニアックだ。

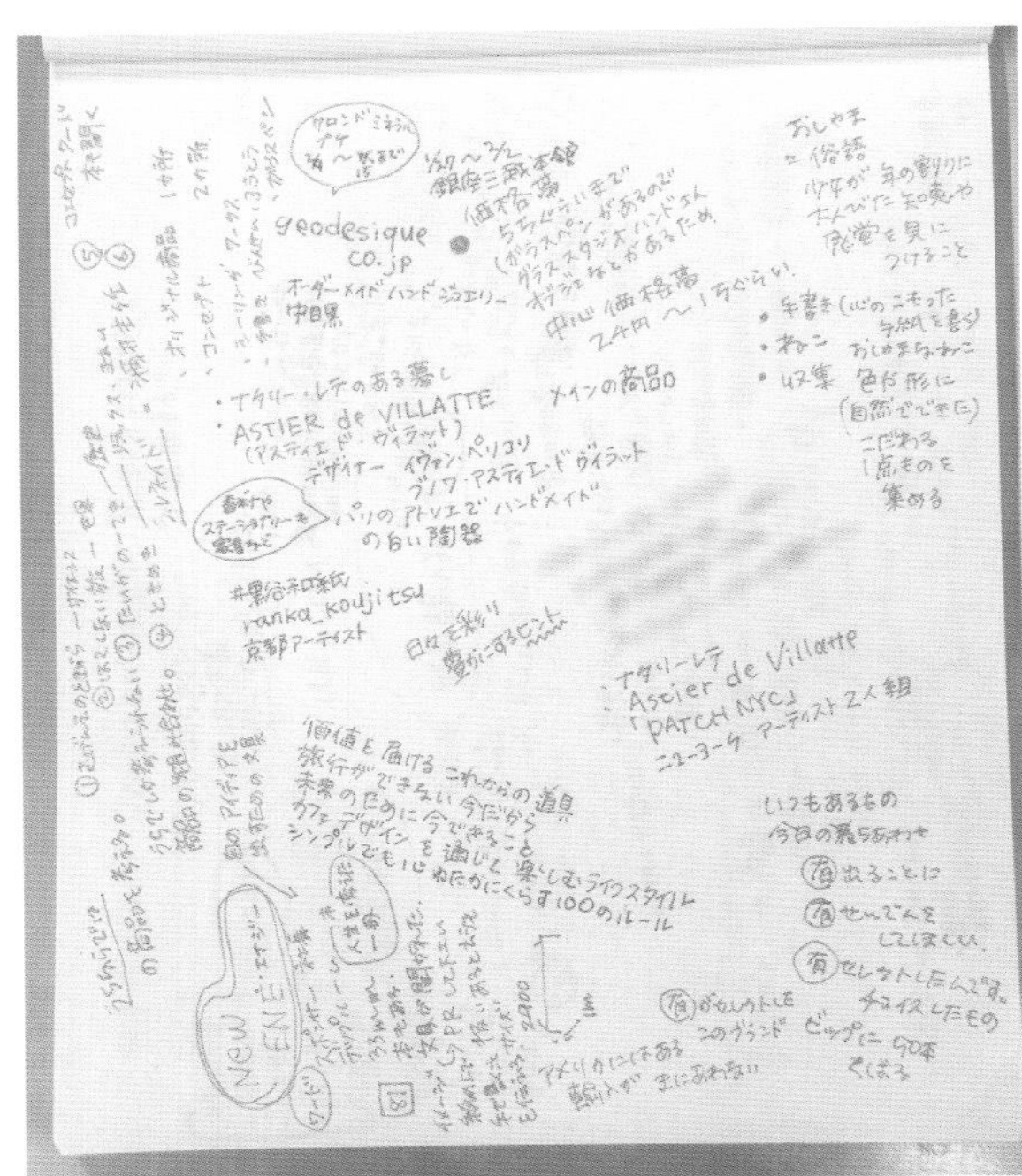

行き詰まり頭が混乱しているときに書いたノート。それでもどこか美しい。

## 趣味のノートはきれいに書く

岡崎さんの元には、別のサイズのノートもあるのでそちらも見せていただこう。

「こちらは（37ページ画像中央）、趣味のノートなのできれいに書きます。洋裁学校で勉強をしていたときに書いたノートですね」

細密で、とてもきれいに書かれたノートは、0・01ミリのミリペンを使っているという。とにかく細かくて非常に美しい。もはやノートというよりもスケッチのようだ。

こうやって見ても、過去のノートが溜まってくると大切な記録になることがよくわかる。このページを書くのは大変な時間がかかっただろう。だからこそ、あとで見返して楽しいわけだ。もちろん、書いているときにはそんなことを考えてはいないだろうが。

「こっちの、黒と青で書いているノートは、行き詰まっているときに、あちこちに書いたんです。まとまりがありませんね。これは普段使っているノートとは別の、アイデア出しなどに使っているものです」

青いインクはラメ入りのキラキラしたタイプで、これもとても好きだという。

「このノートも実は4000円くらいの高いものなんです。何に使おうかと考えたのですが、高級ノートに書いたらアイデアが出てくるかと思って試したんですね」

結果のほどは伺わなかったが、混在する

06

自作の料理ノートの表紙。まるでそんなデザインで作られたノートのようだ。

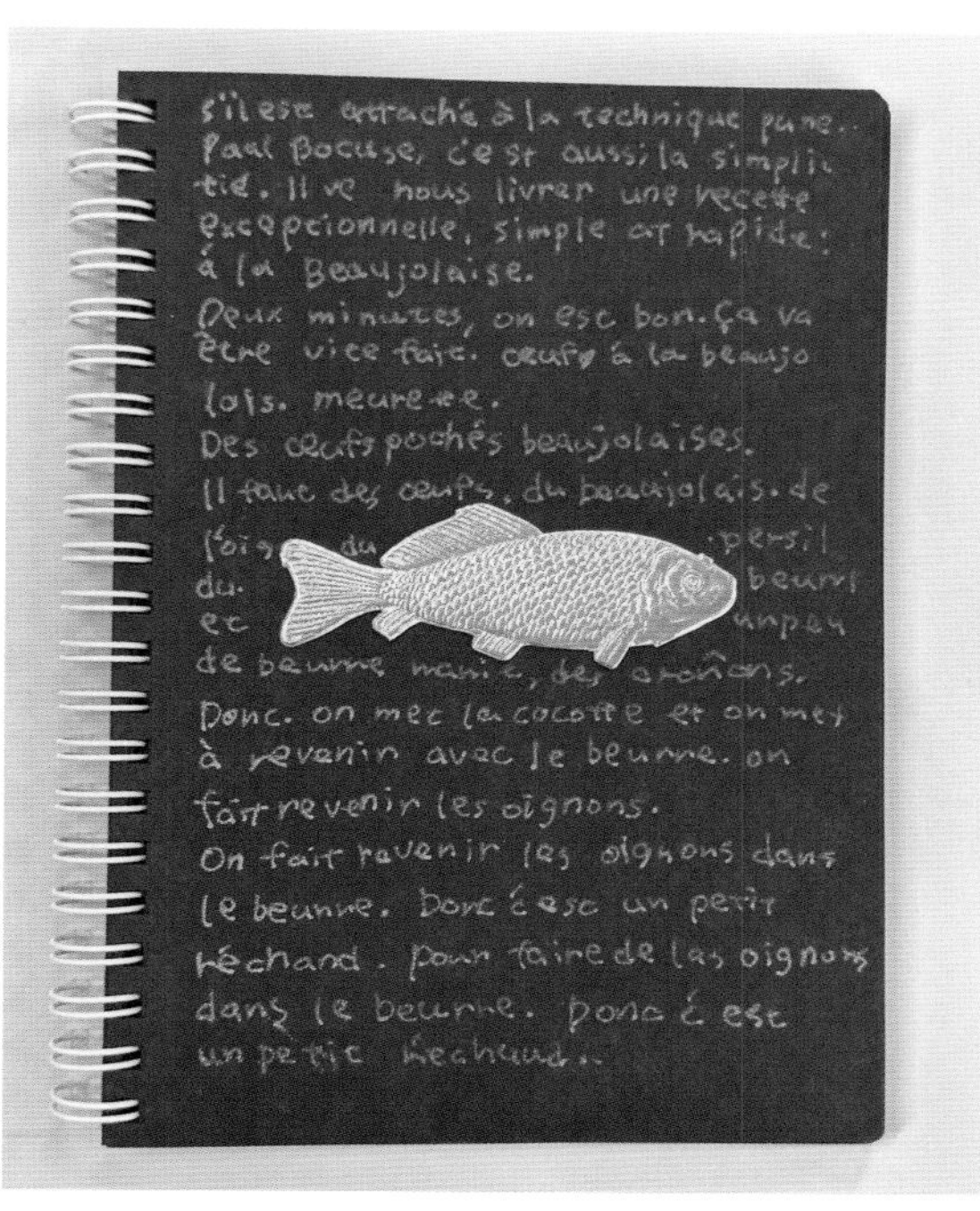


青と黒のインクを見れば一目瞭然だ。

## 流行の黒いノートも利用

黒いノートに白などのペンで書くのが流行している。岡崎さんももちろん、そんなノートを作っている。

「黒いノートも発売されていて、とてもはやっていますね」

画像では見づらいかもしれないが、インクはゲルタイプで、こちらもラメが入っているので光が当たると見やすくなる。そして、またしてもシールである。どうしてノート好きの方はシールを多用するのだろう？子どもの頃にはできなかったシールの大人買いをしているような気もする。ちなみに、この黒いノートは料理のレシピなどを書いている。

「完全に趣味の世界ですね。仕事の記録を取るのには向きません。この魚のシールも箱買いしたのですが、どこかに使いたかったんです」

この黒いノートの表紙が面白い。最初はノートのデザインかと思ったのだが、これは岡崎さんが書いたものだった。

「魚のシールを貼り付けて、フランス語を書きました。いや、フランス語はできないんですが、とりあえず書いたんです。こうしてみると、なんか海外の料理の本に見えませんか」

確かに、そんな冊子に見えますとも。

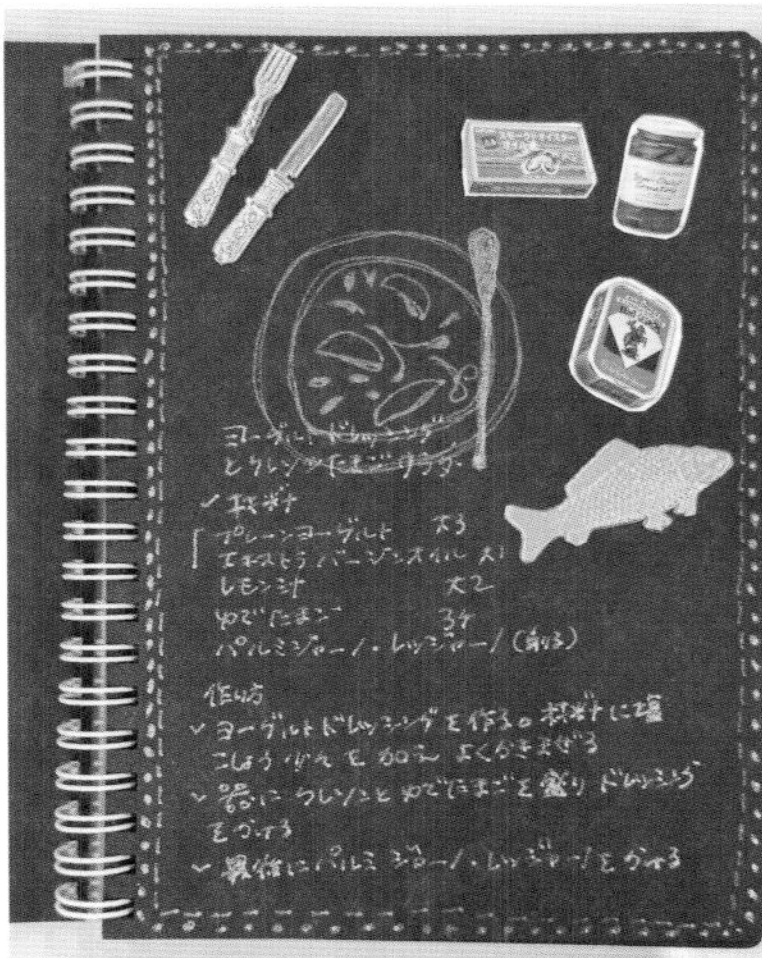

中のページは料理のレシピが書かれている。頑張って作ろうとして挫折したコラージュ。

## 08

非常に変わったイラストが描かれている。

## 09

持っているノートの一部を持参していただいた。

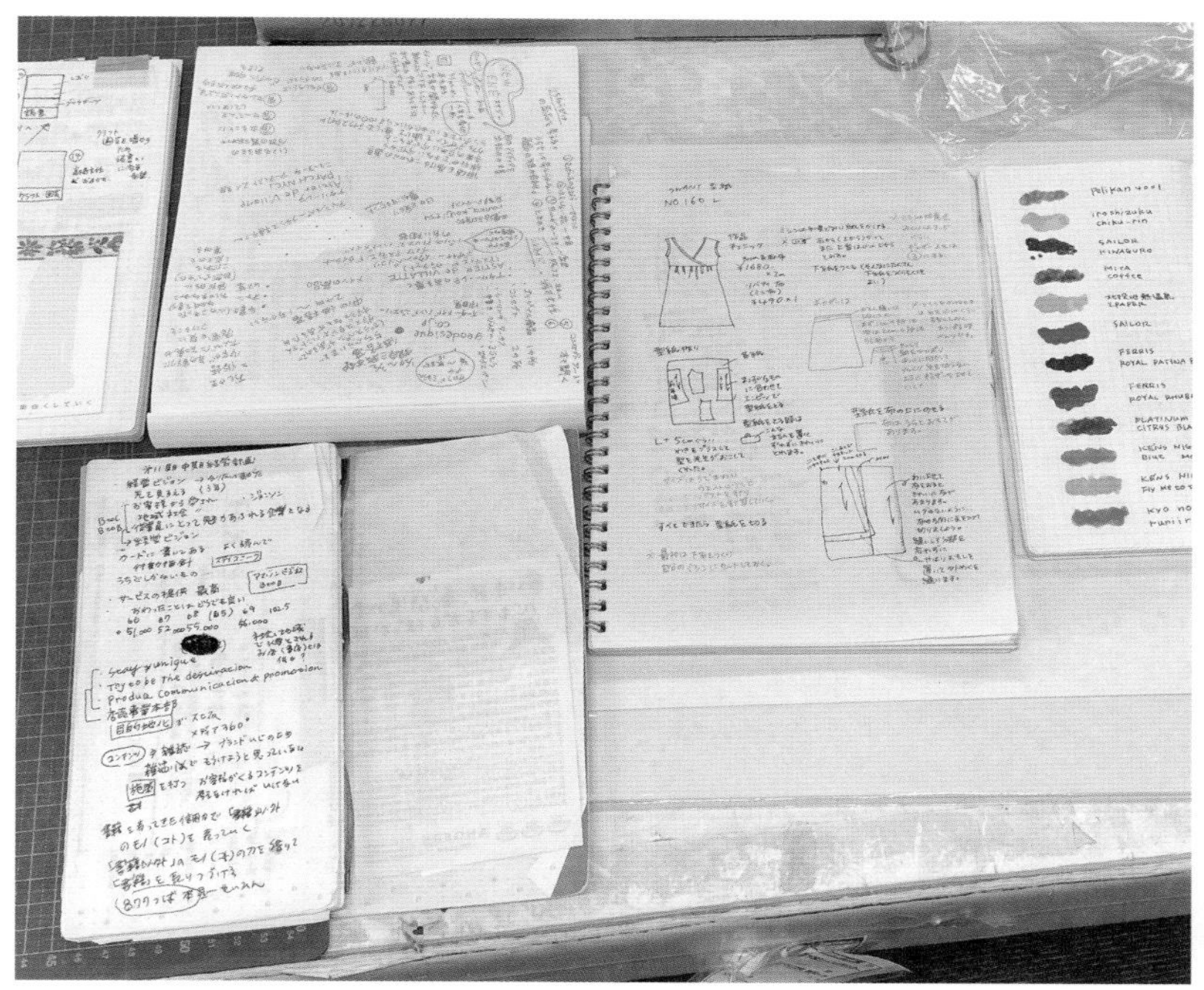

「流行のコラージュも作ろうと思って始めましたが、大変でやめました（笑）」

このあたりは、文具のバイヤーなので作ってみないと気持ちがわからないということだろう。仕事で作っているとのことだが、詳しく話を伺っていると、かなりの割合でご自身の趣味の世界なのだ。

### 好きなことを仕事にしている

今回取材した方は、基本的にはプロフェッショナルが多く、その方たちのノートの使い方を見せていただいた。岡崎さんは、ノートを仕入れて売るプロだ。だから、常にアンテナを張り巡らせて、流行のノート、最先端の書き方などを把握している。

だが実は、仕事で調べているだけではなく、ご自身がそれをとても好きなわけだ。ノートを書くのが好き、文具が好きな岡崎さんは、まさに目を輝かせながらノートの話を続けてくださった。

仕事でさまざまなノートを使ってみるが、自分に合わなければ無理せず続けることもない。そう考えると、冒頭で紹介した細長い仕事用のノートが好みに合わせて洗練された形なのだろう。とても参考になる。

05

notebook

# 考古学者のスケッチはうっとりするほど美しかった

明治大学
文学部教授
**石川日出志**先生

1954年、新潟県に生まれる。1983年、明治大学大学院文学研究科博士課程中退。現在、明治大学文学部教授。専攻は考古学。著書に『農耕社会の成立』（岩波書店）、『「弥生時代」の発見』（新泉社）、『弥生人のまつり』（共著、六興出版）、『考古資料大観1　弥生・古墳時代土器1』（共著、小学館）、『弥生時代の考古学7』（共著、同成社）他。

明治大学文学部教授の石川日出志先生に取材のOKをいただいた。個人的にはプロフェッショナルのノートを見せていただくのがとても好きなので、踊りたくなるほど嬉しかった。

石川さんは考古学者で、特に日本の弥生時代を専門としている。

「私は1954年生まれです。考古学が自分の道だと確信したのが、高校2年生の1971年ですから、およそ50年ほどこの道にいます」

高校生の頃から自分の志を決めてその道で生きてきた人も、多くはないけれどいらっしゃるだろう。石川さんがすごいのは、当時から現在に至るまでのノートをほとんど保存していることだ。

まずは、高校時代に書かれたノートをご覧いただきたい。その文字の美しさ、図解の緻密さにうっとりした。実物を見られて幸せだ。

01

高校生の頃のノートも大切に保管されている。今でも見ることがあるそうだ。

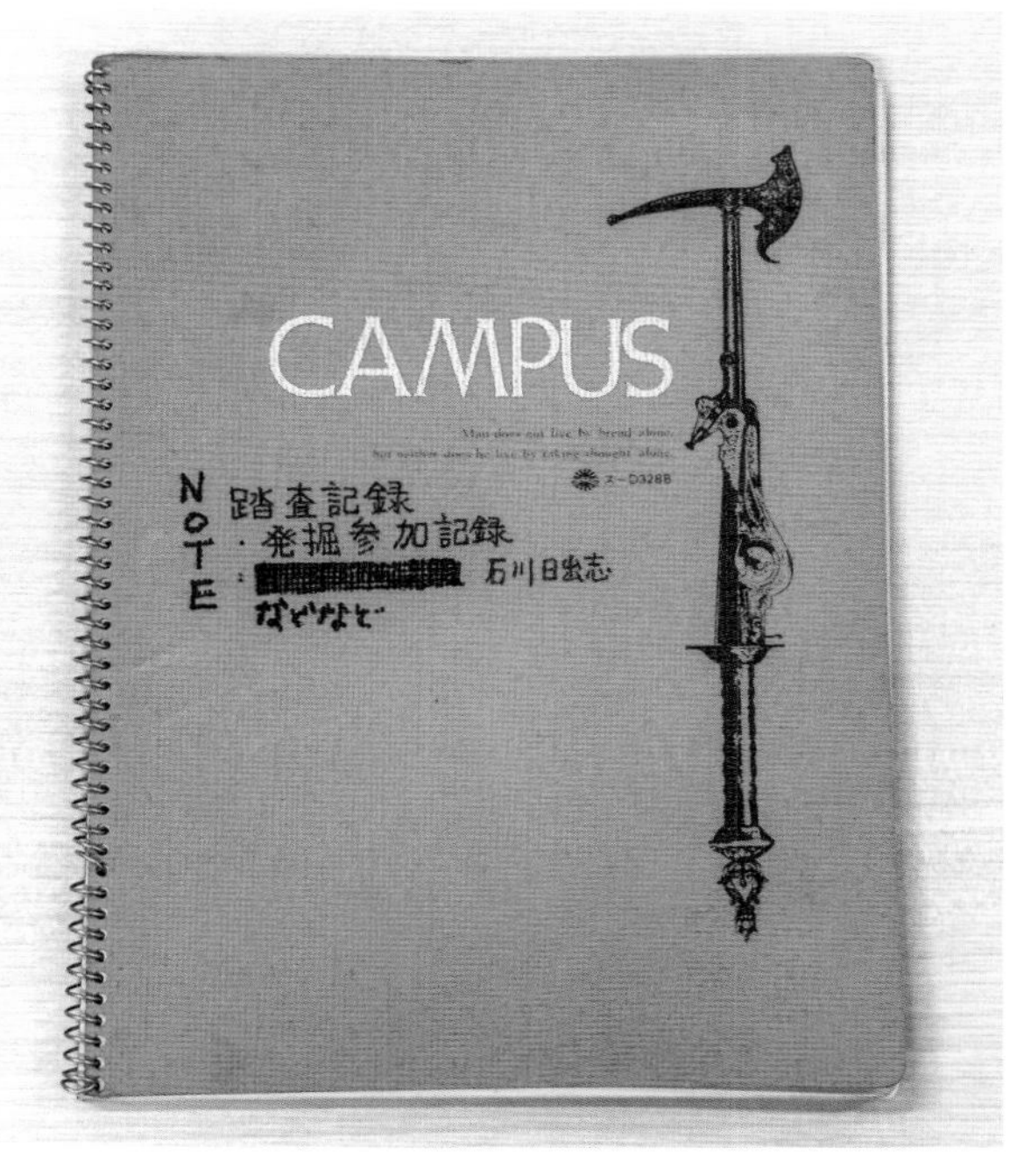


## あこがれて野山を歩き回る

高校生の頃に、地元で考古学の道に進むと決めた石川さんは、フィールドワークノートを書き始める。

「地元の博物館に、昭和20年頃の記録がありました。武田さんというお坊さんが遺跡を歩き回って資料を収集していたんです。それを見て、自分も真似をしたくなったのでしょう。興味を持っていたら、なんとその1冊しかない記録を高校生の私に貸してくれたんです。今じゃ考えられませんよね。それが誘いになってこの道に進んだんでしょうね。このノートも真似をして地元を歩いて記録したんだと思います」

「最初はいわゆる大学ノートを使っていました。その後、大学に入って野帳がいいとなって移行しました」

何より、ポケットにノートを入れて持ち歩けるのが重要だという。だから野帳だ。野帳は工事現場などでも使われる細長いノートで、ポケットに入るサイズなのはもちろん、表紙と裏表紙が硬いので立った状態で手持ちしていても書きやすい。フィールドワークが多いので、こんなノートがいいというわけだ。

## ノート術に右往左往する

しばらく野帳を使っていた石川さんだが、

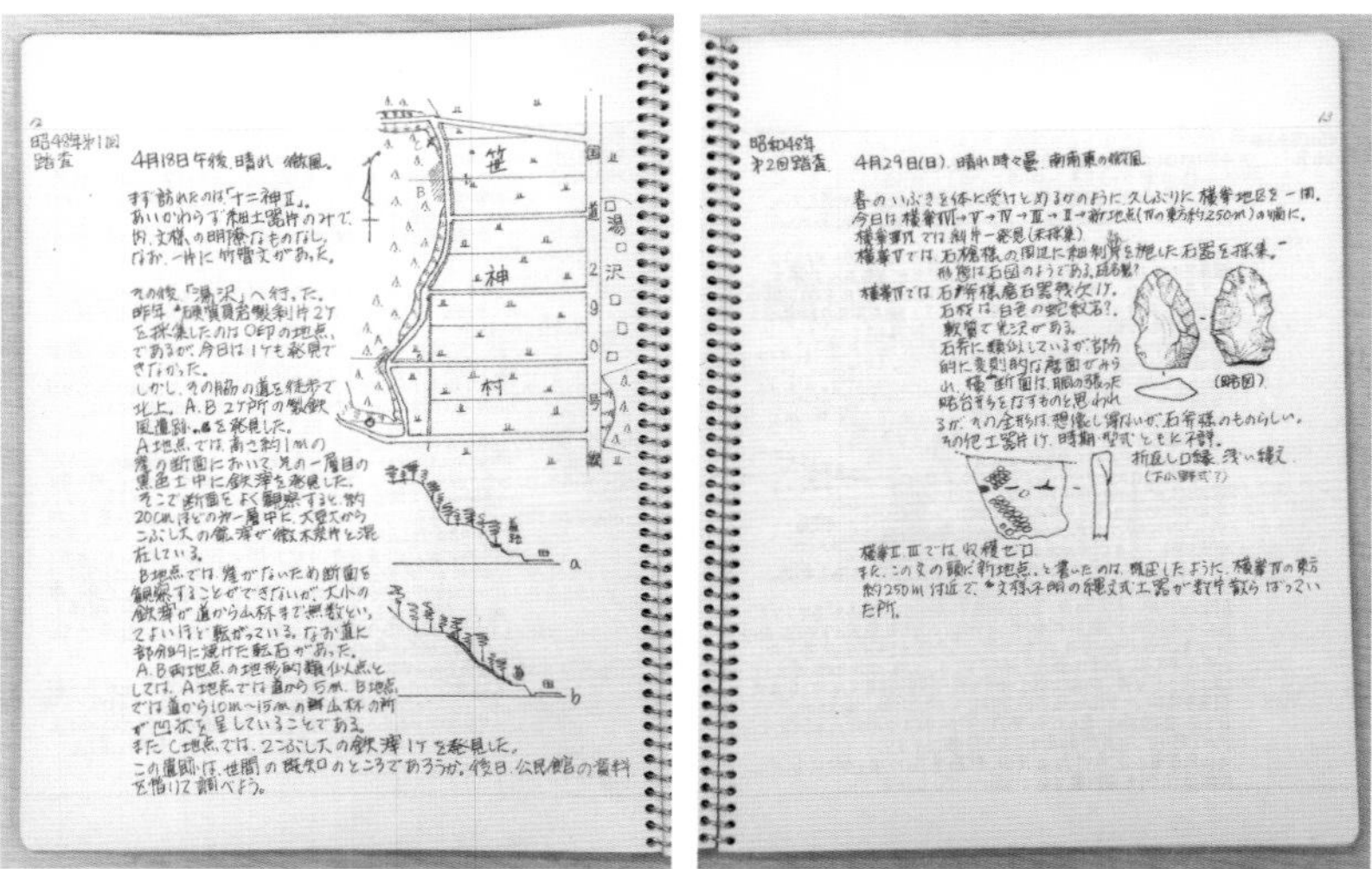

02

まるで活字のように美しい文字と緻密な図。

12
昭48年第1回
踏査　4月18日午後. 晴れ 微風。

まず訪れたのは「十二神Ⅱ」。
あいかわらず細土器片のみで、
内、文様の明瞭なものなし。
なお、一片に竹管文があった。

その後「湯沢」へ行った。
昨年 ▲硬質頁岩製剥片2ケ
を採集したのは○印の地点、
であるが、今日は1ケも発見で
きなかった。
しかし、その脇の道を徒歩で
北上。A.B 2ケ所の製鉄
風遺跡..を発見した。
A地点では高さ約1mの
崖の断面において、その一層目の

03

文字も非常に美しい。昭和48年という記録に少し驚く。

## 04

大学に入学すると野帳を使い始める。

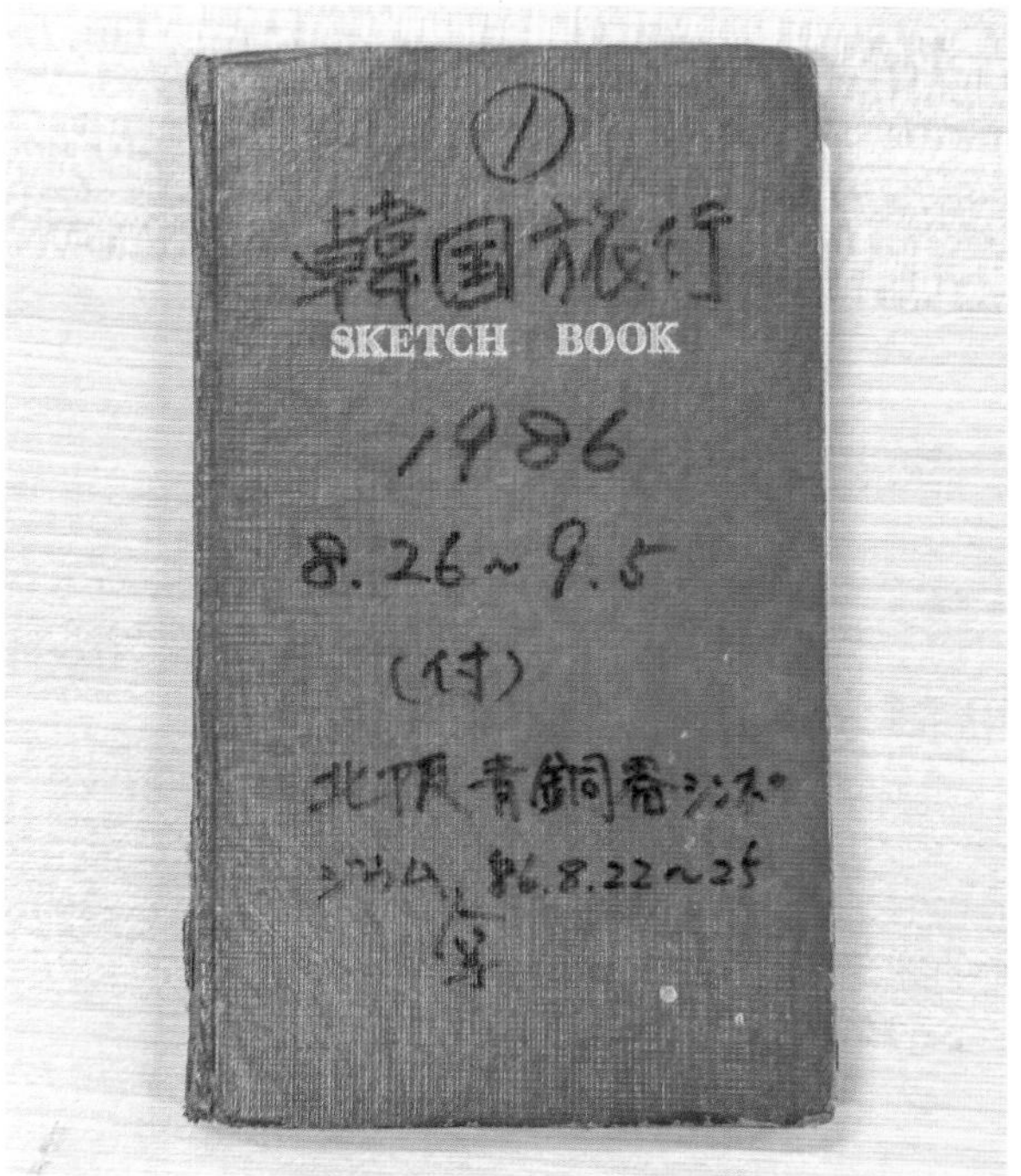


## 05

野帳は使い勝手が良いものの、スペースが少ないため書き込める情報量に限りがある。

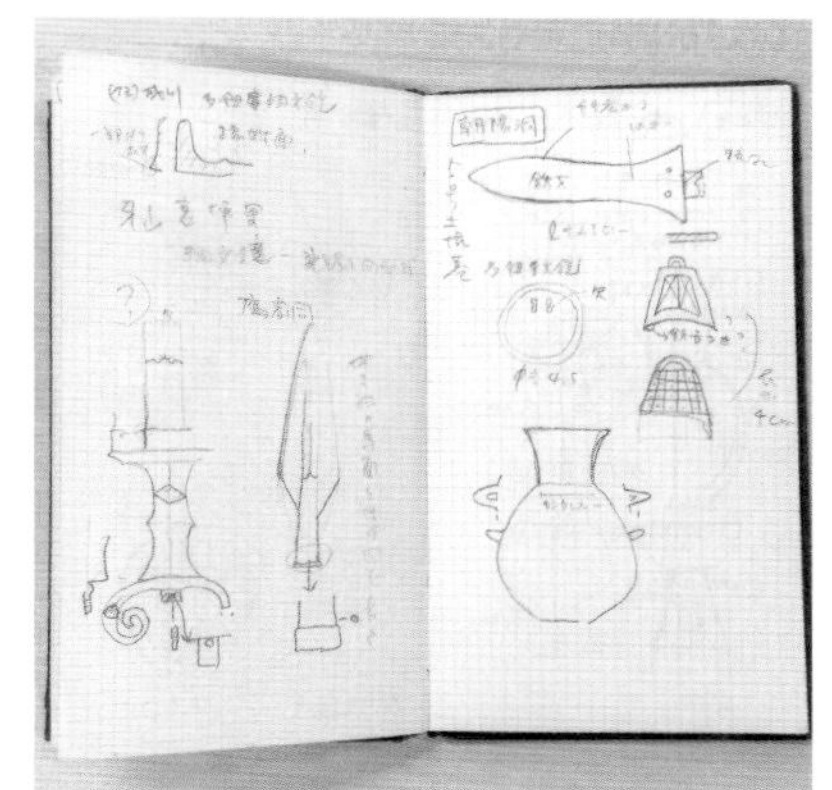

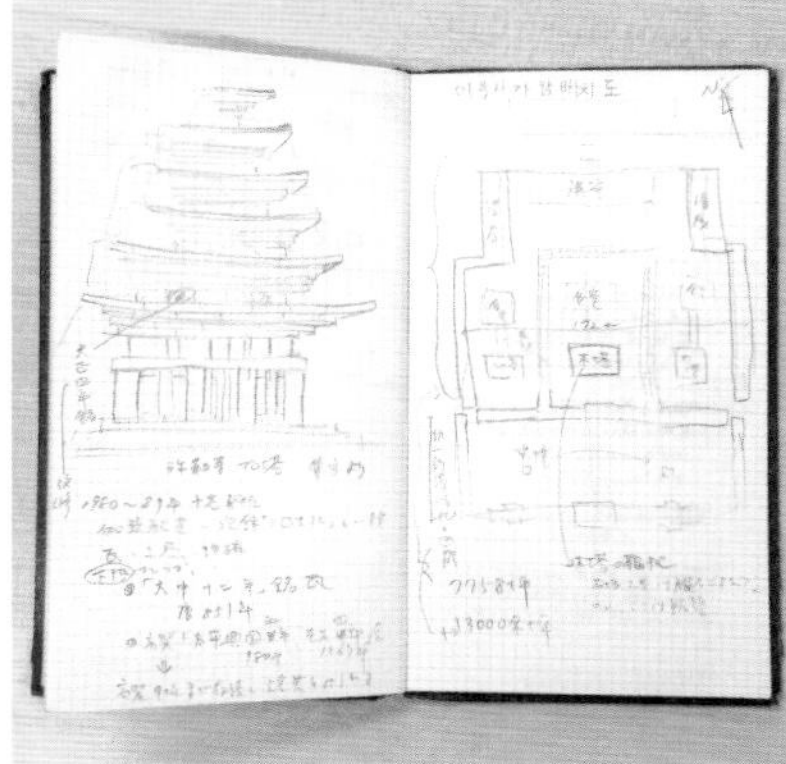

再び戻ってきて利用している大学ノート。

そこから少しノートに悩む時期が始まる。

「野帳だと紙面が小さすぎてうまくスケッチが描けないんです。そこで、当時70〜80年代頃に流行した京大式カードを試してみました。KJ法などが流行した頃です。記録したときはいいのですが、あとでカードを整理できないと使いものになりません。今探してもどこにも残っていないのです」

　カード式の記録に挫折した石川さんは、大学ノートに戻る。

「本多勝一というルポライターが、大学ノートが良いと言っていました。確かに、B5サイズのノートが使いやすくて、ポケットに入れるなら折ればいいというわけです」

　それ以来、石川さんは大学ノートを使い続けている。

「考古学では、スケッチをたくさん描きます。観察した様子を描くわけですが、いわゆる横罫線では図が描けないんです。特に円形が難しい。そこで、5ミリ方眼を愛用しています。一時期3ミリ方眼も使いましたが、細かすぎてダメでした」

　石川さんのノートを見ると、驚くほど細密な図が丁寧に描かれている。

「間違うことがあるので、消しゴムで消したいわけです。ですから、シャープペンシルを使います。最初は0・5ミリを使っていましたが、最近は0・7ミリです。発色の良いB芯にこだわっています」

　シャープペンシルは胸ポケットに挿し、消しゴムはズボンのポケットに入れている。

# 07

美しい図にうっとりする。

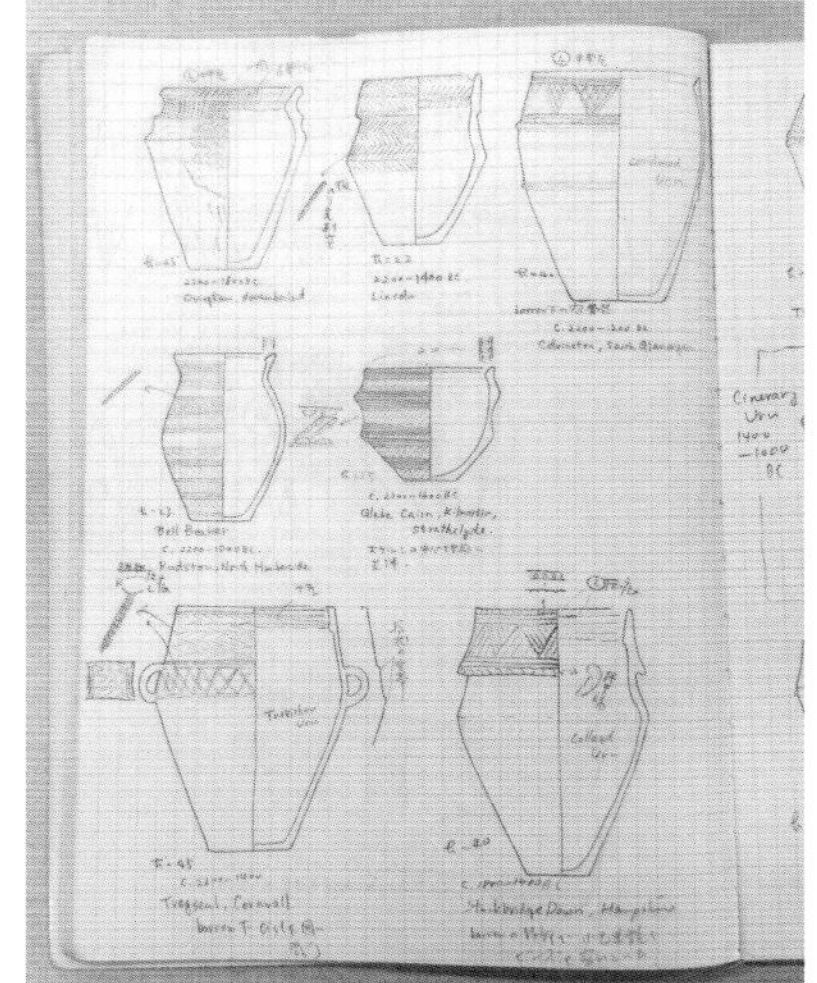

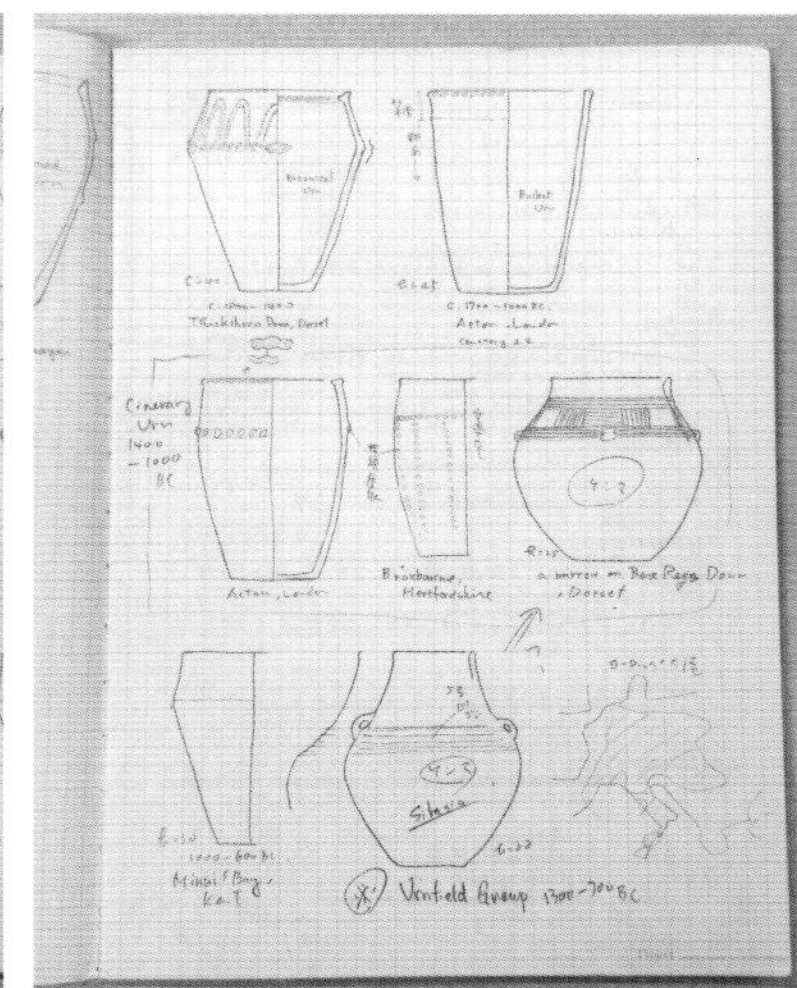


# 08

1ページ書くのに数時間掛かることもあるという。

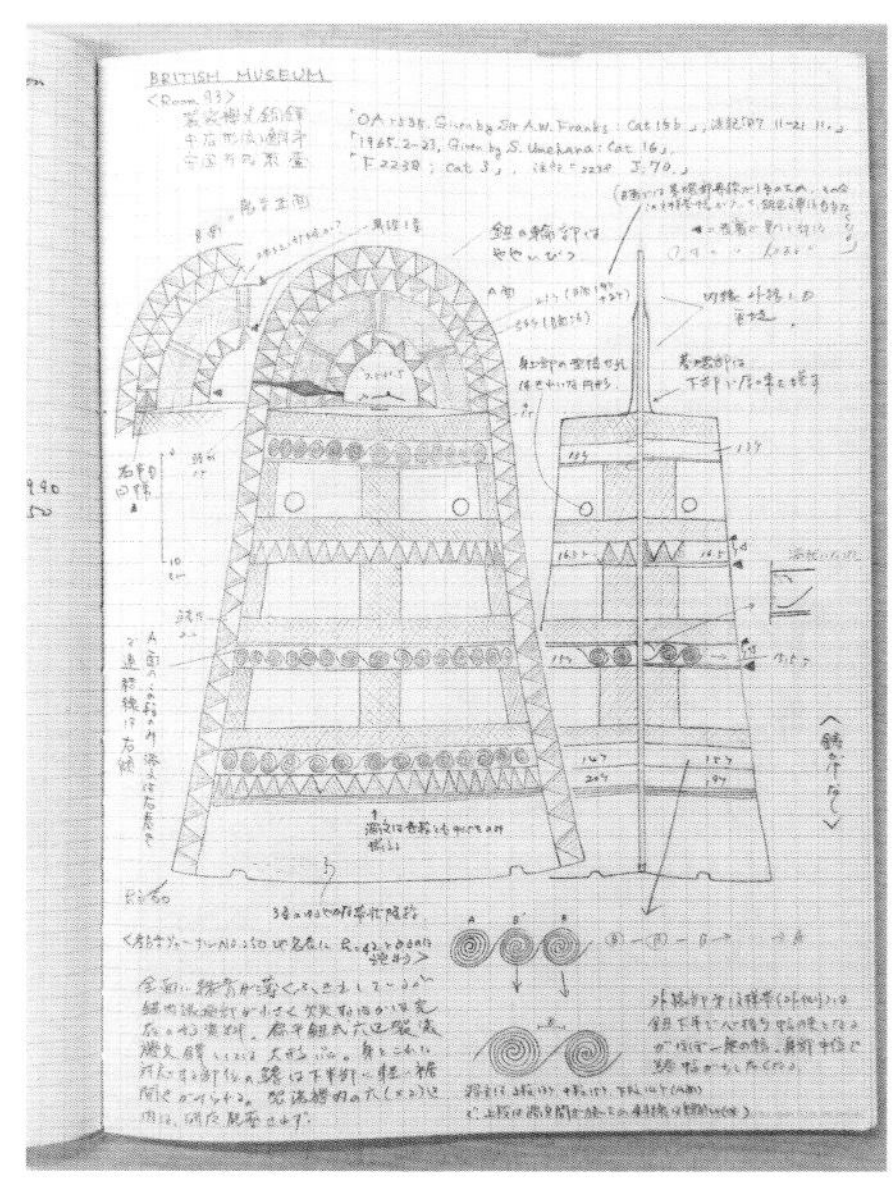

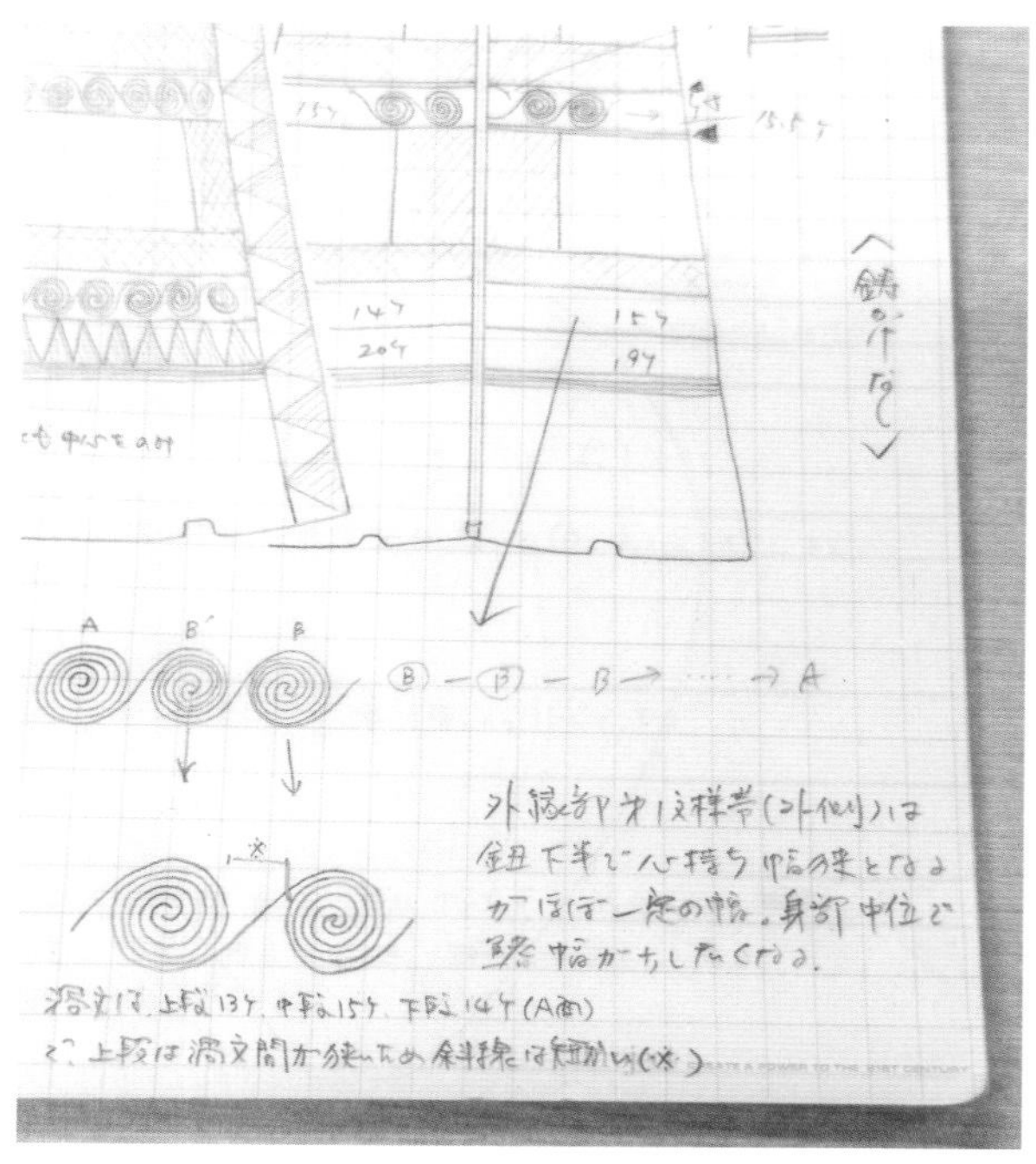

09

この渦巻きのような図も一度では描けずに、描き直しているそうだ。

尻ポケットにノートを折って入れれば、いつでもどこでも記録できるスタイルの完成だ。

## 写真よりスケッチが良い理由

さて、現在何かを記録しようと思ったら、スマホを取り出してサッと写真を撮るだろう。3秒で完璧な記録が終了だ。それではいけないのだろうか。

「お金がない当時は写真を使えませんでした。カメラも買えないしコストもかかります。しかも、昔は博物館での撮影は許可されていませんでしたから」

確かに、今も撮影禁止の博物館や美術館は多い。

「もちろん、それだけではありません。スケッチを描くには実物を細かく観察しなければなりません。そうすることで模様の違いに気づいたりします。不思議なもので、高校生の頃に描いたスケッチを見ると、今でも色が浮かび上がってきます」

石川さんの話を聞くと、手で書くことの重要さも確かに感じられる。

「9ヶ月ほど外遊したときには、ノートをたくさん持っていき、14~15冊書きましたね」

しかも、手書きでなければできないこともある。

「例えば、土器の破片をスケッチするときには、見たままももちろん描くわけですが、断面を考えるわけです。写真では撮れない

こちらは19世紀から20世紀の原住民が使っていた石器を木に縛る様子をスケッチしたもの。弥生時代の石器は残っているが縛っている繊維は失われている。こんなスケッチから過去のことが想像できるわけだ。この図でも断面やさまざまな方向からの図が描かれている。

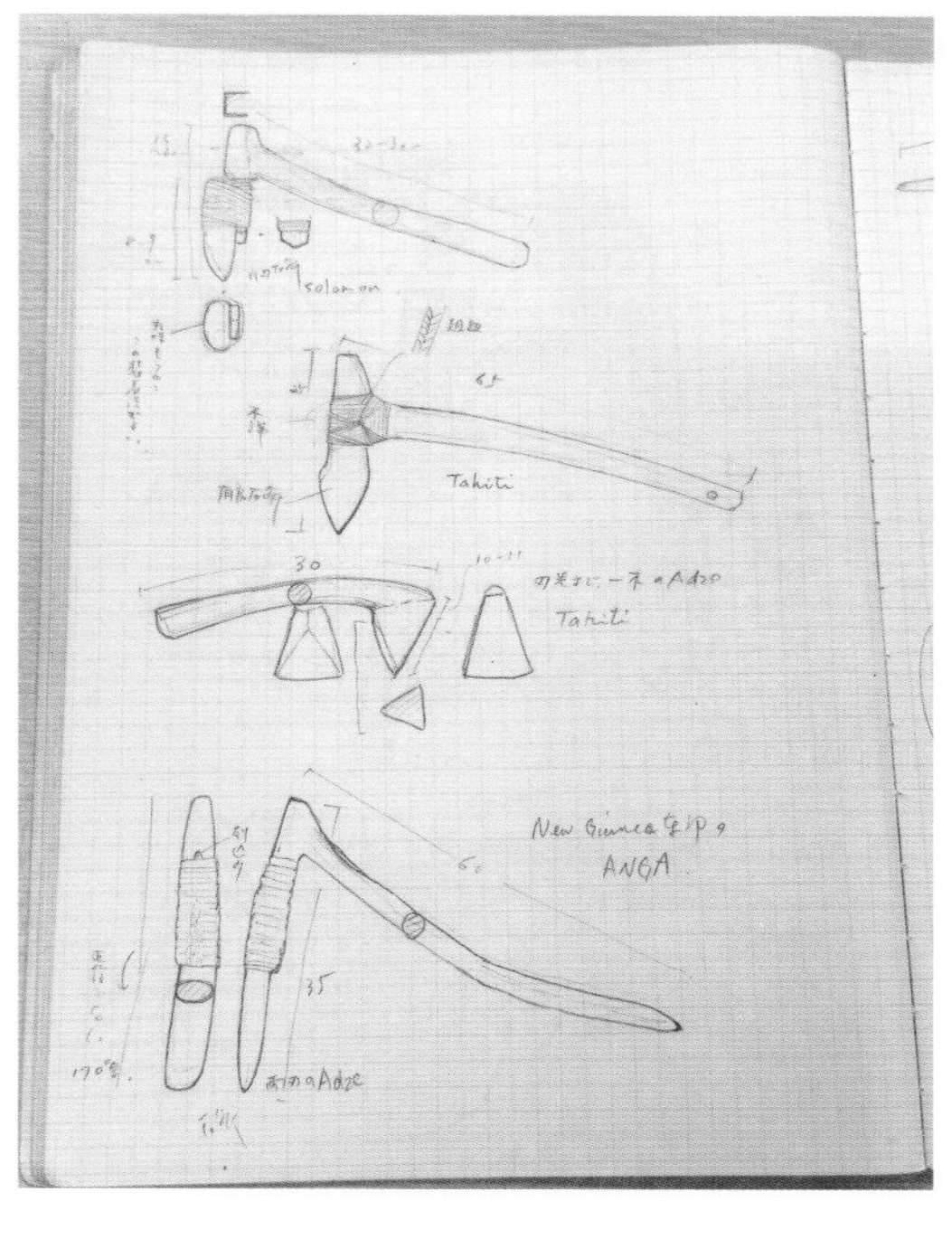


断面を観察して記録できます」

確かに、あらゆる方向から写真を撮ったとしても、観察から得られる断面の形は記録できない。あとで写真を見返して断面を想像するのは大変だし、しかも結局は何らかの形で描くしかない。

例えば土器の破片は、どのようなアールで曲がっているかを見るだけで、全体の形を想像できるわけだ。だからこそ、描くことが重要になる。

## 現在はノート魔に

最近利用しているノートも見せていただいた。この50年間で変化した筆跡も興味深い。アナログの記録とは、こんなところにも面白みがある。

「最近は、ノートが増えるスピードが上がっているんです。歳を取ってくると時間がなくなるじゃないですか」

確かに、歳を取ると時間が足りなくなることは、間違いなく実感できる。

「手描きの図も少なくなって、コピーを貼ったりしています。例えば飲み屋に行っても、その店の名刺や箸袋などを貼って記録します。その時の飲み会に参加した人を記録するために、テーブルの絵を描いて、自分が座った位置に名前を書いたら、あとはノートを渡して自筆で名前を書いてもらいます。ホテルに帰ってから書こうとしてもわからないですよ」

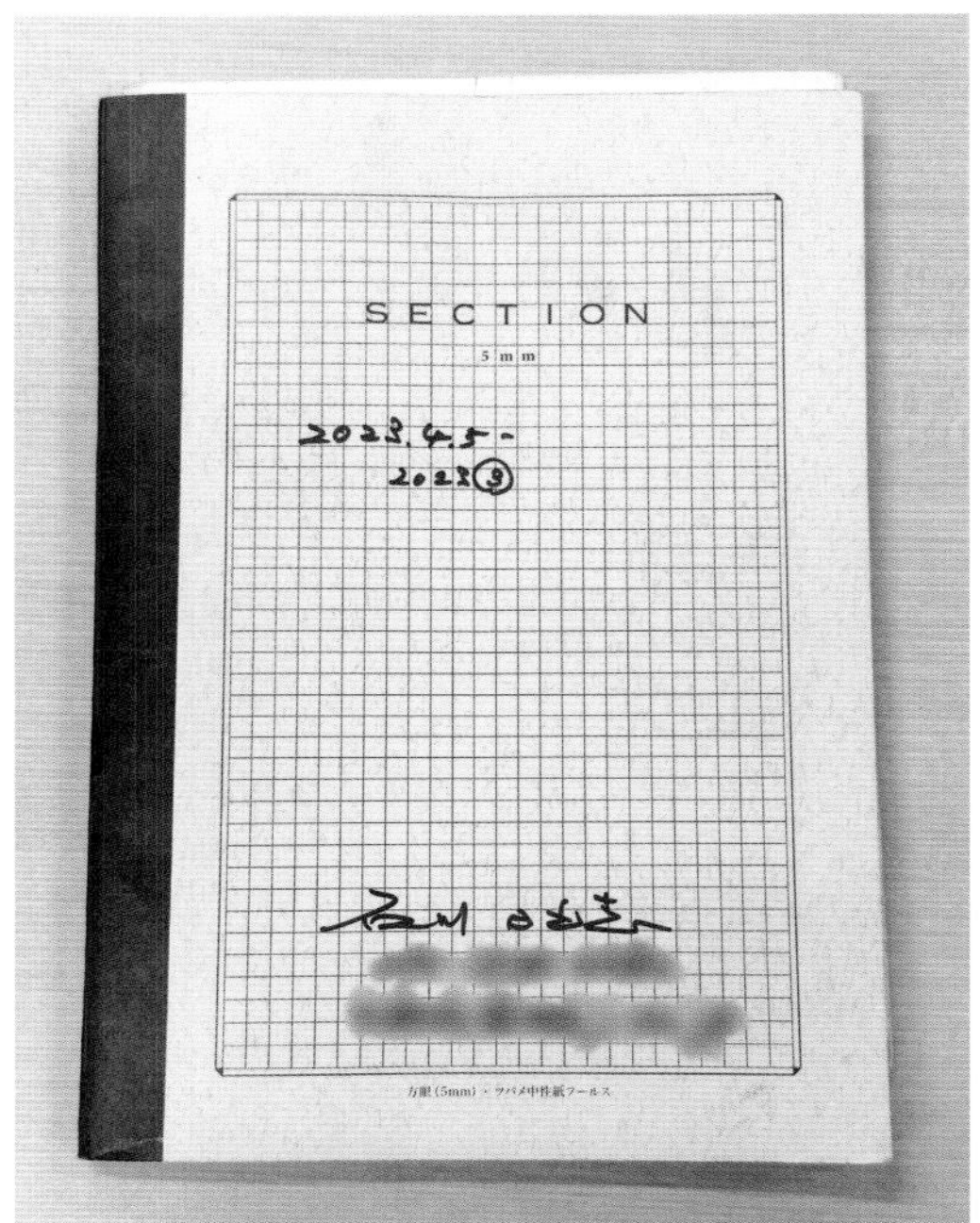

現在使っているノート。

これはもう、日記代わりになっているのかと思ったらそうではなかった。

「いえこれは、研究に付随する飲み会なんです。自分の楽しみで出かけた店などは記録しません。出張に出かけると家を出た時間、乗った飛行機の便名や席の記録まで書いています。まあ、いらない情報もありますが」

例えば、飲み会の席で出た話の中に重要なヒントが含まれていることもあるという。

「重要なのは自分の考えを書かないことです。誰が何を言ったかを記録します」

まさに、記録するとはそういうことなのだ。

## 独特の下敷きが面白い

前記したように石川さんは、シャープペンシルと消しゴムを持ち歩いている。消しゴムは今回撮影できなかったが、普通の小さなもので、Monoなどのブランドを使っているという。シャープペンシルも特段変わったものではない。

最近では、紙を貼り付けることが多いのでスティックタイプのノリも持ち歩いている。こちらは、どこでも作業できるよう鞄の中に常備しているそうだ。

面白いのが下敷きだ。

「濃いめの芯のシャープペンシルで書くと、裏写りするんです。そこで下敷きが必要なのですが、厚紙を使っています」

この裏写りとは、裏に滲むという話では、もちろんない。シャープペンシルで書くと、

12

研究に関する飲み会では、席順まで記録する。参加者の自筆だ。

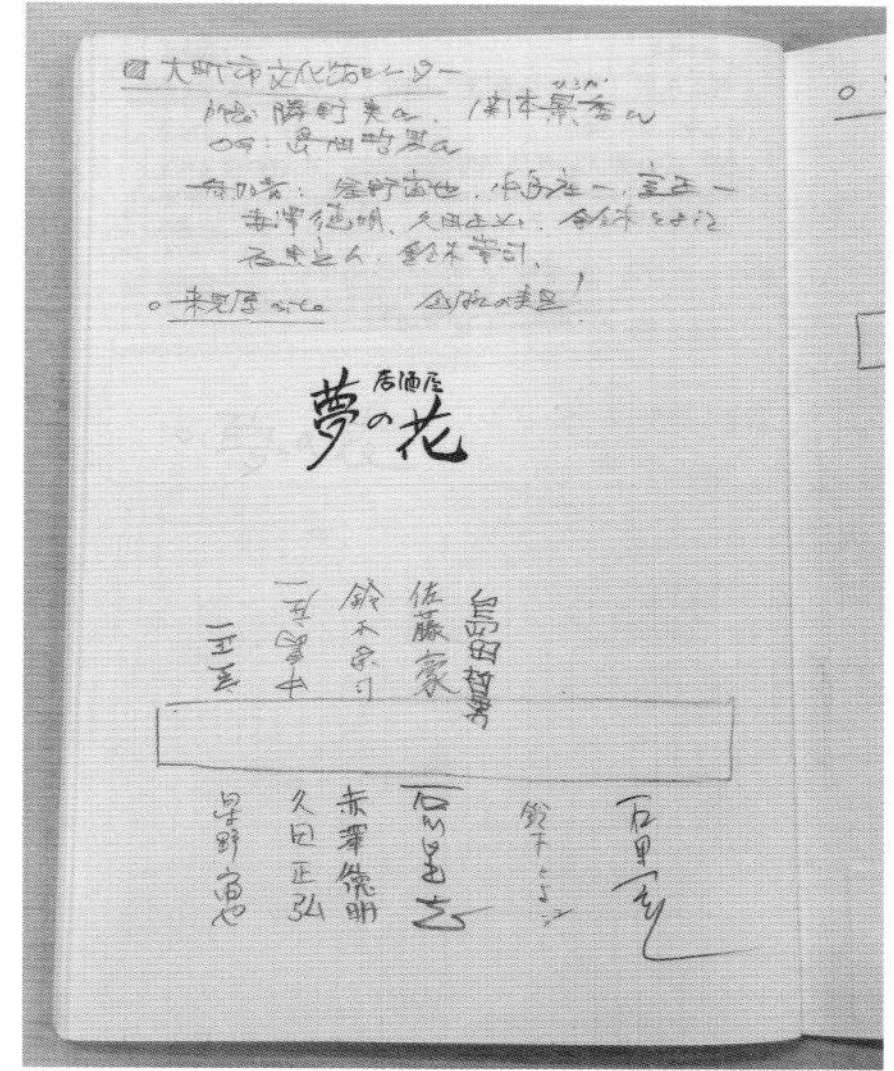


13

最近は図をコピーして貼り付けて使うことも多い。

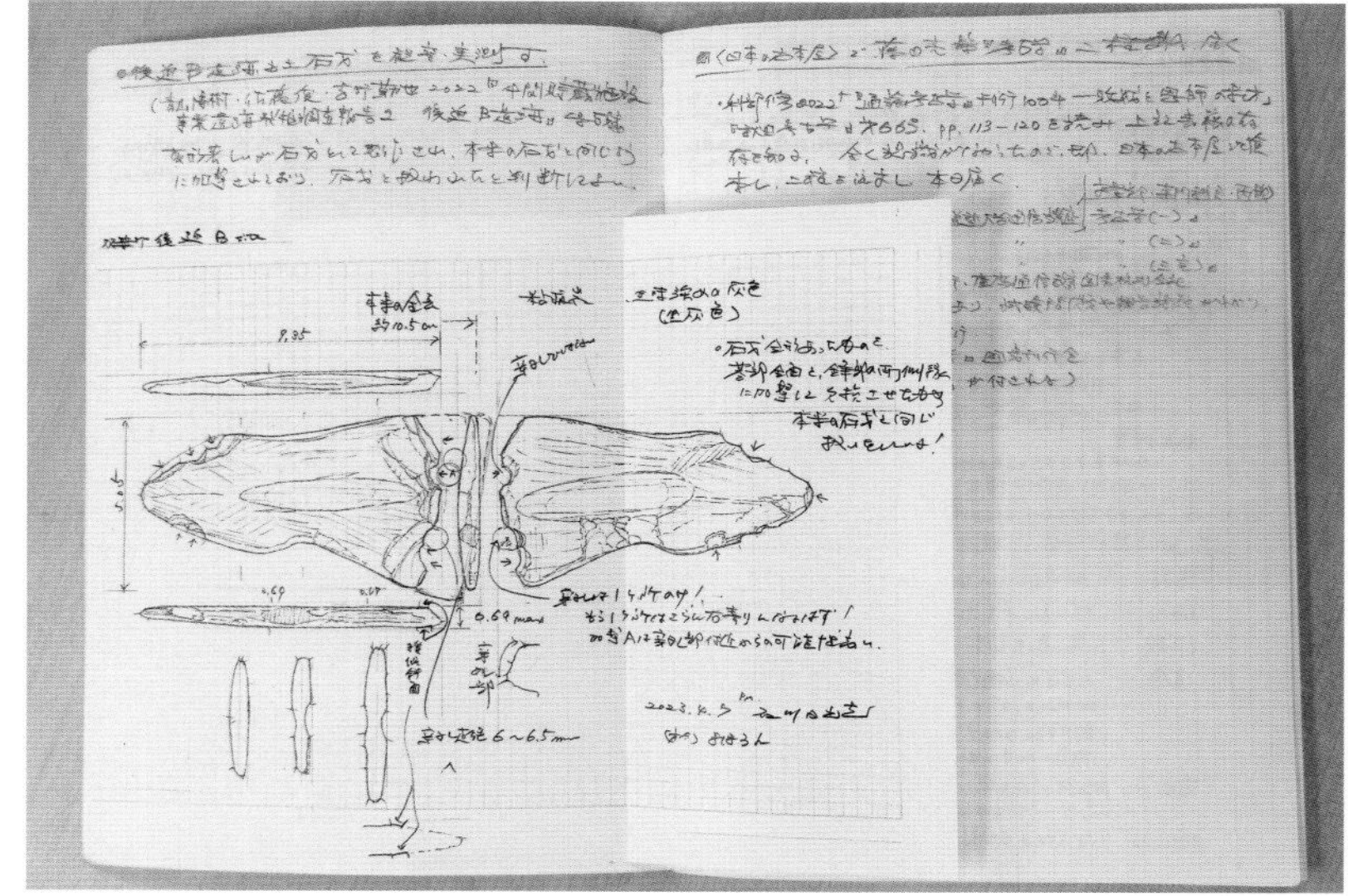

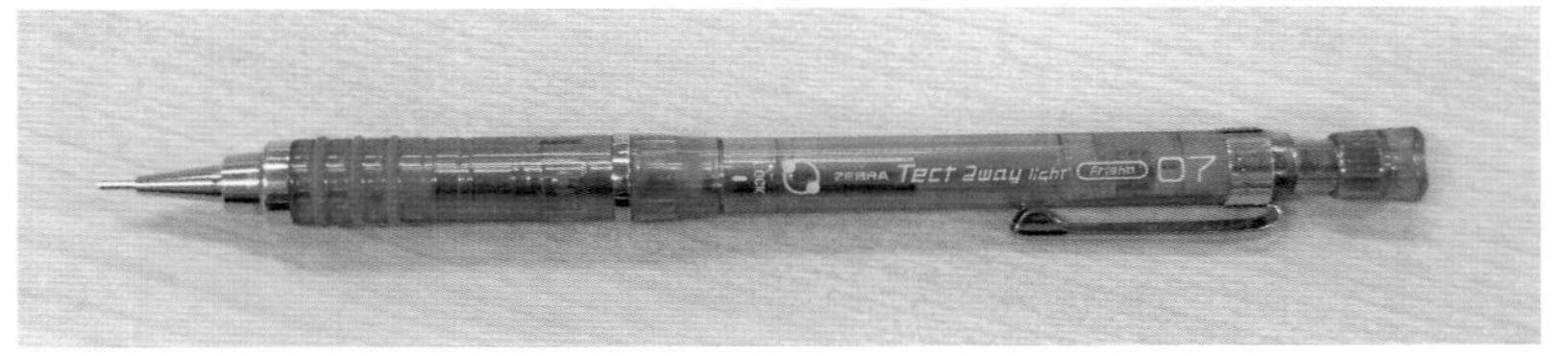

シャープペンシルは、0.7ミリを愛用中。

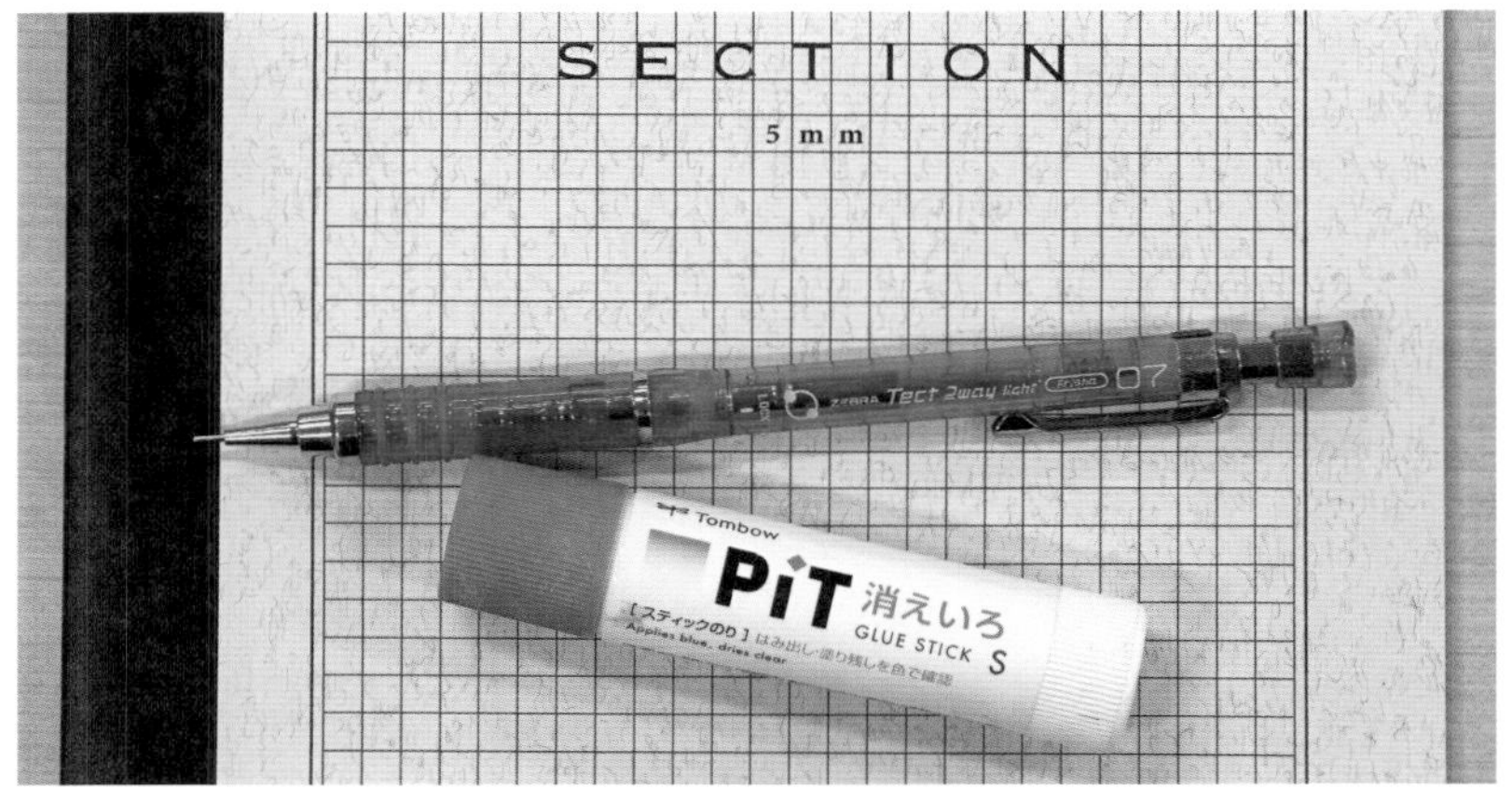

日々ノリも持ち歩いている。方眼のノートが少ないので、最近はツバメノートの5ミリ方眼を取り寄せて使っている。

裏ページの鉛筆筆記が表のページに写ってしまうということだ。つまり、カーボンコピーのようになってしまうのだ。

そこで、石川さんは研究用の厚紙を切って下敷きにしている。紙だから折れ曲がるので、ノートを尻ポケットに入れる際にも邪魔にならない。ある程度硬さもあるので書きやすいのだ。

石川さんの50年蓄積したノートは、圧倒的に素晴らしくうらやましかった。10代からの夢がすべて保存されているのだ。これまでのノートなどほとんど残っていない僕は、今から悔やんでも取り戻せないのだ。

自作の下敷きを挟むことで裏写りを防止する。

17

拓本（土器に刻まれた文字や文様を写しとる）の様子。

06

notebook

# 外科医の手術記録は手書きが重要

外科医

**橋本瑞生**先生

愛知県 中部ろうさい病院第二外科部長。医学博士。1991年名古屋大学医学部卒業。八千代病院、桐生厚生総合病院、名古屋大学大学院、岐阜社会保険病院を経て現在に至る。専門分野：消化器外科、肝胆膵外科、乳腺外科、一般外科。

名古屋にある中部ろうさい病院の外科部長、消化器外科部長の橋本瑞生先生の手術記録を見せていただけることになった。もちろん、本書のテーマであるノートの一種と言っていいだろう。プロのノートはどれも興味深いものだ。僕が橋本さんのノートに興味を持ったのは、学会で発表された手術記録をインターネットで見つけたからだ。「手術記録に図を描く」と題された発表（日本消化器学会雑誌より）には、医療の素人である我々が見ても、素晴らしい図が掲載されている。そこには、「正しい図を描くためには十分な術野の認識，手術の理解と描画テクニックが必要である」と記載されており、ぜひお話を伺ってみたくなったのだ。ご協力いただけることになり、8月の暑い日に名古屋に向かった。

すらりとした高身長の橋本さんは、笑顔の素敵な方で「できるだけ協力しますよ」とおっしゃり、厚いバインダーに保存され

01

手術記録のバインダーが並んでいる。

た手術記録を見せてくださった。

## 手術記録は自分で保存する

そもそも手術記録とは、手術を行った際に必ず記載するもので、これは法令で定められているという。

「カルテは5年間の保存が義務付けられていますが、以前は自主的にすべて保存していました。保存したカルテの量が膨大になり、古いカルテから破棄されるとともに手術記録もなくなっていきました」

確かに、大きな病院では毎日のようにさまざまな手術が行われている。それをすべて保存していると、専用の建物が必要になるレベルの量が溜まるという。

「病院での保存は5年間なのですが、古い記録にも重要な情報が含まれています。手術の種類によっては、年に2～3回しか行わないものもあるので、振り返りが必要なときに、5年間では足りないと感じることもあるわけです」

そこで、橋本さんは自身の部屋に手術記録をすべて保存しているという。病院側の記録にはコピーを残し、自分で原本をバインダーに綴じている。

## 日々手術の外科医ライフ

橋本さんは、外科医として赴任してからずっと手術を行ってきた。

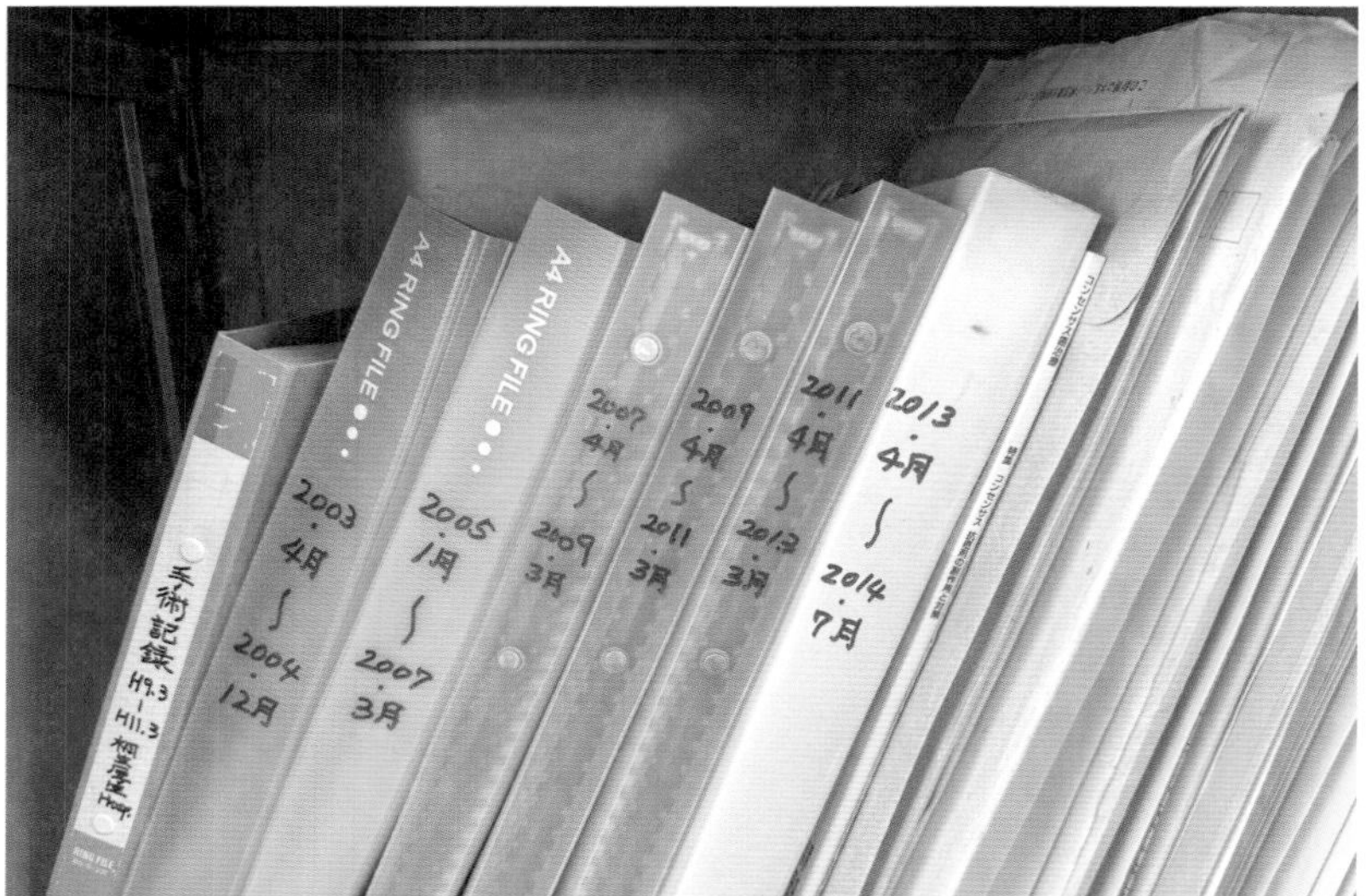


02

古い手術記録も残している。サイズは病院によって変わるという。

「専門は消化器系で、主に肝胆膵（肝臓、胆嚢、膵臓）と呼ばれる部分の専門ですが、腸など他の手術もします。病院での手術は毎日のようにありますが、担当するのは月に十数回でしょう」

ベテランになるに従って、執刀医として手術に取り組む数は少し減ってきており、今は助手として若手医師の手術に同席して育成する機会が増えているという。

手術記録は、手術を終えたら書くとのことだが、話を聞いてみるとそれはもう壮絶な仕事である。

「数時間の手術は当たり前で、10時間以上に及ぶことも珍しくありません。その後、患者さんの体調管理もありますから、手術を終えてすぐに書けないことも少なくありません。当然翌日はまた診療や手術があります」

10時間を超える手術でさえ、休憩はせず、食事に行くこともなく、トイレにも行かないという。

「緊張しているからか、トイレにも行きたくなりませんね。そもそも、患者さんの体を開いた状態で食事などできるはずもないです」

聞いてみると、その通りだとしか言いようがないのだが、凄まじきプロフェッショナルな世界である。

03

橋本さんが手術記録の執筆に使う色鉛筆。

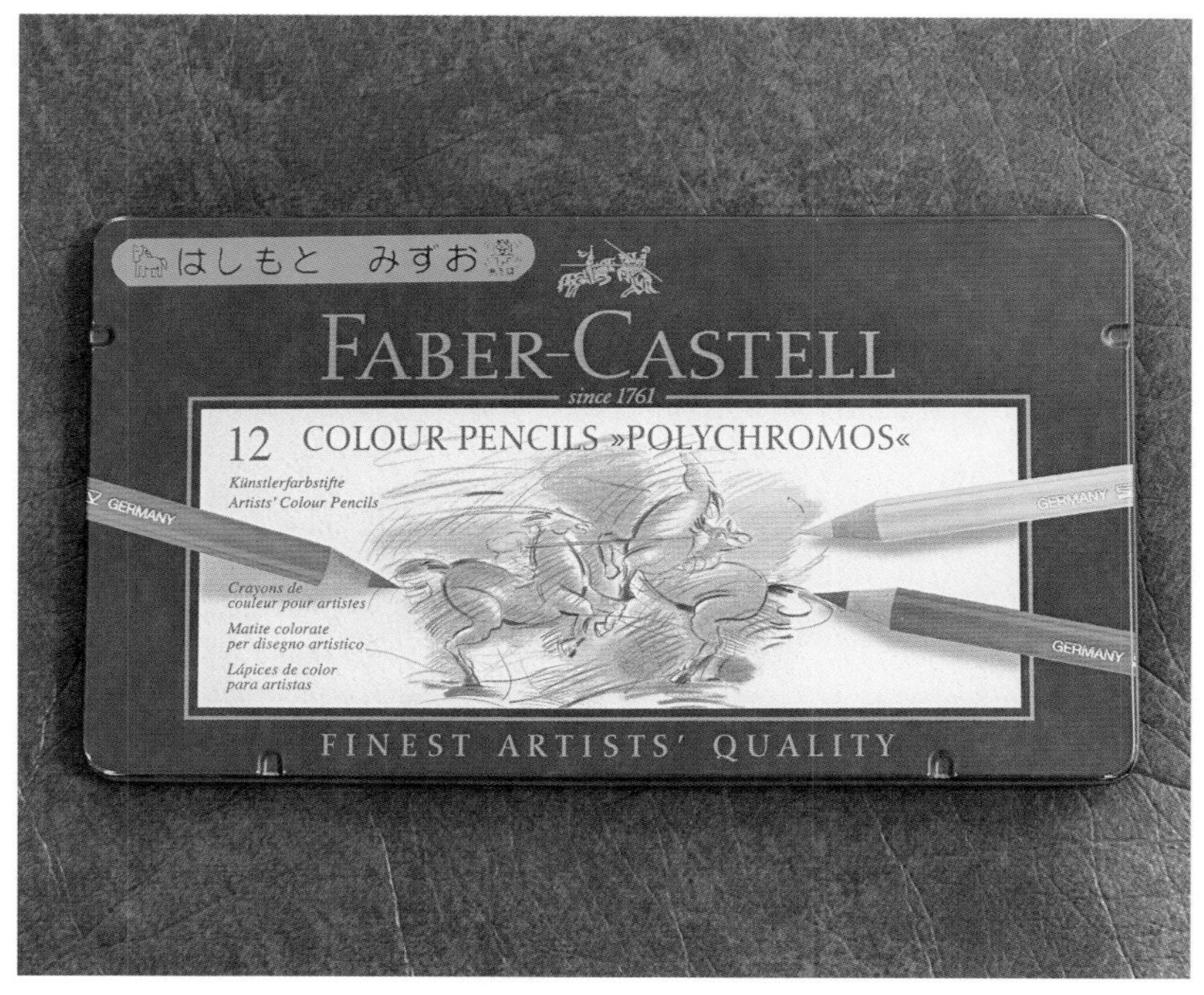


## 記録の取り方には流派がある

橋本先生の手術記録は手描きの図解が特徴だ。

「私はそう教えられたので、手術記録を図で描いています。図がわかりやすいのは、デフォルメできるからです。写真では写らない部分も図なら描けます」

確かに、必要な情報だけを描けるのが手描きの図のいいところだ。例えば、必要な血管以外は記載しないこともできるわけだ。なお、今回は掲載していないが、サンプルとして採った組織などは写真も貼り付けている。

「名古屋大学では、図を描くように教えているのでこの周囲の病院では図解を描いている外科医が多いと思います。ただ、そのように決まっているわけではなく、写真を使ったり文章で書いている医師もいます」

写真で記録を残す場合も、注釈をつけないとあとでわかりにくいという。また、文章ではごまかしがきくので、橋本さんは好まないそうだ。

「手術中に書くことはできないので、10時間を超える手術でも、その流れをすべて覚えておいて記録していきます」

内容にもよるが、手術記録を書くのにも数時間かかるそうだ。もちろん、書くことでより強く頭にインプットされることも見逃せないという。古い手術記録も読むとそ

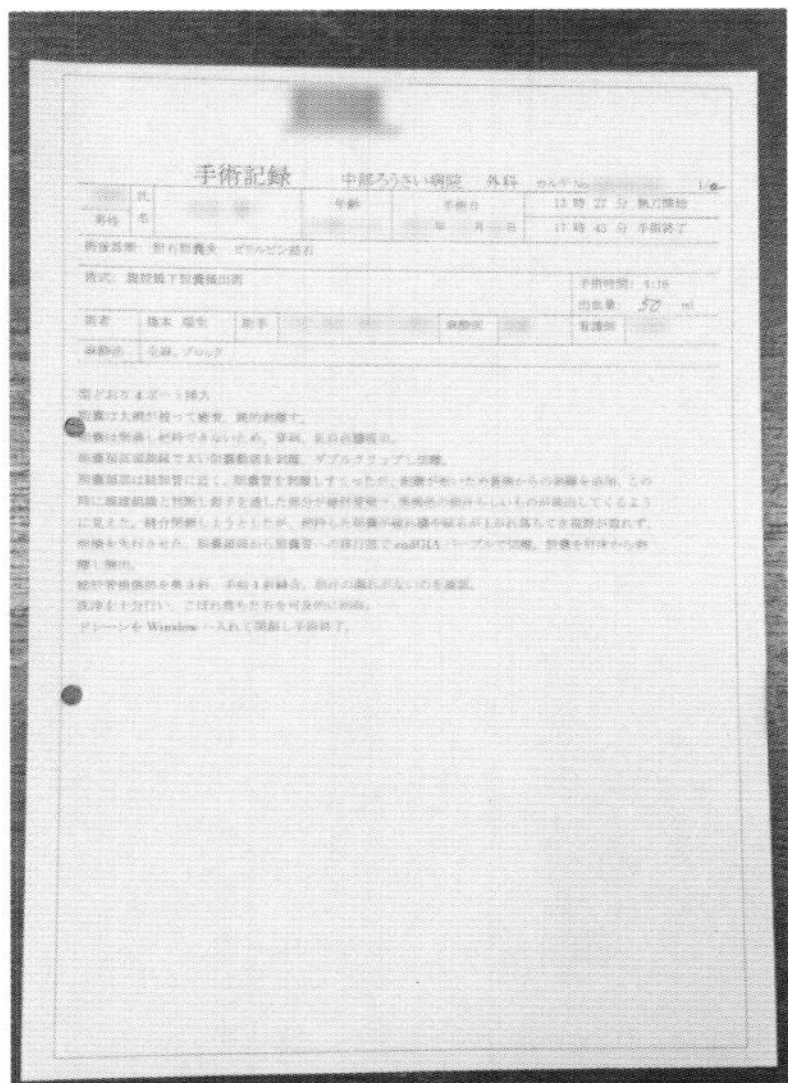

手術記録　中部ろうさい病院　外科

13 時 27 分 執刀開始

17 時 43 分 手術終了

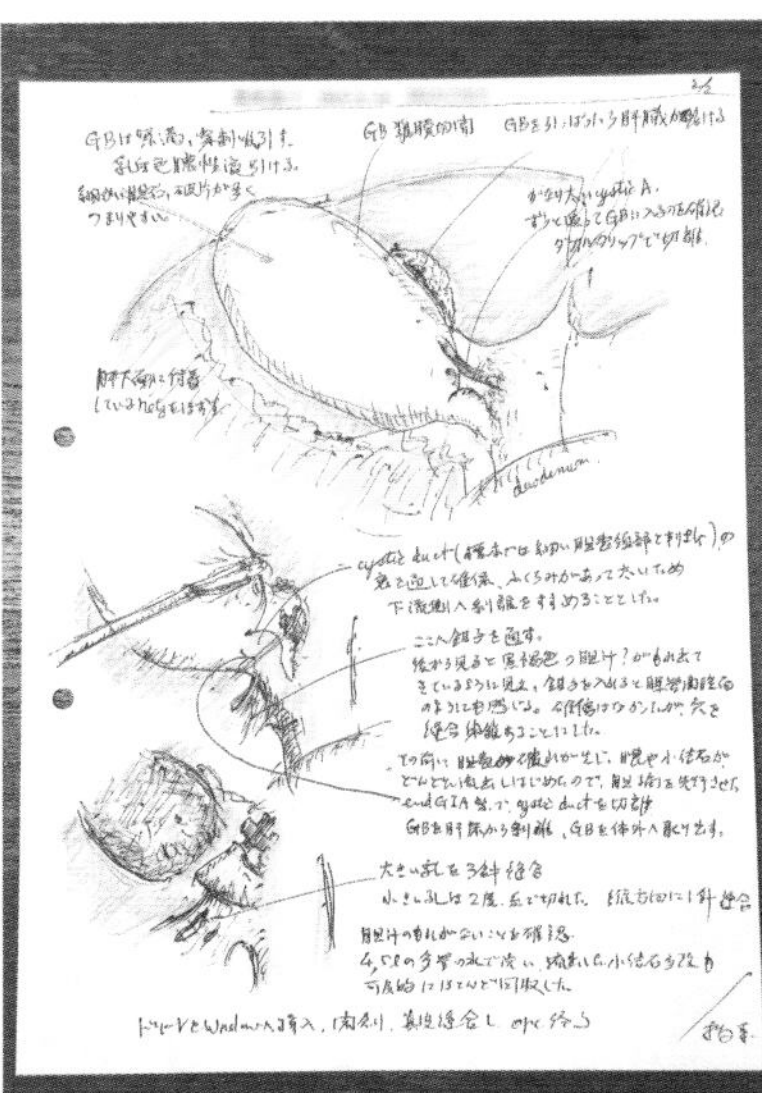

胆石胆嚢炎の手術記録。この手術は4時間程度で記録も2ページだ。

の内容がよみがえってくる。

## ボールペンと色鉛筆で描く

重要なのは、立体的な臓器の構造を紙に記載して手術の様子を伝わるようにすることだ。周囲の血管の位置や構造が多少違っていても、手術箇所が的確にわかれば記録としては十分に役立つ。

「記憶で書いていくので、後日解剖図などを見て、血管などの名称を確認することもあります」

フリーハンドで描くのだが、難しい図解は鉛筆で下描きをした上で、ボールペンで清書して消しゴムで消すそうだ。その上で、色分けをしていく。ボールペンはごく普通のもので、色鉛筆も赤と青、黄色をよく使う。

臓器の状態は手術によってすべて違う。当然ながら、癌に冒されている部分があれば、形状なども変わってくる。例えば、血管を取り除く場合にも、なぜその位置から取り除く必要があったのかを書くことが重要だ。

今回は、貴重な手術記録を見せていただいたが、改めて手描きのメリットを実感した。写真やビデオのリアルさも重要だが、手描きのデフォルメこそがわかりやすいケースも多いのだ。

記憶だけで手術の様子をこうして再現するには、知識と経験、描画力がすべて揃っていてこそなのだろう。

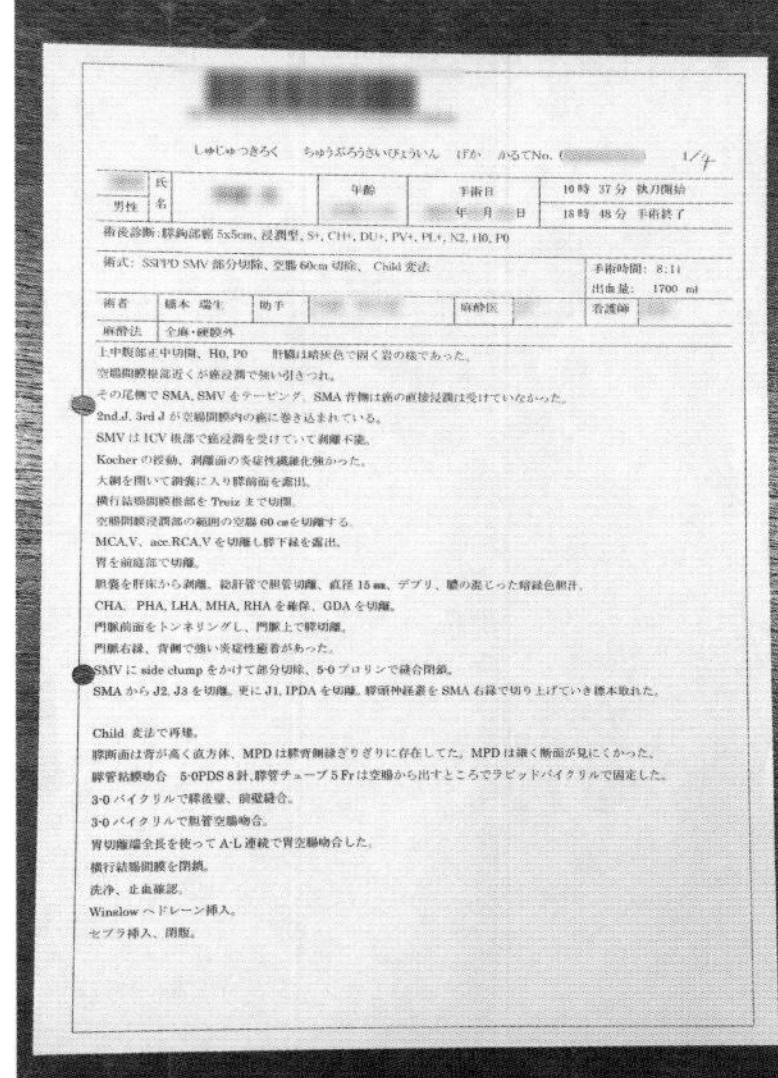

しゅじゅつきろく　ちゅうぶろうさいびょういん　げか　かるてNo.　1/4

| 男性 | 氏名 | | 年齢 | 手術日 | 10時 37分 執刀開始 |
|---|---|---|---|---|---|
| | | | | 年　月　日 | 18時 48分 手術終了 |

術後診断：膵鉤部癌 5x5cm、浸潤型、S+, CH+, DU+, PV+, PL+, N2, H0, P0

術式：SSPPD SMV 部分切除、空腸 60cm 切除、Child 変法　　手術時間：8:11　出血量：1700 ml

| 術者 | 橋本 瑞生 | 助手 | | 麻酔医 | | 看護師 | |
|---|---|---|---|---|---|---|---|
| 麻酔法 | 全麻・硬膜外 | | | | | | |

上中腹部正中切開、H0, P0　肝臓は暗灰色で固く岩の様であった。

空腸間膜根部近くが癌浸潤で短い引きつれ。

その尾側で SMA, SMV をテーピング。SMA 背側は癌の直接浸潤は受けていなかった。

2nd.J, 3rd J が空腸間膜内の癌に巻き込まれている。

SMV は ICV 根部で癌浸潤を受けていて剥離不能。

Kocher の授動、剥離面の炎症性線維化強かった。

大網を開いて網嚢に入り膵前面を露出。

横行結腸間膜根部を Treiz まで切開。

空腸間膜浸潤部の範囲の空腸 60 cmを切離する。

MCA,V、acc.RCA,V を切離し膵下縁を露出。

胃を前庭部で切離。

胆嚢を肝床から剥離、総肝管で胆管切離、直径 15 mm、デブリ、膿の混じった暗緑色胆汁。

CHA、PHA, LHA, MHA, RHA を確保、GDA を切離。

門脈前面をトンネリングし、門脈上で膵切離。

門脈右縁、背側で強い炎症性癒着があった。

SMV に side clump をかけて部分切除、5-0 プロリンで縫合閉鎖。

SMA から J2, J3 を切離。更に J1, IPDA を切離。膵頭神経叢を SMA 右縁で切り上げていき標本取れた。

Child 変法で再建。
膵断面は背が高く直方体、MPD は膵背側縁ぎりぎりに存在してた。MPD は細く断面が見にくかった。
膵管結膜吻合　5-0PDS 8 針、膵管チューブ 5 Fr は空腸から出すところでラピッドバイクリルで固定した。
3-0 バイクリルで膵後壁、前壁縫合。
3-0 バイクリルで胆管空腸吻合。
胃切離端全長を使って A-L 連続で胃空腸吻合した。
横行結腸間膜を閉鎖。
洗浄、止血確認。
Winslow へドレーン挿入。
セプラ挿入、閉腹。

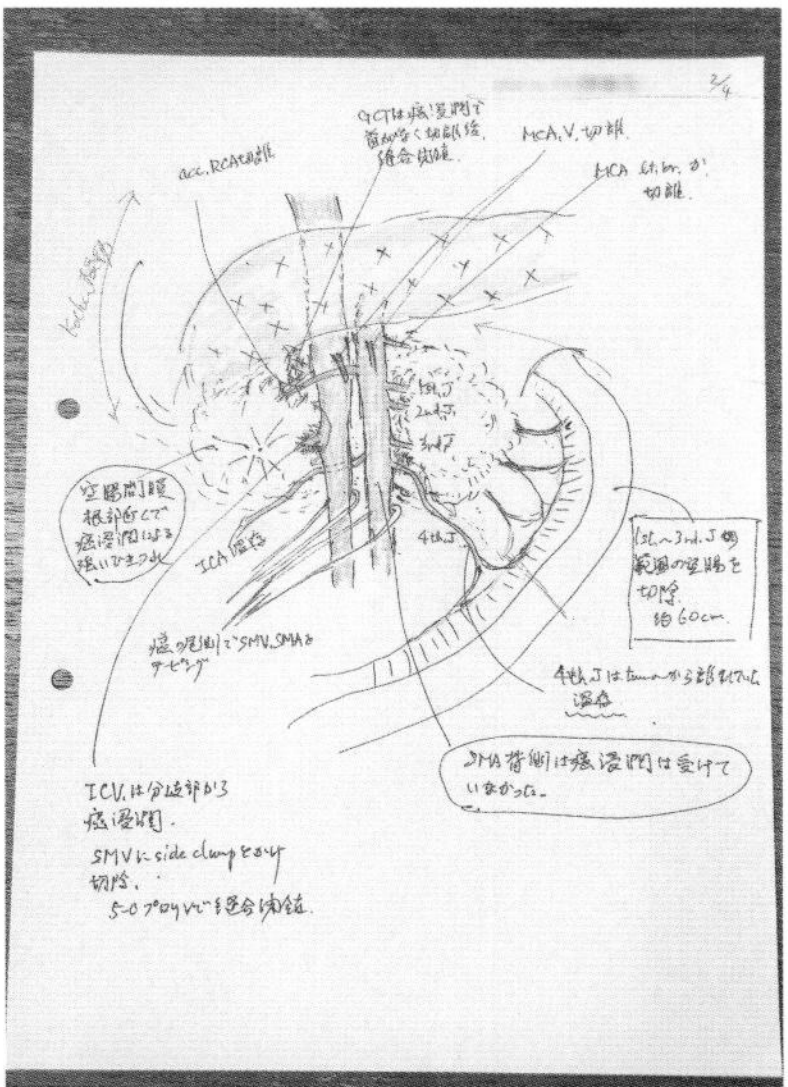


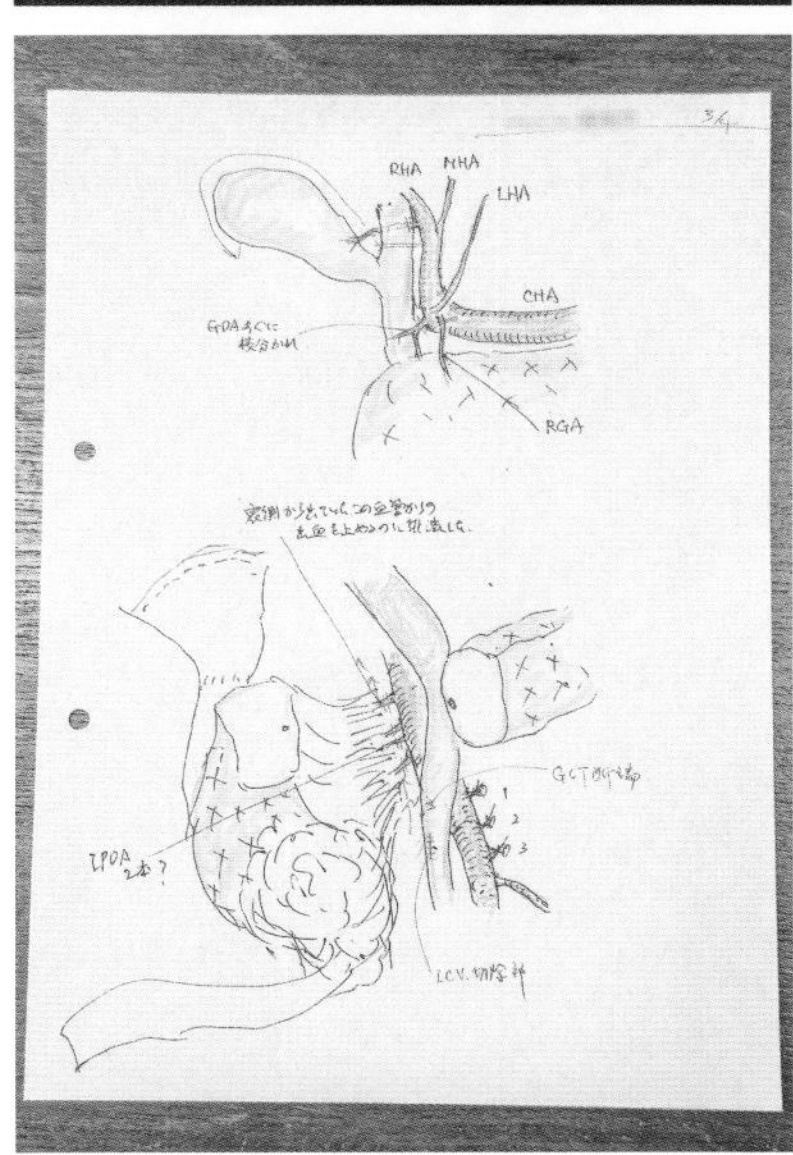


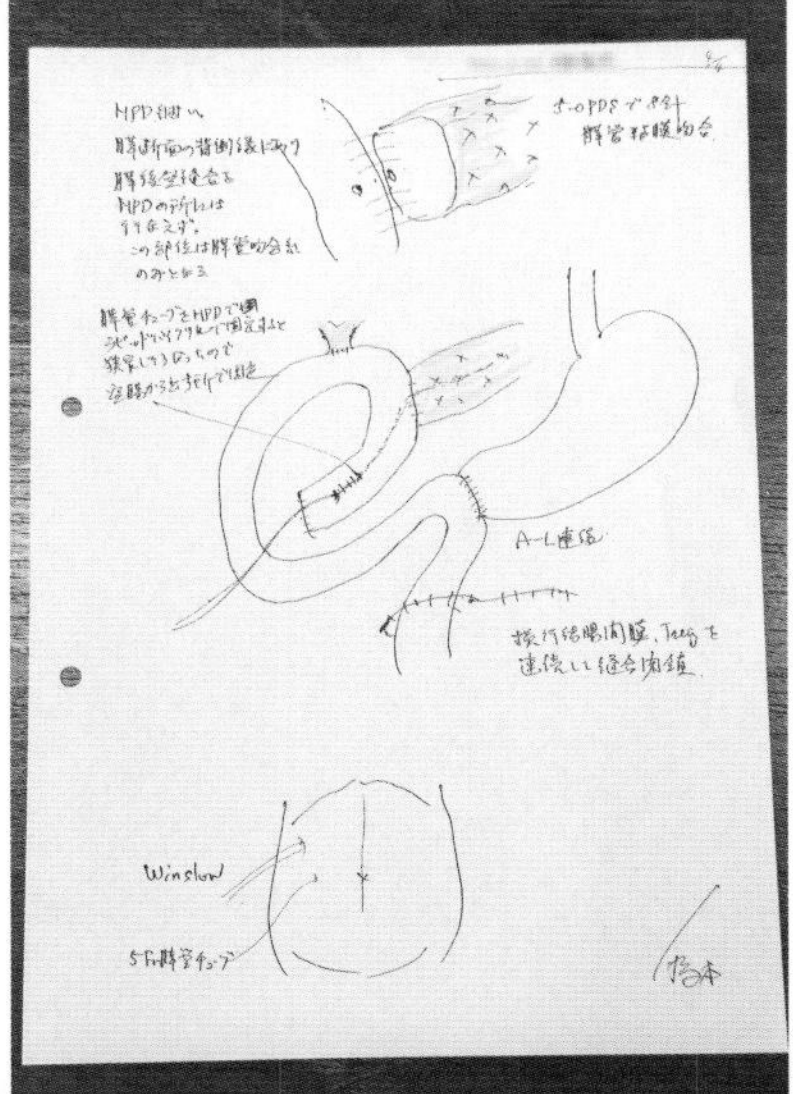

# 07

notebook

# 著名デザイナーのノートは夢のような世界が広がっていた

znug design
クリエイティブコミュニケーター、デザイナー
**根津孝太**さん

1969年東京生まれ。千葉大学工学部工業意匠学科卒業。トヨタ自動車入社、愛・地球博『i-unit』コンセプト開発リーダーなどを務める。2005年（有）znug design設立、多くの工業製品のコンセプト企画とデザインを手がけ、ものづくり企業の創造活動の活性化にも貢献。国内外のデザインイベントで作品を発表。

根津孝太さんは、とても有名なデザイナーで、さまざまな製品を手がけている。家庭型ロボットLOVOTやサーモスなどメジャーな製品もデザインしている。根津さんは、トヨタ自動車出身なので、工業系のデザインが専門分野だ。

根津さんのノートは、メカ好きにはたまらない、機械感にあふれている。製品のパーツや細部が分解され、さまざまな角度から立体的に描かれているのだ。もはやノートというよりは、仕組みの図鑑や設計図のようではないか。見ているだけでワクワクが止まらない。

「打ち合わせの場所などで書くケースが多いのですが、参加者のコンセンサスが取れるところまで具体化したいのです。わかりやすく伝えることによって、みんながついてくれるわけです」

例えば、ネジ1本にしても、わかりやすい角度を考えて、フリーハンドで描いてい

01

根津さんのノートはまるで分解図のよう。これを手書きでサッと書き上げていく。

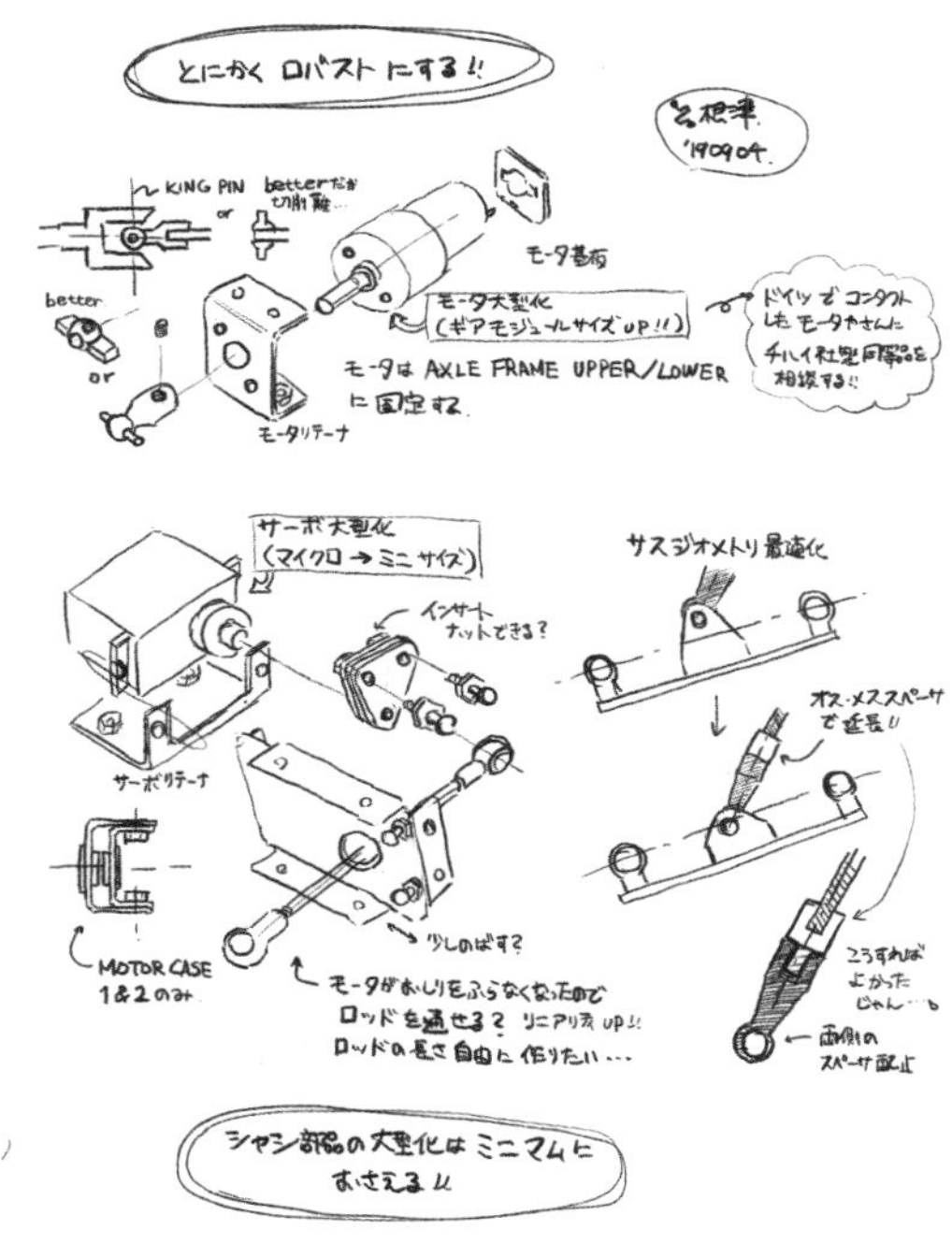


くのは、もはや神業としか言いようがない。

「僕も最初からすべての解像度が高いわけではなくて、全体がゆるくある中で各部の解像度をだんだん高めていくと、最終的に全体の解像度が高くなるわけです」

頭の中にある構造を図にする天才である。

## 仕組みや素材も理解する

私達は、工業製品のデザインと聞くと、素敵な形を作り出す作業だと思うかもしれないが、根津さんはその仕組みまで考えて作り出す。いわば、設計に近い部分までこだわってデザインをするのが特徴だ。

「いろいろなタイプのデザイナーさんがいて、それぞれでいいと思います。ただ、新しいことをやろうとするとエンジニアリングに詳しい方が、一歩踏み込んだ提案ができると思っています。ロボットのような新しいものは、技術的な側面をわかっていないと作り出すのが難しいですしね」

トヨタ自動車出身なので、車のことはよくわかっていたが、独立した最初の作品は意外にもサーモスの水筒作りだった。

「水筒についての知識がないので、エンジニアの方にしつこく教えていただいて学習しました。デザイナーが、機構から素材までを知っていることで、その後の製造におけるスピード感が全然違ってくるのです」

つまり、形から入るだけだと作りにくいデザインをしてしまう可能性がある。だが、

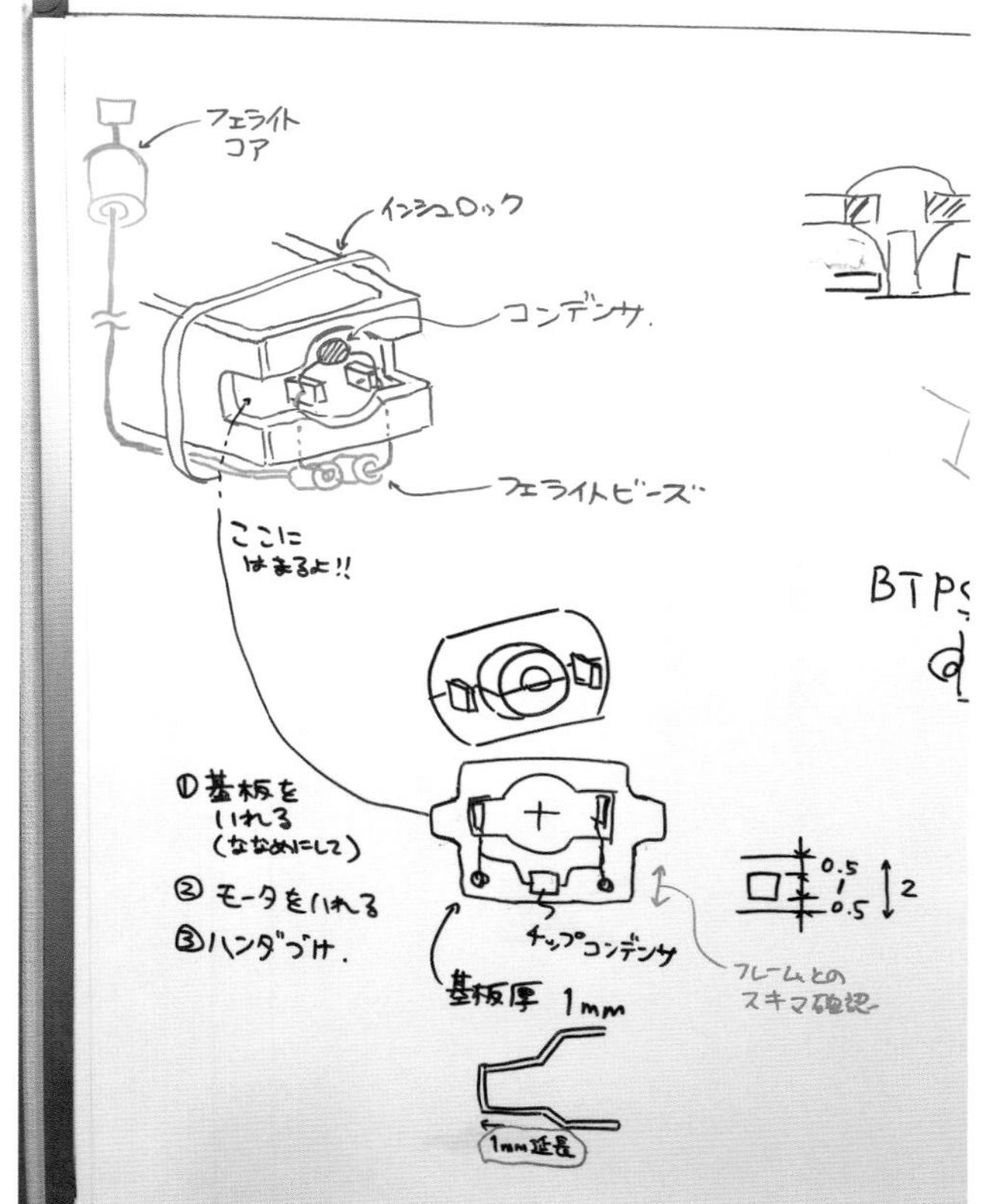


02

ホワイトボードに書くことも多く、写真で撮影して保存する。

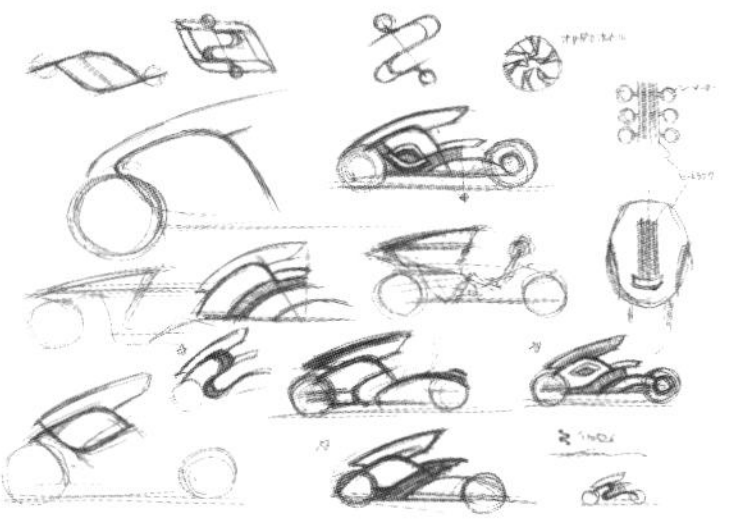

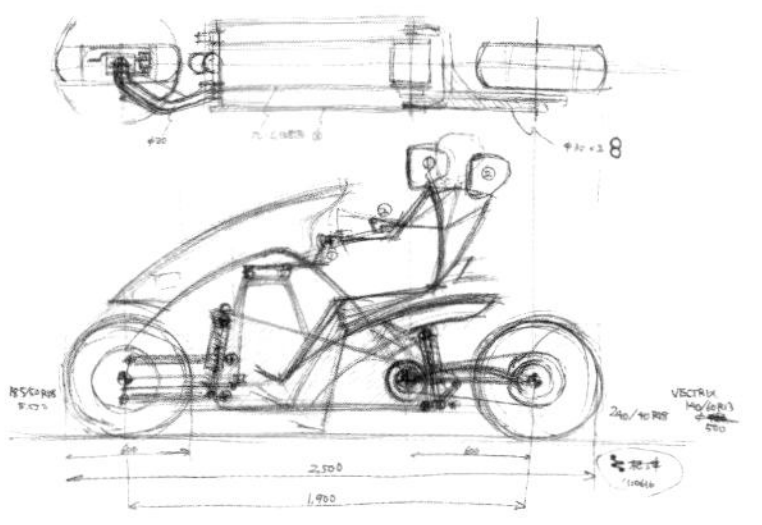

03

電動バイクの構想。

04

膨大なノートの中から少し抜粋させていただいたが、だんだんとイメージの解像度が上がっていくことがよくわかる。

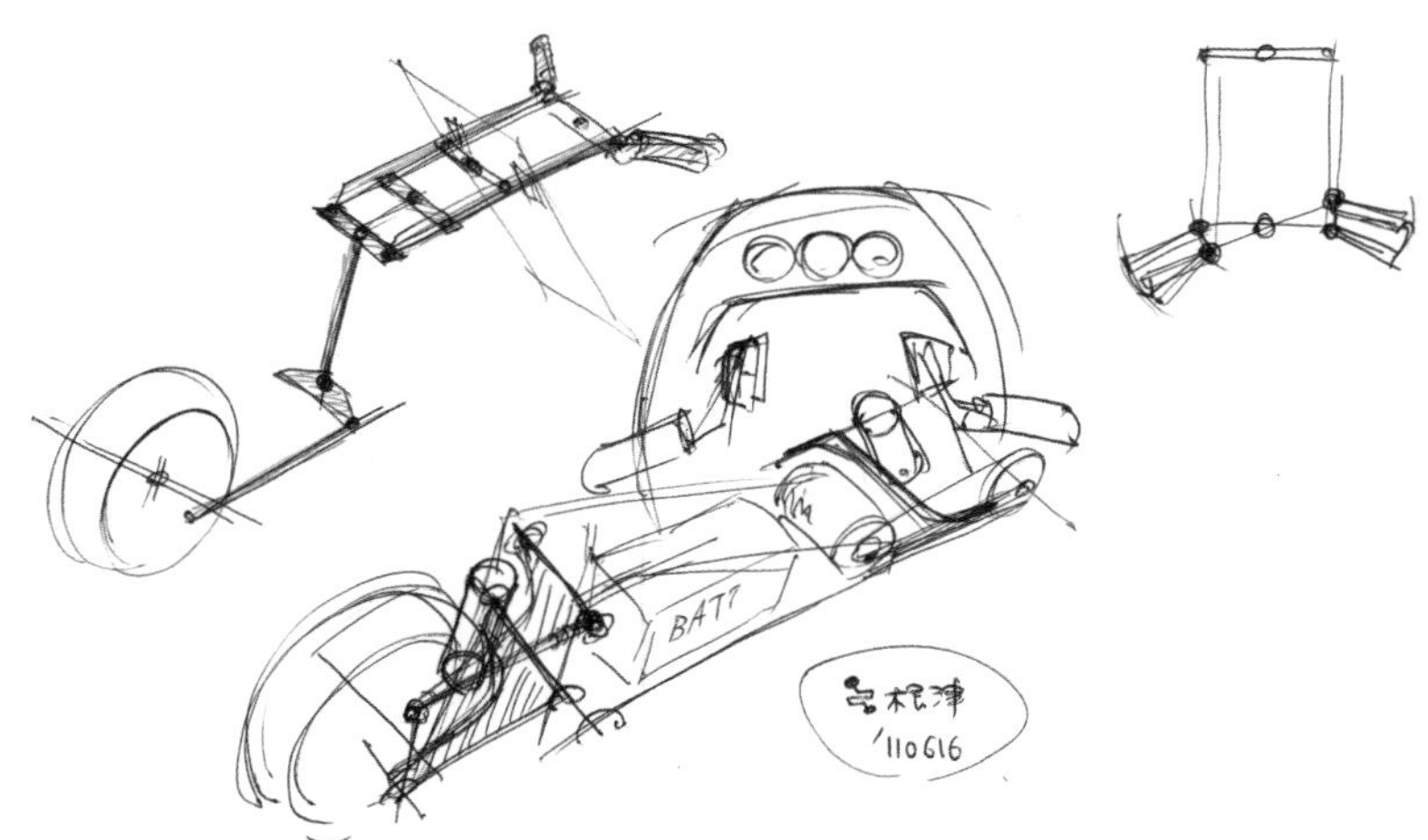


構造や素材を理解していればそんなことがなくなるわけだ。さまざまな製品を手がけるごとに、根津さんの知識は増していく。

「ここに、電動バイクのノートがあります。僕のパーソナルなプロジェクトなのでいちから全体を考えました。とにかくバッテリーが支配的な構造になるので、低い位置に置いて、スイングアーム式のサスペンションにしたらすごく安定するんじゃないかと考えました。ならば、両側から板2枚で挟んだら面白いんじゃないかと……」

おっしゃっていることがよくわからないかもしれないが、ノートを見ていただくと、頭の中の考えが具現化されていくプロセスが少しだけわかってくる。

## 書く作業は感覚が重要

根津さんは、あらゆるものに書いている。紙もホワイトボードも使う。

「最近は、iPadも気に入っています。プロクリエイトというアプリを使っていますが、書いているプロセスを全部保存して再生できる機能も気に入っています」

ところが、当初はデジタルの遅さが許せずに紙を使っていたという。感覚とのズレがとにかく許せないので、紙とペンを重視していた。ようやく、iPad Proで納得できるレスポンスになったという。

「3DCADも多用するのですが、レスポンスが遅いのが許せません。ちょっとした

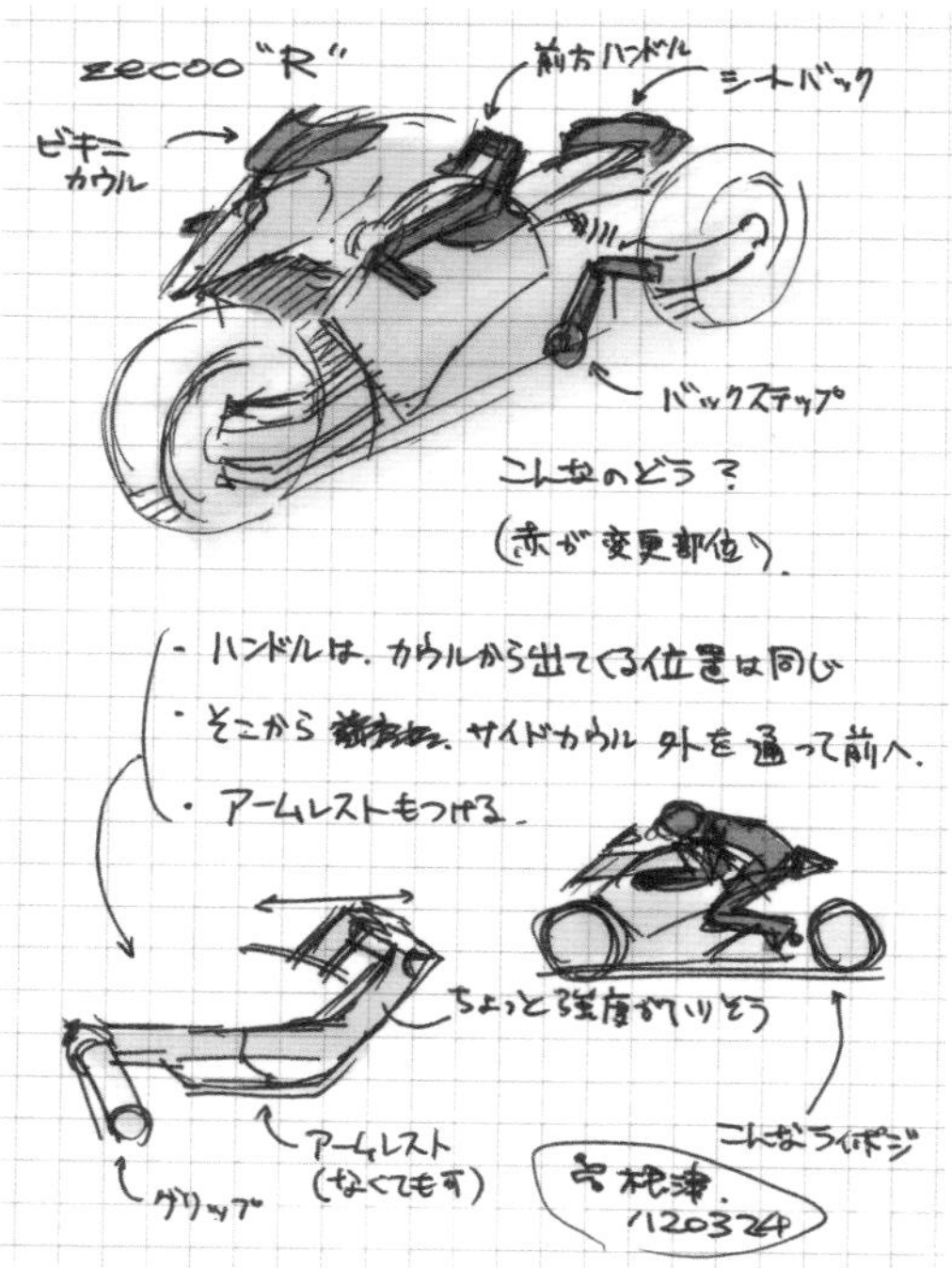


05

どんどんアイデアを提案していく。

06

完成した製品。

07

細部のパーツまでデザインしているのだ。

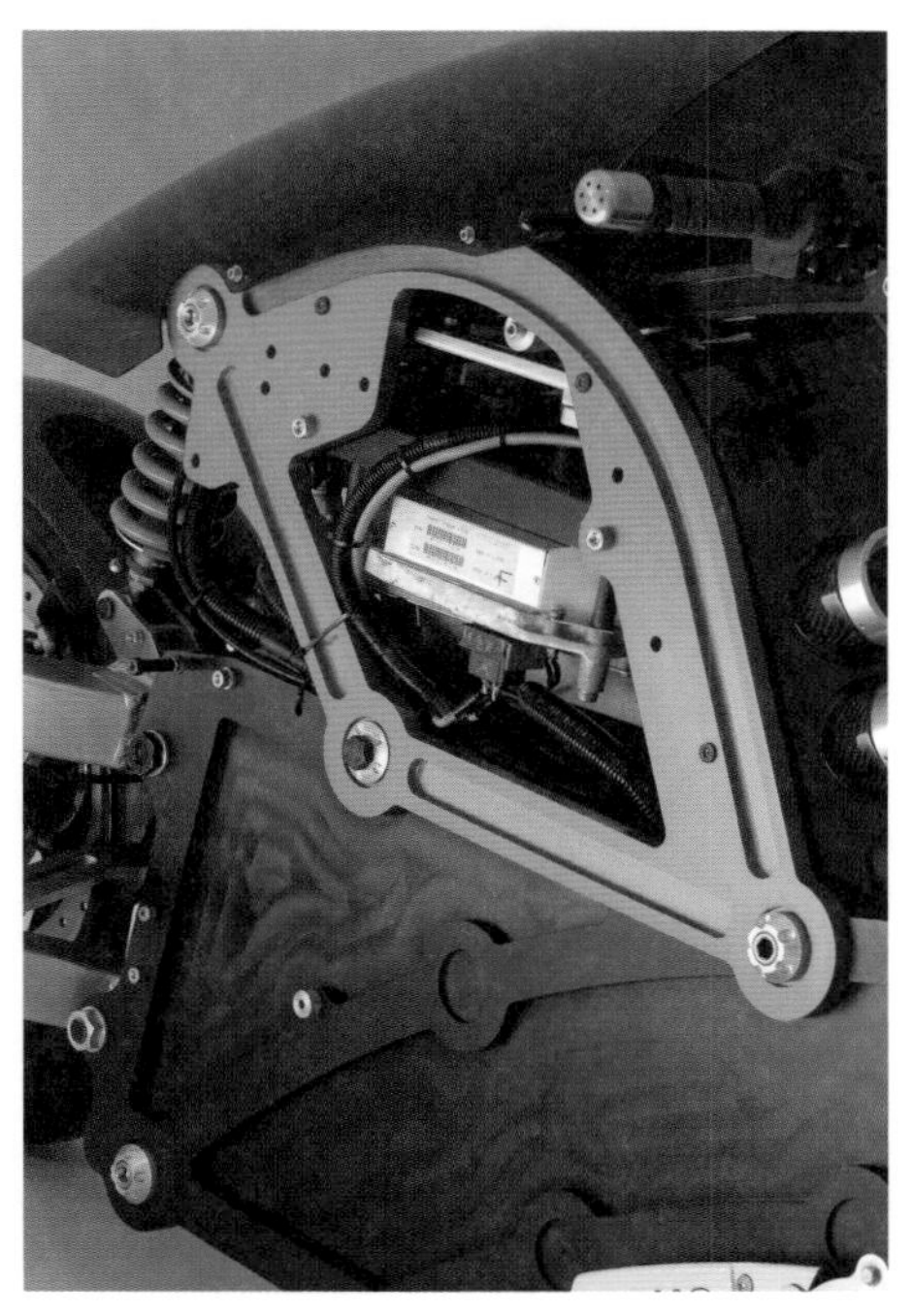

待ちが嫌いなので、自宅に高性能なワークステーションを置いて作業しています」

今は、デスクトップタイプの大型ワークステーションを使っているという。ノートタイプのワークステーションは、発熱が大きすぎて2年で壊れてしまうそうだ。

「打ち合わせをしながら描くことも多いです。そんな場面ではホワイトボードを使うこともちろん多くなります」

紙でもデジタルでも同じものが描けるとさらりと話すのは、感服でしかない。打ち合わせのために描いたチャートなどもきれいにデザインされている。

## 膨大なノートを管理する方法

これまでに書いてきたように、根津さんは、さまざまな紙、ホワイトボード、iPadなどあらゆる媒体にノートを書いている。最終的には3DCADでもデザインする。この膨大なノートをどのように管理しているのかが、興味深い。

「基本的にすべてのノートをフォルダーで管理しています。文字はキーボードで打つこともあれば紙に書くこともあります。打ち合わせしながら書くなら紙やホワイトボードで参加者に見てもらいます。クライアントさんに合わせるケースも多いですし。アナログからデジタルまでバラバラなのでフォルダーで管理するしかないわけです」

書いたノートはPFUのドキュメントス

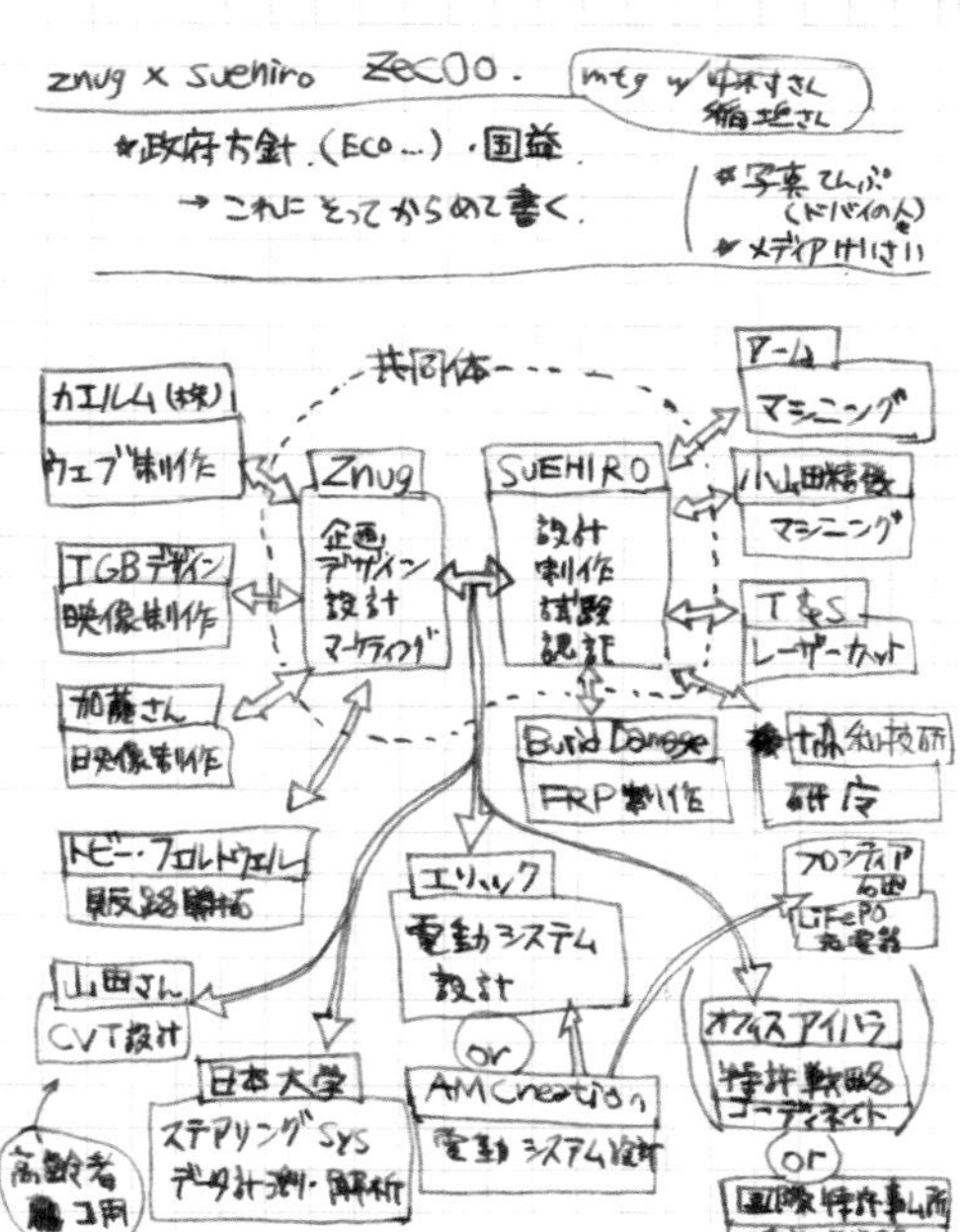


根津さんが打ち合わせのために描いたチャート図。こんな解説をさらりと書けるのは頭の中の構造が違うとしか思えない。

キャナーで取り込んでいるという。ホワイトボードは写真で撮って保存するので、最終的にはデジタルになる。

「心配性なのか、ローカルにも置いておくのは基本で、クラウドも複数使ってバックアップを取っています」

例えば、EvernoteやOneNoteを使ってファイルを管理すると、データはそれぞれのサービスにしかバックアップも保存できない。だが、素のデータをフォルダーで管理すれば何ヶ所にも保存できるわけだ。クラウドはもはや、5TBに達しているという。OneNoteなどは、容量的にも利用が難しい。

「フォルダーのネーミングも決まっています。大きく分けて、年ごとの時系列データ管理と、プロジェクトごとの管理で仕分けしています」

根津さんのノートは、僕の目を奪って離さなかった。きっと同様に感じる読者の方も多いだろう。結局はこれぞプロの描く力なのだ。頭の中にある図を具現化する能力がとてつもなく優れて、鍛え上げられているのだ。

根津さん自身も描いたものは命ととらえていて、完璧に管理し何重にもバックアップを取っているわけだ。

## 09

月ごとに管理しているフォルダーとプロジェクトごとに管理しているフォルダー。

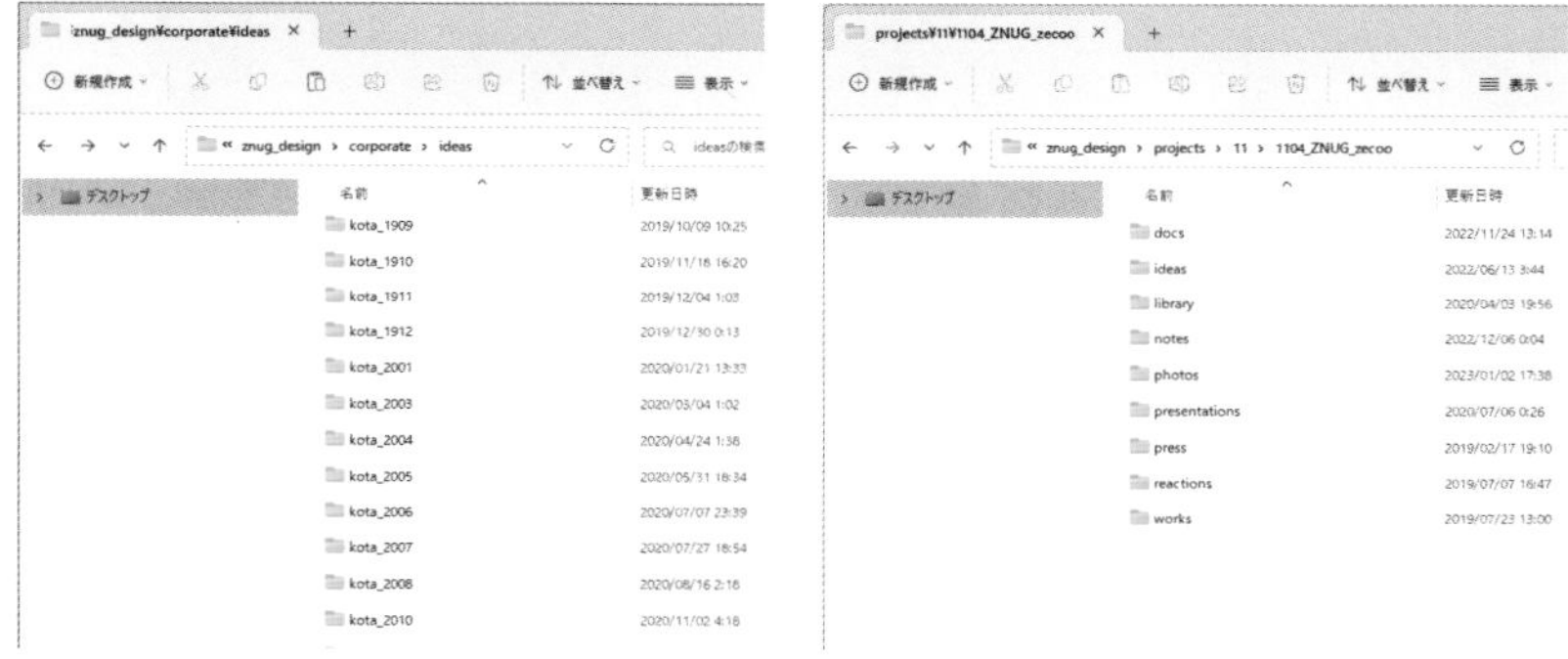


## 10

独自のネーミングルールで保存されているノート。この美しさと統一感。根津さんが命というデータだ。

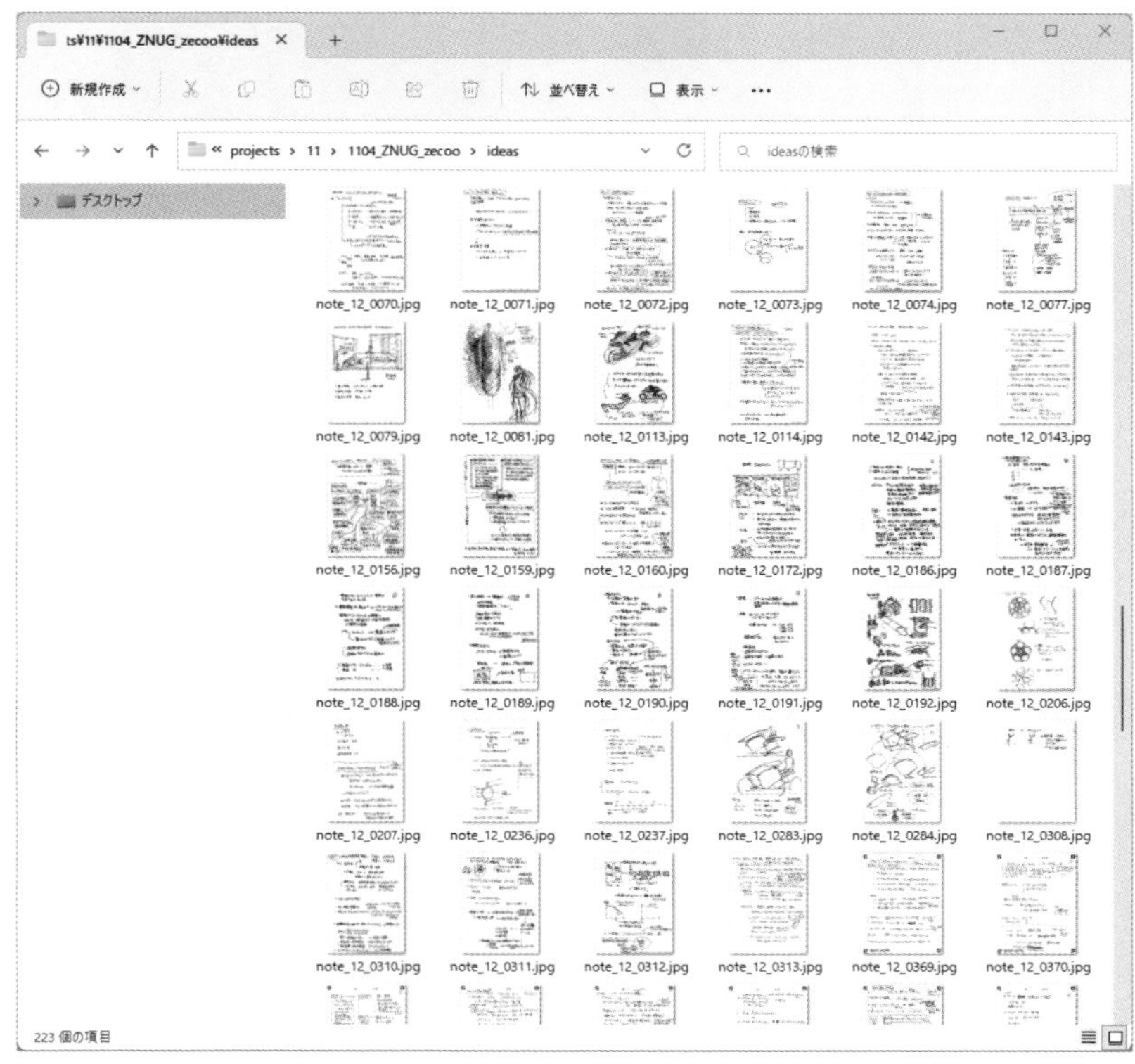

# 08

notebook

# 一部界隈ではノートは見せるためのメディアに昇格中

スタンプと紙のもの　記sirusu

クリエーター

**ささきあやこ**さん

大阪府出身・滋賀県在住　ヤマハ音楽学院卒。会社勤務・ピアノ講師・福祉施設相談員・フリーデザイナーなどを経て、2016年10月に独立。2019年4月より工房「記sirusu」を開設、以降、スタンプと紙もの雑貨の原画・デザイン・企画・製造・販売等を手がけるクリエーターとして活動しています。
インスタグラム：https://www.instagram.com/sirusu_note/
HP：https://sirusudesign.com/

ノートは、情報を記録したり、アイデアをまとめるツールだ――と一般的には考えるわけだが、実は、我々の知らないところで密かに大きな進化を遂げていた。なんと、「インスタグラムで見せる」ツールへと変貌しているのだ。

とても興味深いその流れを紹介していこう。取材を受けてくださったのは、「記sirusu」という会社でデザインを担当しているささきさん。

そもそも、記sirusuでは、オリジナルのノートを作成販売していた。規模は小さいがれっきとした文具メーカーだ。その販売用のノートに書かれている内容が素敵で今回は取材をお願いしたわけだ。ノートには、美しい植物の絵が描かれていたり、料理の絵とレシピが記載されている。手書きのノートはとても美しく、ノート好きがうっとりするような完成度。それもそのはず、実はこのノート、販促のために作ったのだ。

01

記sirusuのサンプルとしてささきさんが作ったノートの例。

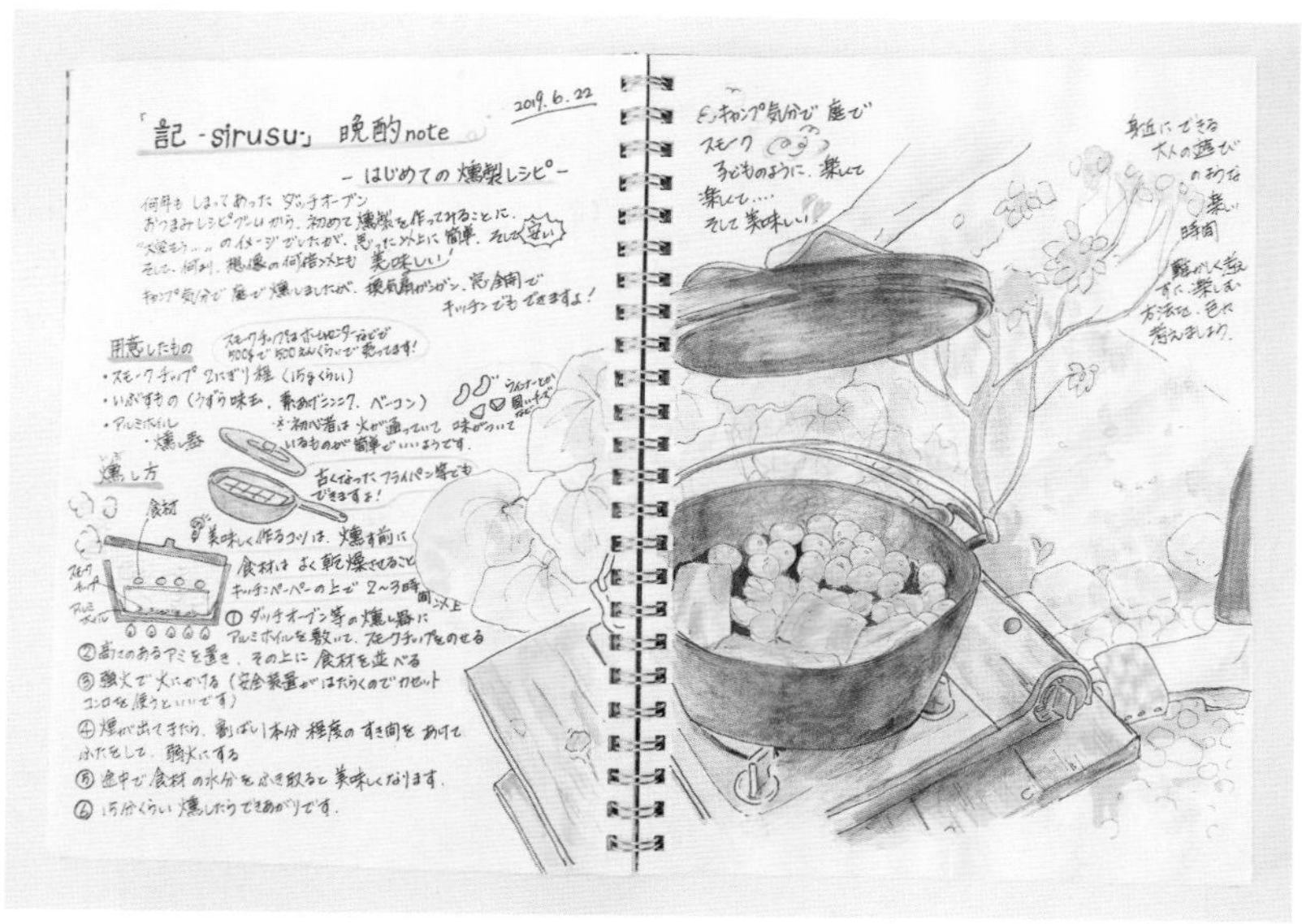


「売るというよりは、楽しく使っていただくためのサンプルです。自社のノートは製本から表紙のデザインまですべてが内製です。手作りなのでどうしても高くなりがちですが、『素敵なノートだけどどう使うの?』と、言われることが多かったので書き方の提案として作っていました」

実はこのノート、今はあまり販売されていないのだが、２３００～２６００円ほどと確かに少し高い。文具好きなら買えない額ではないが、動機が不明確だと手を出しにくい。知らずに見るとただ素敵なノート——というだけかもしれないが、実はいろいろなノウハウが詰まっている。

プロが手がけた美しいノートの作り方を聞いていこう。

## 枠をつけて内側だけに書く

記sirusuのノートには罫線入りもあるが、白紙が多い。お話を伺っていても、ささきさんはシンプルな志向のようだ。

「白紙のノートでも枠を作ることを提案しています。以前販売していたテンプレートを使って、ノートの余白を作るように鉛筆などでアタリをつけてから書きます」

つまり、フチをぜいたく目に使うだけで、ずいぶん見栄えが良くなるのだ。

「例えば、見開きの場合でも、真ん中はつなげて書きますが、フチを残すことで一体感が出ます」

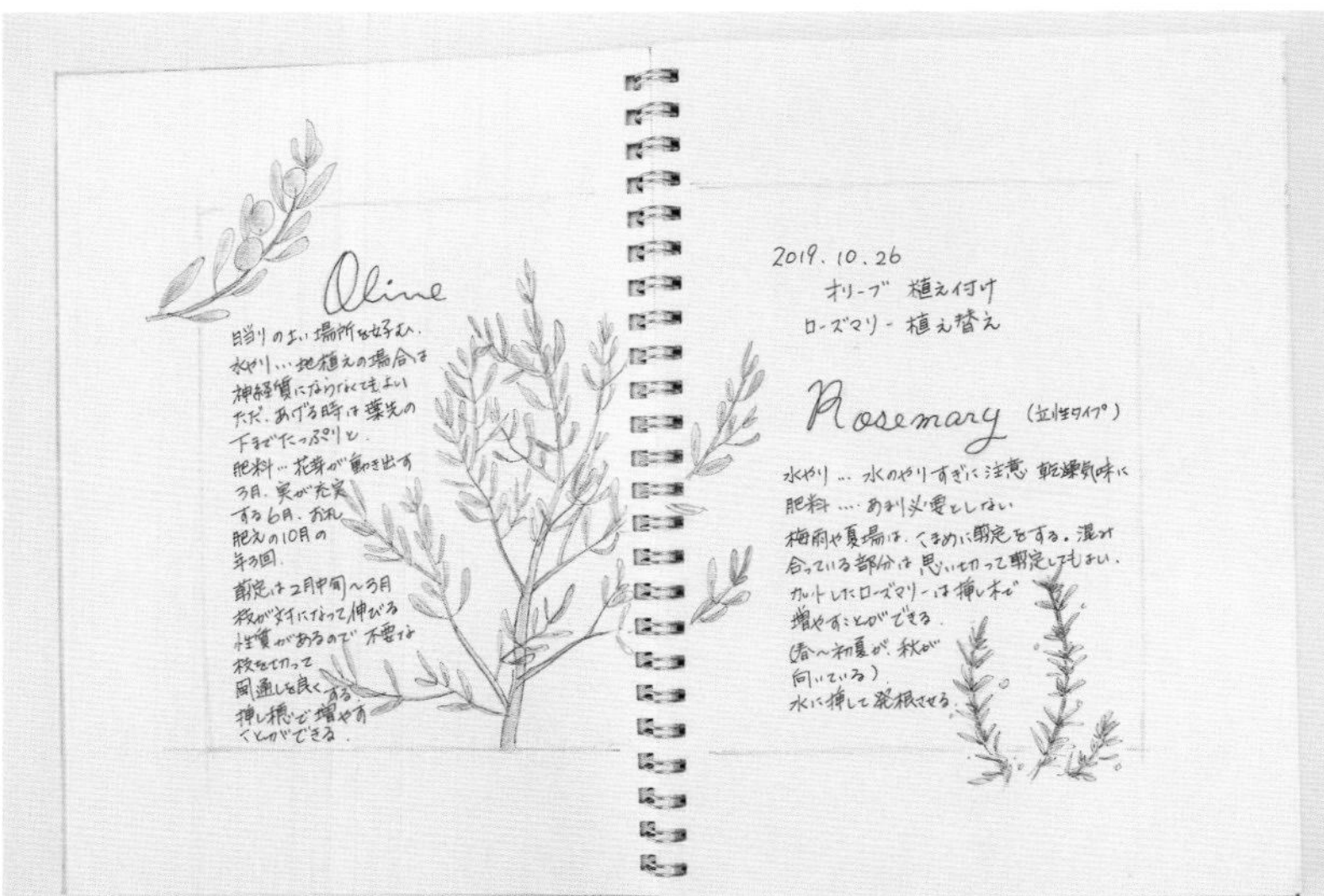


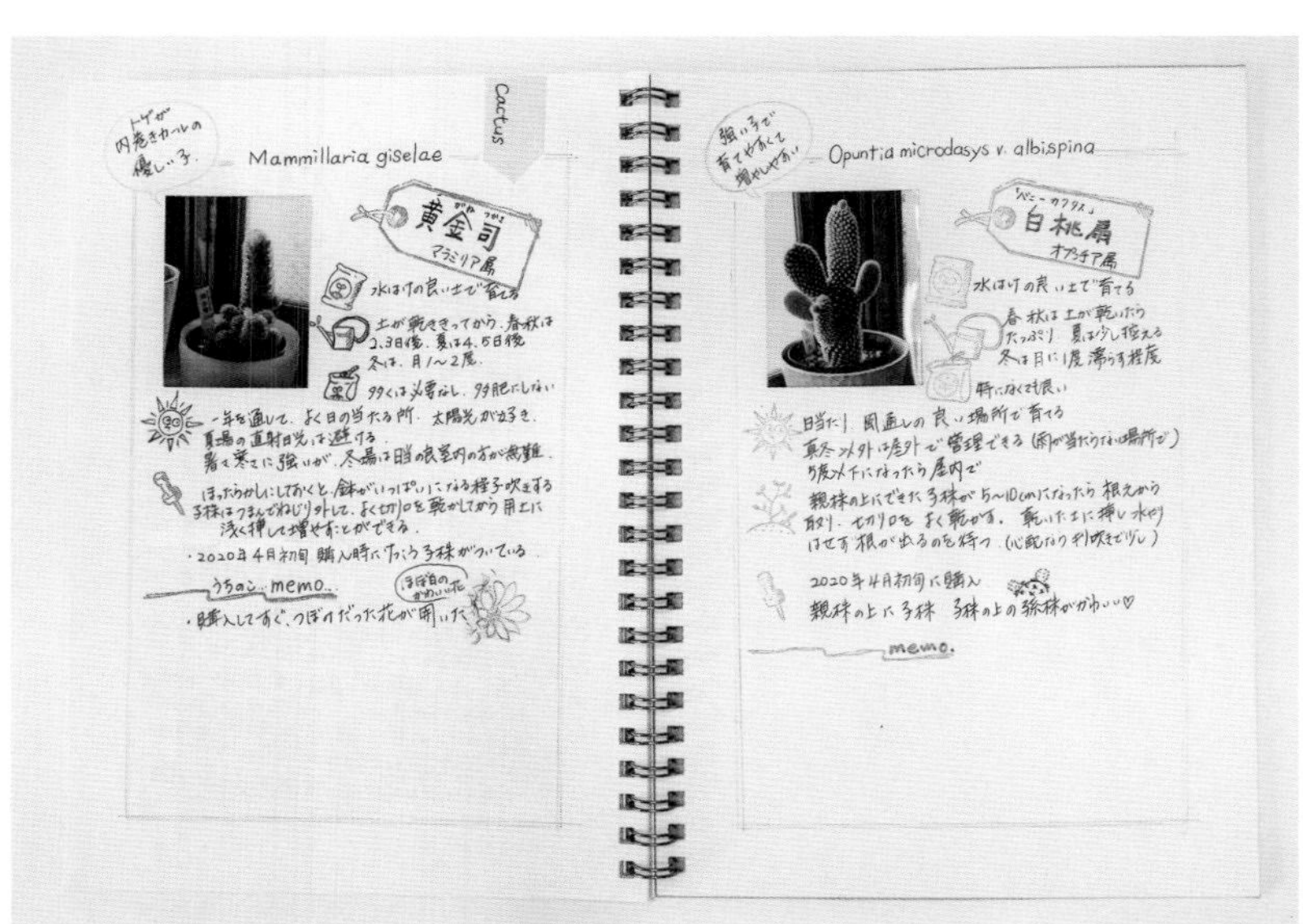


# 02

フチを残して統一感のあるノートを作ると見栄えがとても良い。

こちらは型枠のテンプレート。厚紙などで自作も可能だろう。

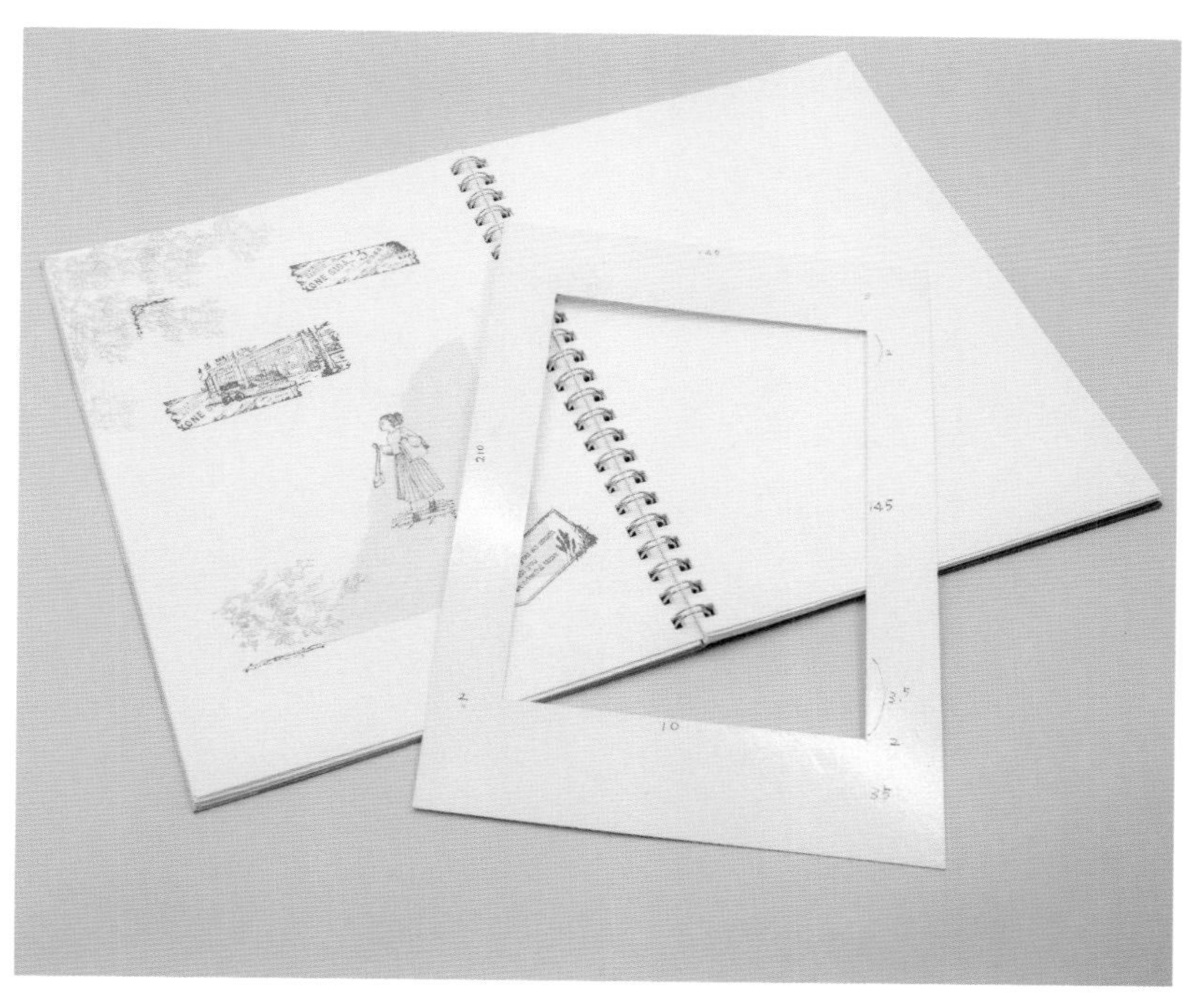

まるで、古い石版画の図鑑のような美しいノートには目を見張るばかりだ。

## ミリペンで書き、色鉛筆で塗る

他の機会に何度もデザイナーさんに取材をしていて思うのは、プロは道具にこだわるが、使うものは絞り込む。ささきさんもまさにその通り。

「ペンはミリペンのみです。ピグマやコピックなどメジャーなものを使用します。色は全部色鉛筆です。最初はいろいろな色鉛筆を使いましたが、お客様が手元にあるツールで書けるように、お子さんが使うような国産のものを利用しています」

ただし、書き直す可能性のある本文などには鉛筆も使うという。ボールペンを使わないのは、線の出方が一定ではないからだ。ボールペンは書き出しが遅かったり、線がかすれることもある。

我々は、同じサイズの文字をきちんと書いていくだけでも大変だが、そこは意識しなくてもできているというから、さすがデザイナーだ。ただし、書き出しを揃えるように薄い線を引くという。

「デザイナーなので、揃えるということには神経を使います。書き出しが揃うように、鉛筆で薄い線を引いて揃えるようにしています」

このノートはSNSに掲載することで、販促に役立っているのだが、面白いのは、

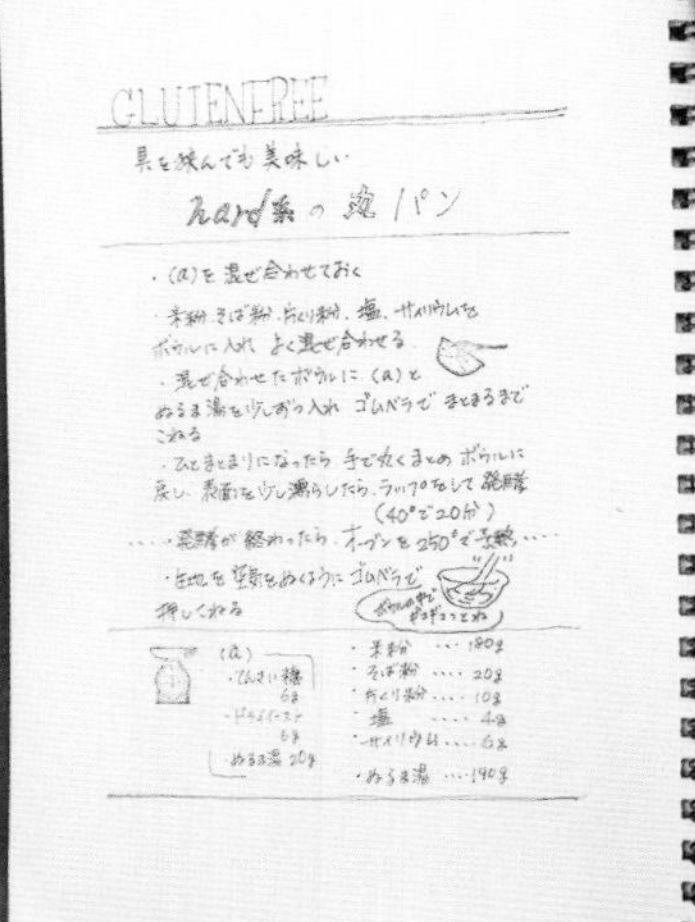

書き出しが揃った美しいノート。

ミリペンと鉛筆で書いていく。写真は貼り付けたものだ。

記sirusuオリジナルのスタンプは線が細く、統一感が素晴らしい。

文末にマル（句点）を使わないこと。「今の若い方のSNSの文章は文末も句点ではなくドットが多いのです。そこで、ノートも同じようにしています」

## ノートからスタンプへ

記sirusuでは、当初自社製のノートに力を入れていたが、インスタグラムなどのSNSで販促するうちに、業態の中心がスタンプへと変化してきている。

「ノートの書き方を提案するうちに、スタンプを作り始めたのですが、そちらがとてもウケています。今はスタンプ中心でノートは終了に向かっています」

ノートメーカーから、ノートに押すためのスタンプメーカーへと変貌を遂げているのだ。記sirusuは、スタンプも自社で製造しており、他社のスタンプにはない細い線を出せるのが特徴だという。

デパートの催事などでも大変によく売れているそうだ。

## スタンプを組み合わせるとストーリーが生まれる

記sirusuのスタンプは、連続して押したり、複数を組み合わせることでストーリー性のあるノートやカードが作れる。

「これまでのスタンプは重ねるという概念がありませんでした。線が太いために潰れ

07

記sirusuのスタンプは線が細いので組み合わせて使える。

てしまうのです。自社のスタンプは線が細く、組み合わせで楽しむことができます。そんな特徴を伝えるために、やはり作例が重要ということで、ノートやカードも作例を作って、SNSで販促しています」

ユーザーは、スタンプを利用して自分だけのカードやノートを作ってSNSにアップしている。美しいページを共有し、承認される欲求を満たしているのだ。少し前に、ノートに貼るマスキングテープがブームになっていたが、今はスタンプも大きなブームになっているそうだ。

確かに、スタンプならば誰でも簡単にノートやカードにイラストがワンポイントで入れられる。記sirusuでは、一般的なビジネス用のスタンプ台の利用を推奨している。これは、ノートの色鉛筆と同様で、ユーザーが手元にあるもので使いこなせるようにするためだ。必要に応じて色鉛筆で塗っていけばよいというわけだ。

インスタグラムなどのSNSでは、女子の間でノートやスタンプのブームが巻き起こっていた。写真で見るとスタンプもなかなか良い感じで、オジサン世代の著者でも、名刺の裏などにちょっと押してみたくなるのであった。

ノートにスタンプを押したところ。
なかなか良い感じだ。

09

notebook

# クリエーターがデジタルで管理するノート

プランナー／アートディレクター

## 佐藤ねじさん

1982年生まれ。面白法人カヤックを経て、ブルーパドルを設立。代表作に「ディスプレイモニタの多い喫茶店」「アルトタスカル」「不思議な宿」「佐久市リモート市役所」「小1起業家」「5歳児が値段を決める美術館」「劣化するWEB」など。2016年に著書『超ノート術』を出版。主な受賞歴に、文化庁メディア芸術祭・審査員推薦作品、Yahoo Creative Awardグランプリ、グッドデザイン賞BEST100、TDC賞など。

佐藤ねじさんの肩書はプランナー／アートディレクターとしているが、クリエーターと考えた方がイメージしやすいかもしれない。さまざまな企業から依頼をもらって、広告やPR、ブランディングなどを手がけている。「ボードゲームホテル」「あると助かるこどもふく」「隠れ節目祝い」など、面白く変わった店舗や商品を手がけ続けている。

発想やアイデアが命の仕事だけに、記録が大切。ノートに関する書籍を2016年に出版しているが、その考え方も大きく変化している。

「紙のノートが最高ですという本を出版したのですが、そのあとにiPadが進化して移行しています。今は、Macもよく使っています。基本的な考え方や本質は変わっていないのですが、使っているメディアは定期的に見直しながら自分に合ったものを使っています」

佐藤さん愛用のマークダウン形式メモアプリ「Bear」。佐藤さんはBearでさまざまな記録やメモをしている。BearはShiny Frog社によるシンプルなメモ作成アプリ。現在、Mac、iPhone、iPad版がある。使い勝手の良いマークダウン方式で、アップルデザインアワードや年間ベストアプリに選ばれたこともある。

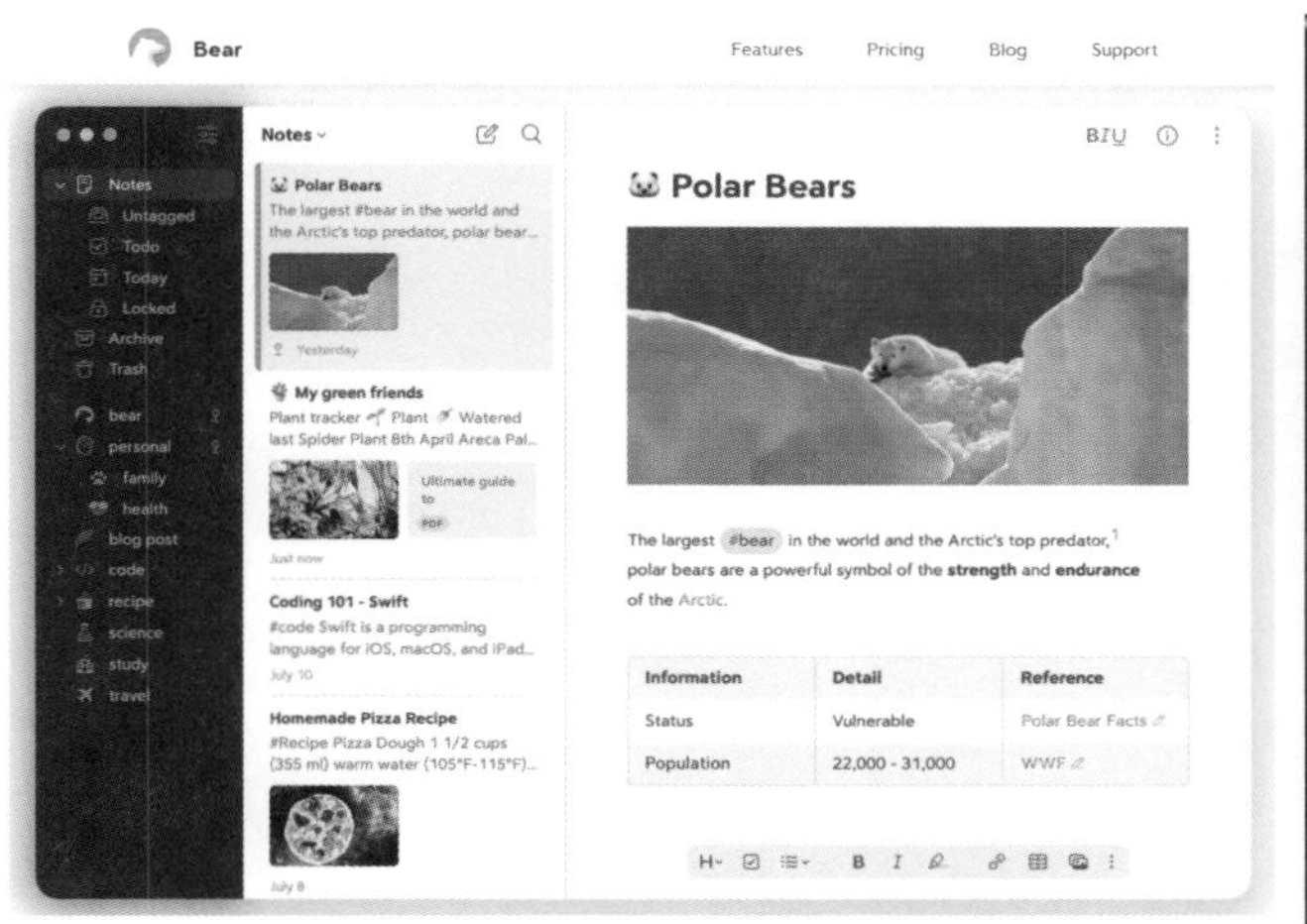


要するに、アナログを含めてデバイスにはこだわっていないのだ。現在は、「Bear」というノートアプリを使っている。デジタルのノートは、良いアプリが見つかれば乗り換えるわけだ。

## マークダウン方式を利用

佐藤さんは、マークダウン方式のツールにこだわっている。マークダウン方式とは、いわゆるHTMLを記述するときに使われるマークアップ言語の一種だ。こう書くと難しいように感じるかもしれないが、実は案外シンプルだ。例えば、行頭に「#」を記載すると見出しになる——といったルールのある書き方をするのだ。

佐藤さんはWebデザイナーの仕事をしてきたので親和性が高いとのこと。Bearの他にも、Notionなどマークダウン方式対応のメモアプリは増えている。

「いつでもすぐにメモができることが重要だと考えています。Notion（人気ノートアプリ）でもいいと思いますが、テンプレートにとらわれず、より自由に作れるのがBearのいいところです。画像と文字をパッパッと置いていけるのが気に入ってます」

佐藤さんの情報を記録する作業も、我々とさほど変わらない。XなどのSNSで見つけた面白い情報をどんどん記録していくのもその一つだ。

「SNSを見ていて面白いなと思ったもの

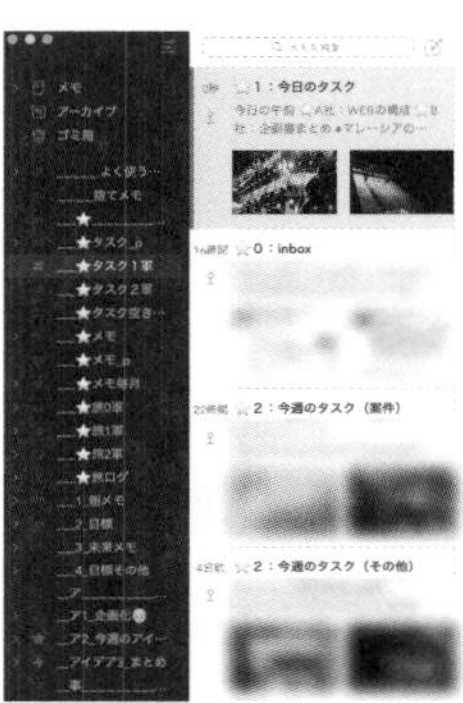

こちらは、主に記録系で自分のアイデアを書き溜めている。

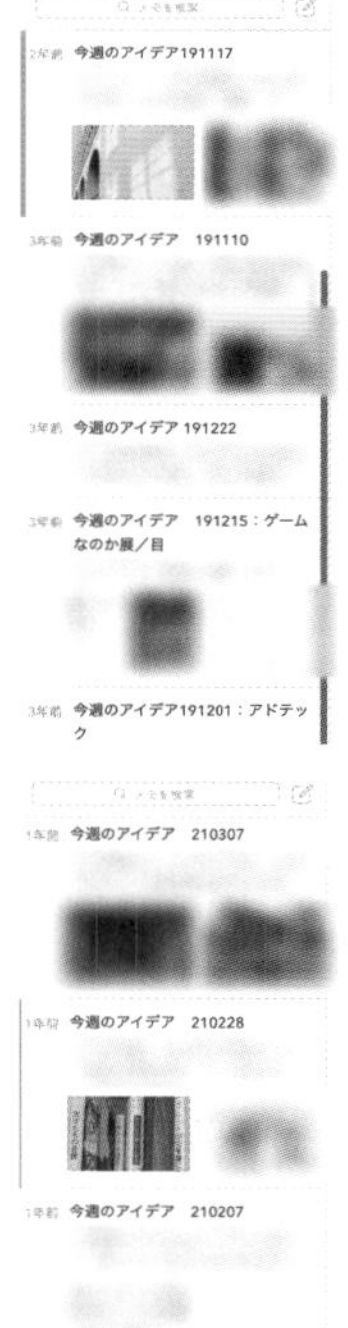

## 03

プライベートな情報も同じBearで管理している。

H1 行ったカフェ｜2022

2022/12/27

H3 九份茶坊

台湾旅行でいったお店。天井の梅とか、内装がすごい。中国茶をしっかりしたルールで飲むのも初。席が入り組んでて、面白い。お茶も素敵。最初は30秒くらい蒸らしてから入れる。そのあとは15秒、10秒と早めていく。1杯がおちょこの量なので、何度もおかわりするスタイル。パイナップルケーキも絶品。

を『ショートカット』というアプリで記録していくのですが、その作業はアナログでは絶対にできないですね。時間をかけずに指定の場所がちゃんと埋まるようにしています。ただ、手元にはA4の白い紙をずっと持っていてよく書いています。ただし、これは保存せずに捨ててしまうイメージです」

例えば、「ヒット分析」というノートでは、1ヶ月分のヒットした情報を集めていく。あくまでもSNS上でヒットしていると考えたものだ。

「ヒット分析というノートは、あくまでも収集系です。あとで見返すときに最も楽な方法だと思っています。また、今週のアイデアというノートは日記のような記録系です」

### 蓄積が武器になる

佐藤さんは、2010年からこんな作業をしているという。

「2010年にはEvernoteで記録を始めました。今はBearに変わっていますが、両方合わせると十数年分の情報が残っているわけです。これだけ蓄積すると一つの武器になりますね」

ただし、EvernoteからBearに変わるタイミングで過去のノートを移行しなかった。

「移行するのはすごく大変ですね。例えば、前のノートを見返して『このアイデアは、今ならこんなふうに使えるな』と思うことがあります。とはいえ、元のデータを取得

料理屋ランキング｜2022
今年は美味しい食にたくさん出会えた。やっといい料理屋をいろいろ味わえ始めたような気もする。これから、ここのランキングもしっかりつけていこう。
1位：しるの店（香川）
人生最高のみそ汁。おばんざいも全部いい。みそ汁2杯頼んだのは初めて。最後の晩餐はここで食べたいと思えた。

左側のリストはフォルダーのように見えるが、実はタグだ。

した状態にしておくのも、最初に見たときのイメージのままになるのでいいかなと思っていますね」

これだけの量になると、分類が大変だ。筆者も大量のデータを保存しているが、常に項目立てや分類に頭を悩ませている。

「項目に苦しむのは、まさにその通りです。結局その答えって、自分が数ヶ月運用して無理なくできたものだと思うのです。例えば、「今週のアイデア」はうまく運用できているから、思いついたアイデアはそこに入れます。他には、分類しようと頑張ってやめたものもあります」

結局は続かなければ意味がないので、無理をせずに運用していけるものが正解なのだ。

## タグでの管理が便利だ

ノートを整理するには、フォルダーやノートブックなどに仕分けする方法と、タグでキーワードを付けていく方法がある。アプリによって、どちらかもしくは両方が使える。Bearは、タグが基本だ。

「Bearは、左側でフォルダーのように見えているものも全部タグで管理しています。タグが便利なのは、1つのノートを複数分類できることです。1つのノートが『よく使うメモ』と『目標を振り返る2022年』の両方に入ってる——といったことが簡単にできます」

ただ、並べ替えに苦労したという。ノー

05

iPhoneではウィジェットも利用してBearを活用している。ショートカットを駆使して、ノートを一発で登録できるように工夫。iPhoneでBearにノートを登録したところ。

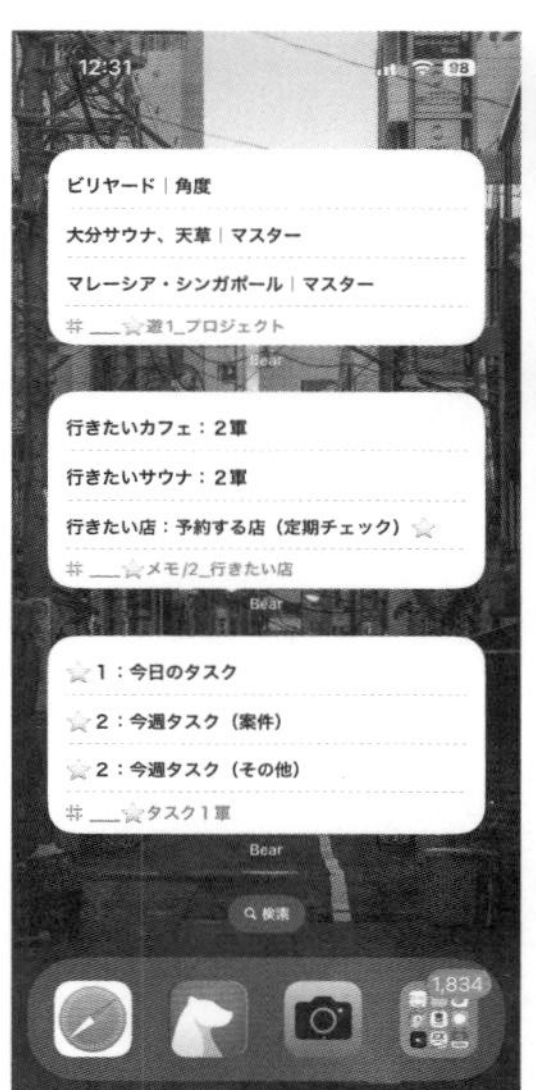

トの頭に「1」「2」などと番号を振ってもうまく並べられない。そこで、アンダーバーを冒頭に付けることを工夫した。

「見た目が美しくありませんが、今はこれでうまく運用できています」

Bearの良いところはマルチデバイスに対応していることだ。前ページのスクリーンショットはMacだが、iPhoneでも利用可能。

「出先では、iPhoneでBearに追加することもあります。そこで『ショートカット』の出番です。iPhoneで見つけたアイデアを一発でBearへ送れるようにしています」

ショートカットとは、Appleの標準アプリでさまざまな作業を登録し一発で操作できるようにするツールだ。

## やはり知識が必要だ

今や、情報を蓄積管理するという点においては、あらゆる情報がデジタルで手に入る時代だ。デジタルのノートを使いこなすのが最高の手段であることは間違いない。だからこそ、自分に合ったノートを作るためには、自分の得るべき情報を把握し、分類の仕方も考えた上で、ノートアプリなどを決めていく必要がある。

こればかりは、人まかせにしたり本を読んでもうまくいかないだろう。運用と挫折を繰り返してベストな環境を作り上げてほしい。

10

notebook

# 脳の構造に近いフローチャートアプリでノートを記録する

頭痛でお悩みの方
31
呉茱萸湯オススメ！
頭痛でお悩みの方に激しく勧めたい！ツムラNo31呉茱萸湯

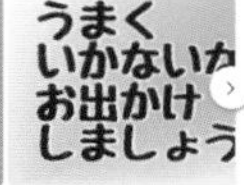


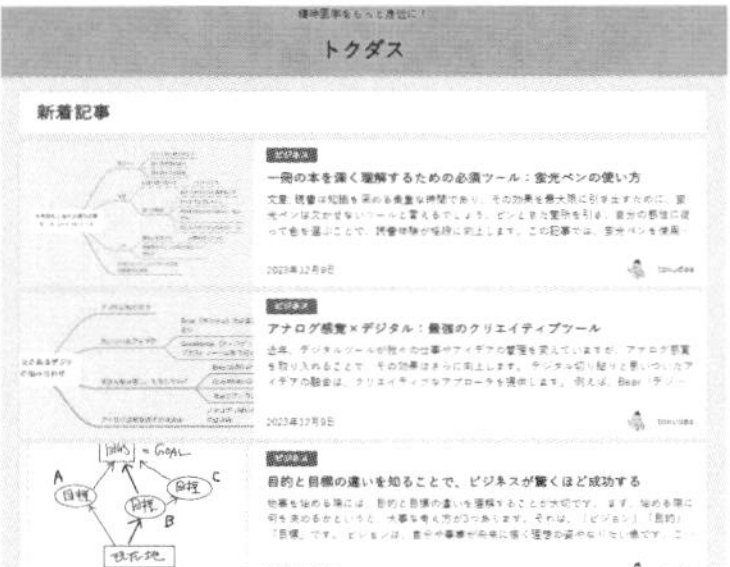


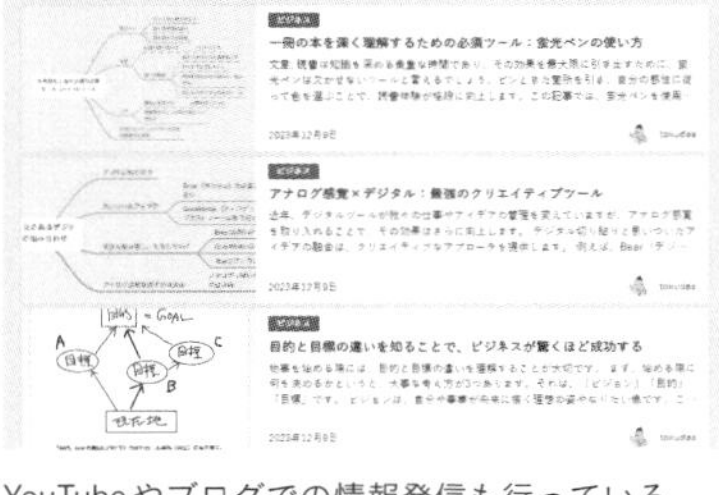

YouTubeやブログでの情報発信も行っている。


とくだ心療内科
**徳田毅**先生

とくだ心療内科 院長。1995年3月に琉球大学医学部医学科を卒業。1995年4月から2007年3月末までの間に、琉球大学医学部附属病院精神神経科・国立療養所琉球病院・県立精和病院・民間の精神科病院にて心療内科・精神科の研鑽を積む。2007年4月1日に、地元うるま市にてとくだ心療内科を開院。診療だけでなく、地域や団体での講演会・会社での研修会も行っている。また上場企業や役場にて、嘱託産業医も務めている。

徳田毅先生は、「とくだ心療内科」を経営する心療内科の医師だ。さらに、産業医として企業とも契約を結んでいるという。「紙のノートをやめた」という徳田さんのノート術は、脳の構造を考えて最適化されているところが興味深い。考えをまとめるには最適な方法がいくつも出てくるので、ぜひ参考にしてほしい。

徳田さんが利用しているアプリは、主に「GoodNotes」と「ThinkSpace」の2つだ。

「GoodNotesでは患者さんから聞き取った情報を手書きのメモで記録して、診察後に電子カルテに打ち込みます。話を伺う姿勢としてパソコンに向かっているのはよろしくないと思うので、iPadに手書きをしておき、要点を打ち込むわけです」

まさに、心療内科の医師らしい配慮だが、僕も取材の際には同様の書き方をしている。やはり、キーボードを叩きながら話を伺うことはためらわれるからだ。

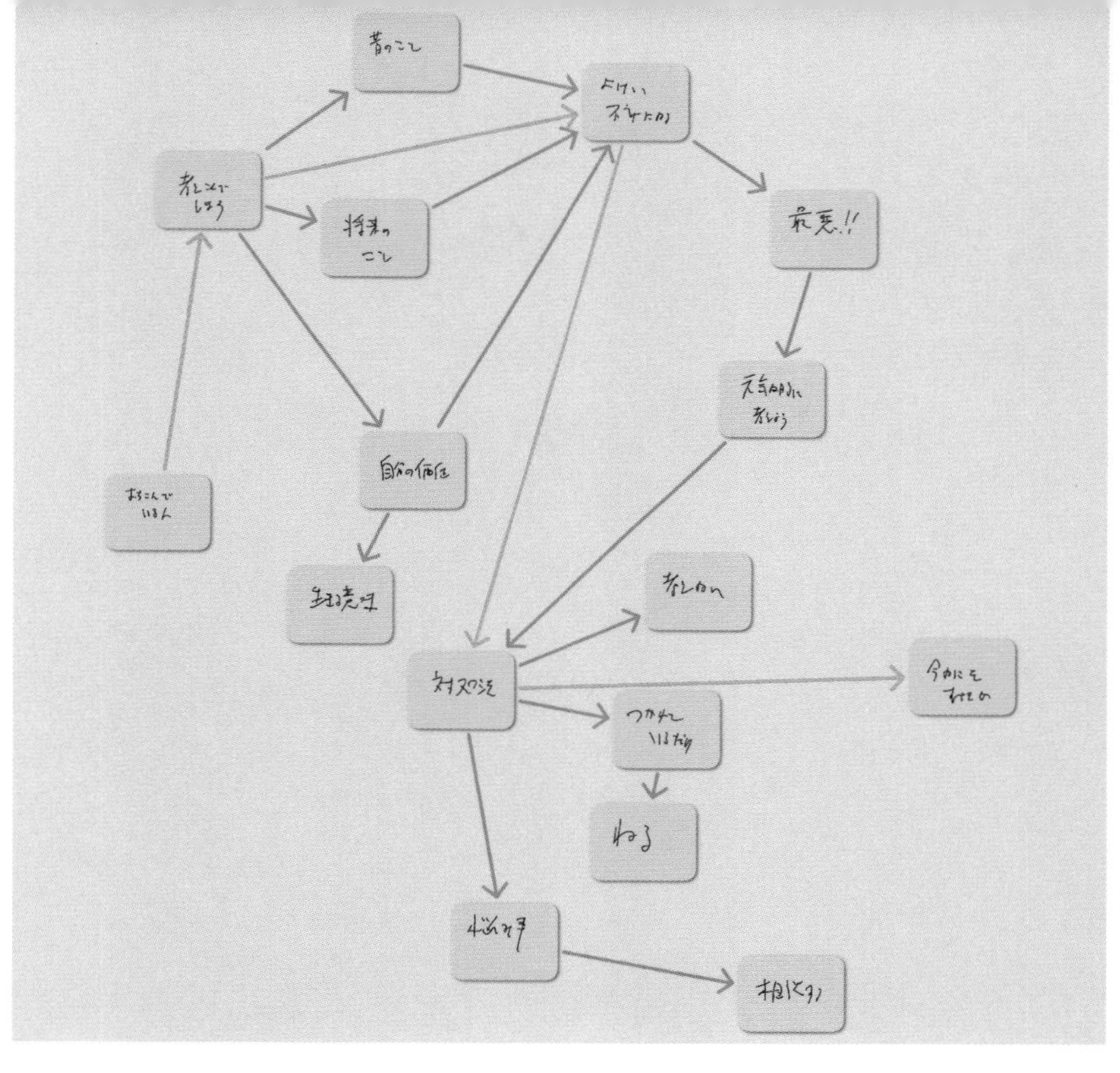


## 01

YouTubeで話す内容を羅列し、整理していくチャート。「手書きの方が発想が豊かに生まれることは証明されていますね」（徳田さん）

今回は、主にThinkSpaceの使い方について話を伺っていくが、こちらはどんな場面で使っているのだろうか？　ちなみに、ThinkSpaceは、いわゆるフローチャートアプリでiPadやiPhone、Macに対応。画面上に自由にフローチャートを作っていけるのが特徴だ。

「基本的には、アイデアや考えを整理するために使うことが多くなります。研修などでセミナーを担当することが多いのですが、その内容の整理にもよく使います」

さらに、YouTubeでの情報発信もしているので、話す機会が多いわけだ。そのための整理にも活用しているという。

### チャートで話の内容を整理する

昔から、チャート形式で発想する人は多く、ルーツは付箋やカードによる情報管理にある。その後、マインドマップなどのチャート利用が花開いたのだ。

「私も、昔は付箋を使って発想していましたが、大量に貼った付箋を片付けるのが大変です」

これは、僕もとてもよくわかる。付箋が多くなると広いスペースが必要になり、貼り終わった状態を記録して再利用するのも大きな手間だ。

徳田さんも付箋を経て、いろいろなチャートアプリを活用してきたそうだが、ThinkSpaceに落ちついている理由はいく

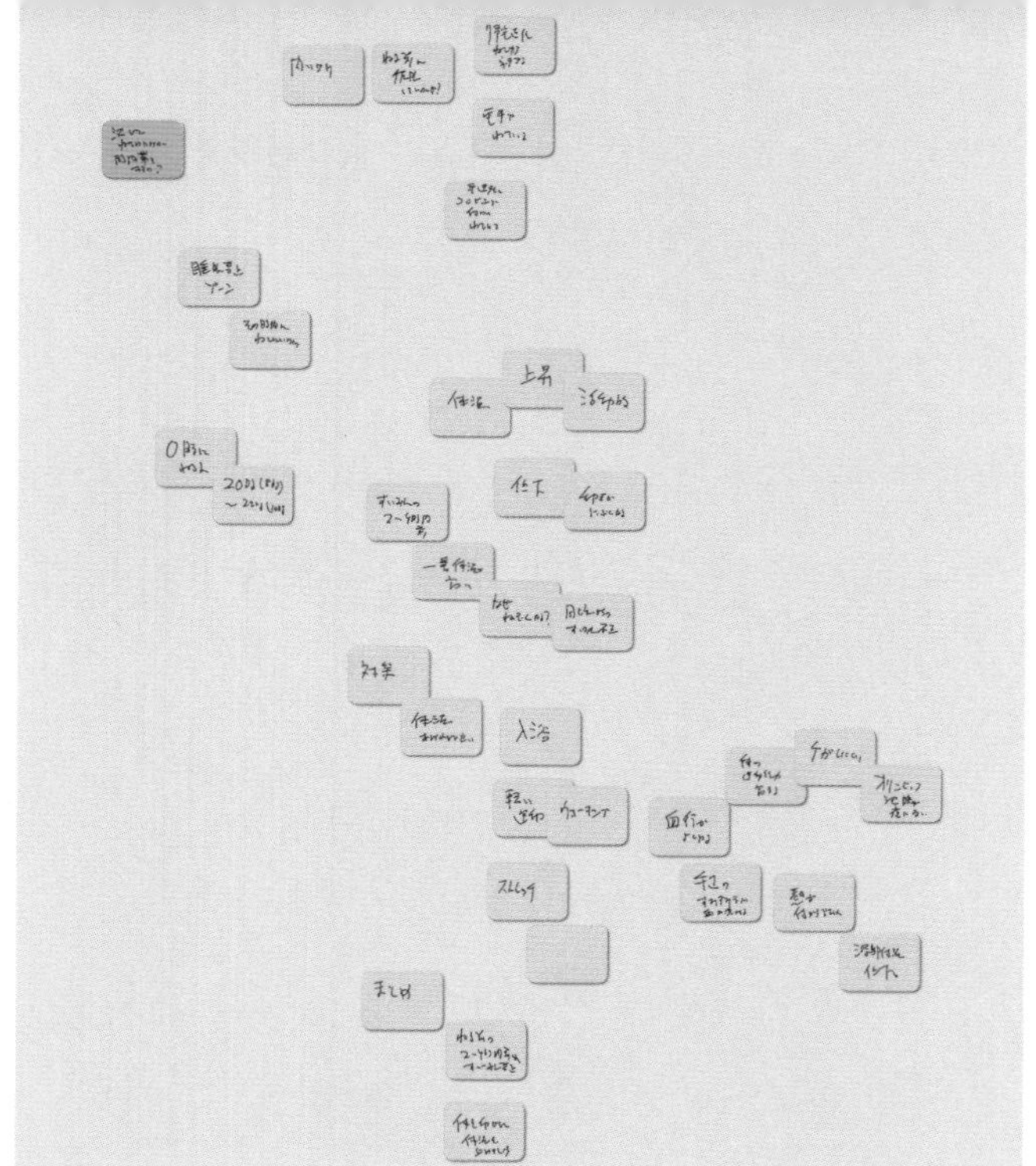

02

こちらもYouTubeで話す内容を整理したノート。このようにチャートが大きくなることもある。左右の位置関係はいわゆる階層を示している。左側が大見出しになっていくわけだ。

つかある。

「マインドマップは形が決まりすぎていて、私の使い方には少し合いません。もっとシンプルで柔軟な使い方ができるからThinkSpaceを愛用しています。さらに、ノートを上下左右に無限に延ばしていけるのが、大きなポイントです」

確かに、チャートによる発想やアイデアの整理では、どんどんと要素が増えていく。紙のサイズが決まっていると、突き当たり感が出てしまい発想が途切れてしまうのだ。

上の画像は、YouTubeで話す内容を整理したチャート。まずは発想をどんどんチャートでつなげて記録していき、最終的に核となる話の流れは赤い矢印でつなぐ。なんともシンプルでわかりやすい方法ではないか。YouTubeでは、3分間で話をまとめているのでこのくらいの量がちょうど良いのだろう。

こちらのノートは、病気を治すために患者さんにどのようにメッセージを伝えるべきか考えたものだ。

「例えば、悪い部分を切除することで快方に向かう病気と、切除できず機能が低下していくものがあります。そもそも病気とは何かを考えて、どうやって直すかを患者さんに伝えるための考えを整理しています」

難しい内容を、わかりやすく話すためのチャートなのだが、かなり深く考えているという。深掘りして延々とチャートが延びていっても吸収できるのがThinkSpaceのいいところだ。

縦に長く延びたチャート。

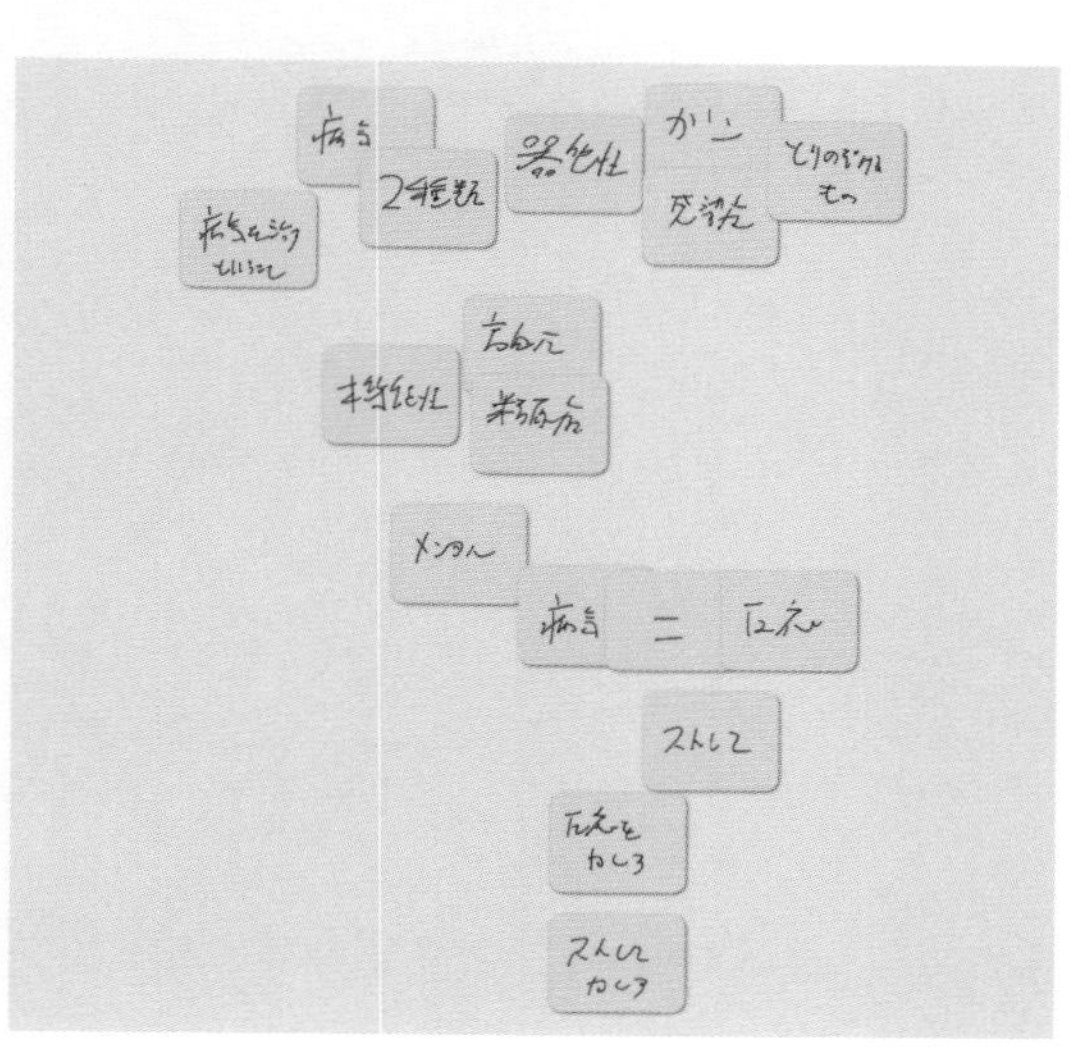

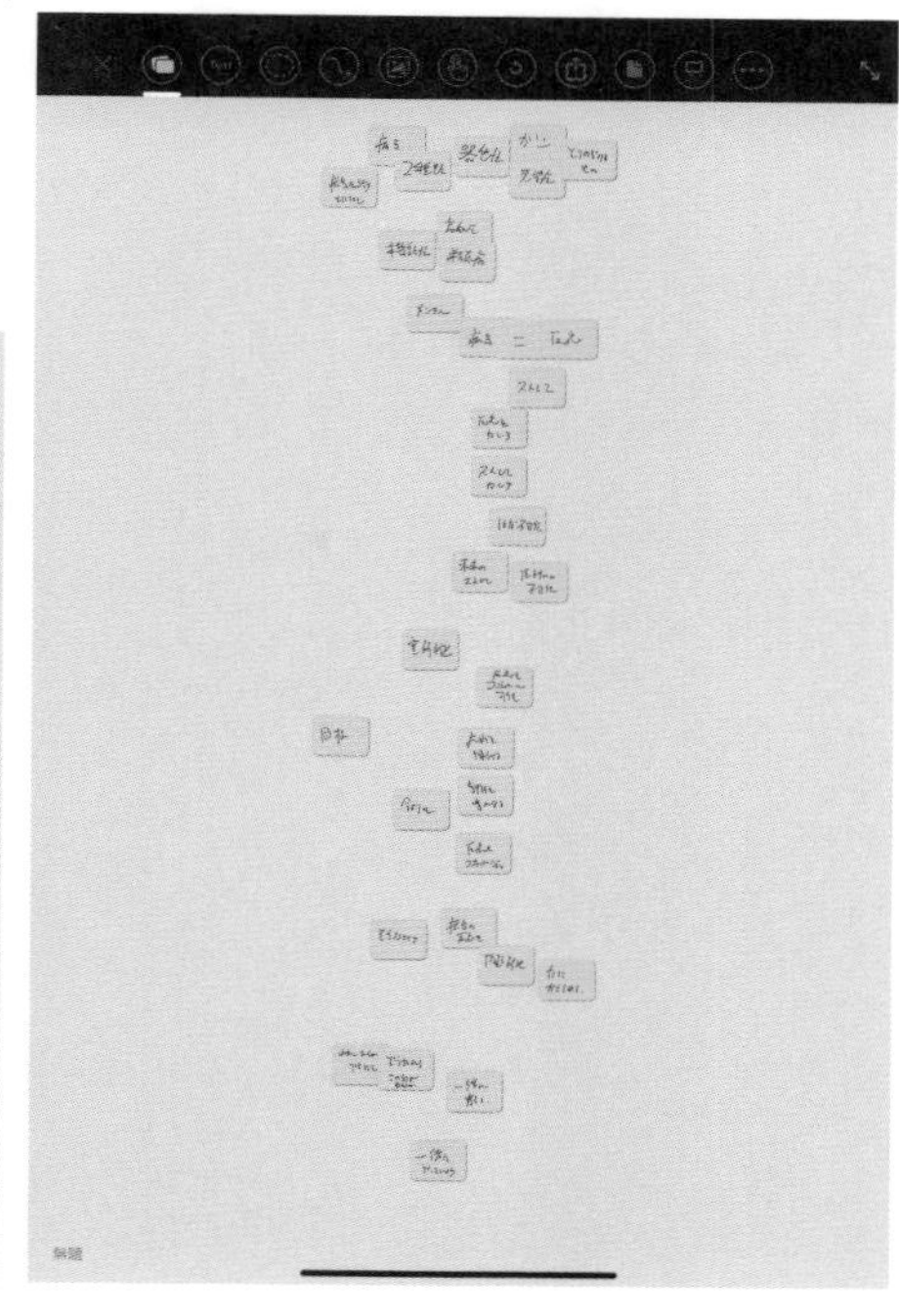

## 読んだ本も整理していく

徳田さんは、本を読んだときにもチャート型式のノートを作っている。

「本を読んで面白かったときも、それだけでは忘れてしまうので、思ったことを書き出しています。ポイントになっている部分をテキストで入力し、それによって自分がどう感じたかを手書きにします」

さすがにこれは賢いやり方だ。本に書いてあることを抽出する段階は、何も考えないのでテキストでいい。自分の感じたことは手書きにすることで、気持ちが出やすくなる。また、あとで見てもひと目でわかる。

それにしても、こんなことまでチャートを利用するのか……。

「書く位置も考えて、内容が近いものは近くに書くようにしています。脳細胞は、神経細胞（ニューロン）が真ん中にあって、そこから枝がつながるような作りなのです。まさに、このチャートのような作りと言えます」

日々のノートもThinkSpaceで作成しているのが興味深い。基本的には、ノートをカテゴリー管理せず日付管理しているという。

「ノートは日付分類です。内容で分類するとコウモリ問題が発生してしまうので、そこに頭を使いたくないのです。ただし、日付にするとあとで追記をしたときに時間軸

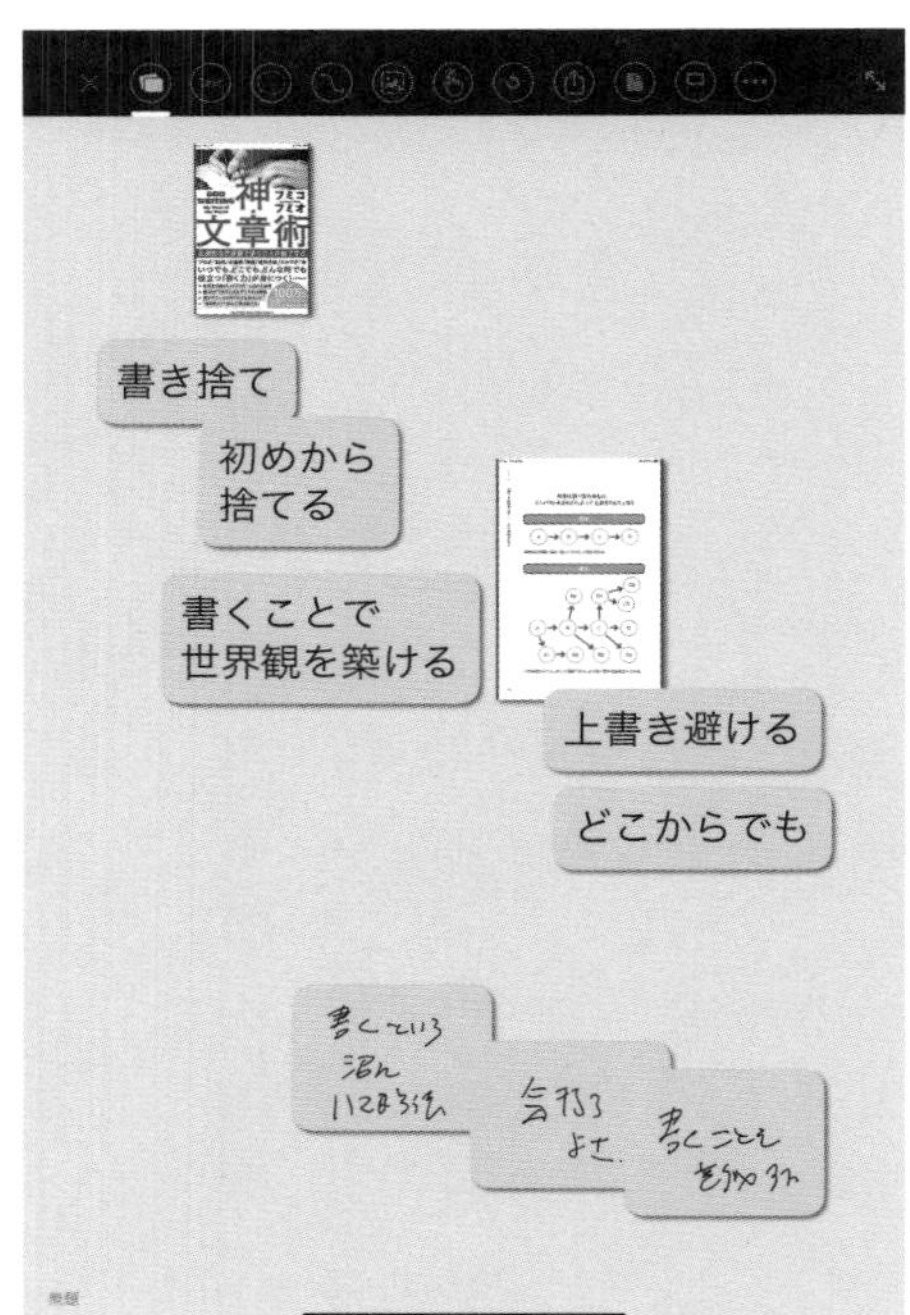

本を読んでもThinkSpaceでメモを作成しておく。上が本の中で書かれていた重要な内容。下は、自分が感じたことだ。

がわかりにくいのが欠点ですね」

コウモリ問題とは、情報などを分類する際に、複数箇所に分類できてしまうものをどう仕分けるかが難しくなるということ。コウモリが鳥と獣のどちらに属するかというイソップ童話の「卑怯なコウモリ」にルーツがあると言われている。

面白いのが、カレンダーのスクリーンショットを貼り付けていることだ。

「毎日1枚のノートがあるわけですが、そこに日付を貼っておけば、ひと目見ていつなのかわかるので便利です」

確かに、手書き中心のノートに日付を書く場合手書きだと目立ちにくい。かといって、テキストに切り替えてどのノートでも同じ位置に目立つフォントなどで入力するのも面倒。スクリーンショットを貼るとひと目でわかるのは上手なやり方だ。なお、このノートはiPhoneで書いているという。iPadでは手書きを使うが、iPhoneではフリック入力した方が早いそうだ。

## 行動や仕事の内容も整理

徳田さんは、タイミングを見て自分が今やっていることを整理していくという。

「お見せするのが恥ずかしいのですが、自分自身の整理整頓ですね。右側の白い枠がクリニックの経営で、他にもブログを書いたりYouTubeの原稿を書きます。さらに、左下はインプットはどうしているかを整理

今やっていることを整理したノート。

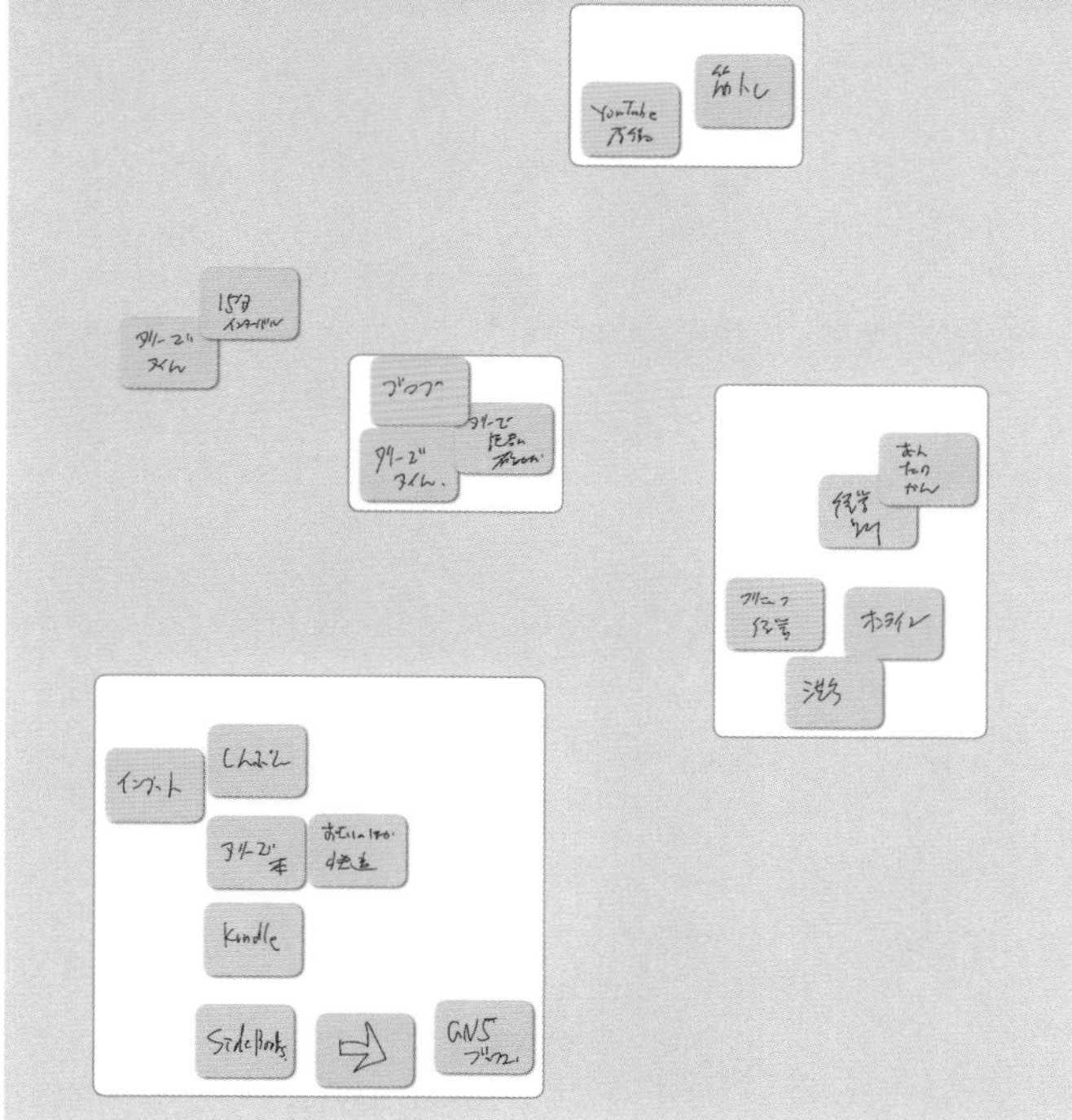

06

こちらも今やっていることを整理しているノートだ。

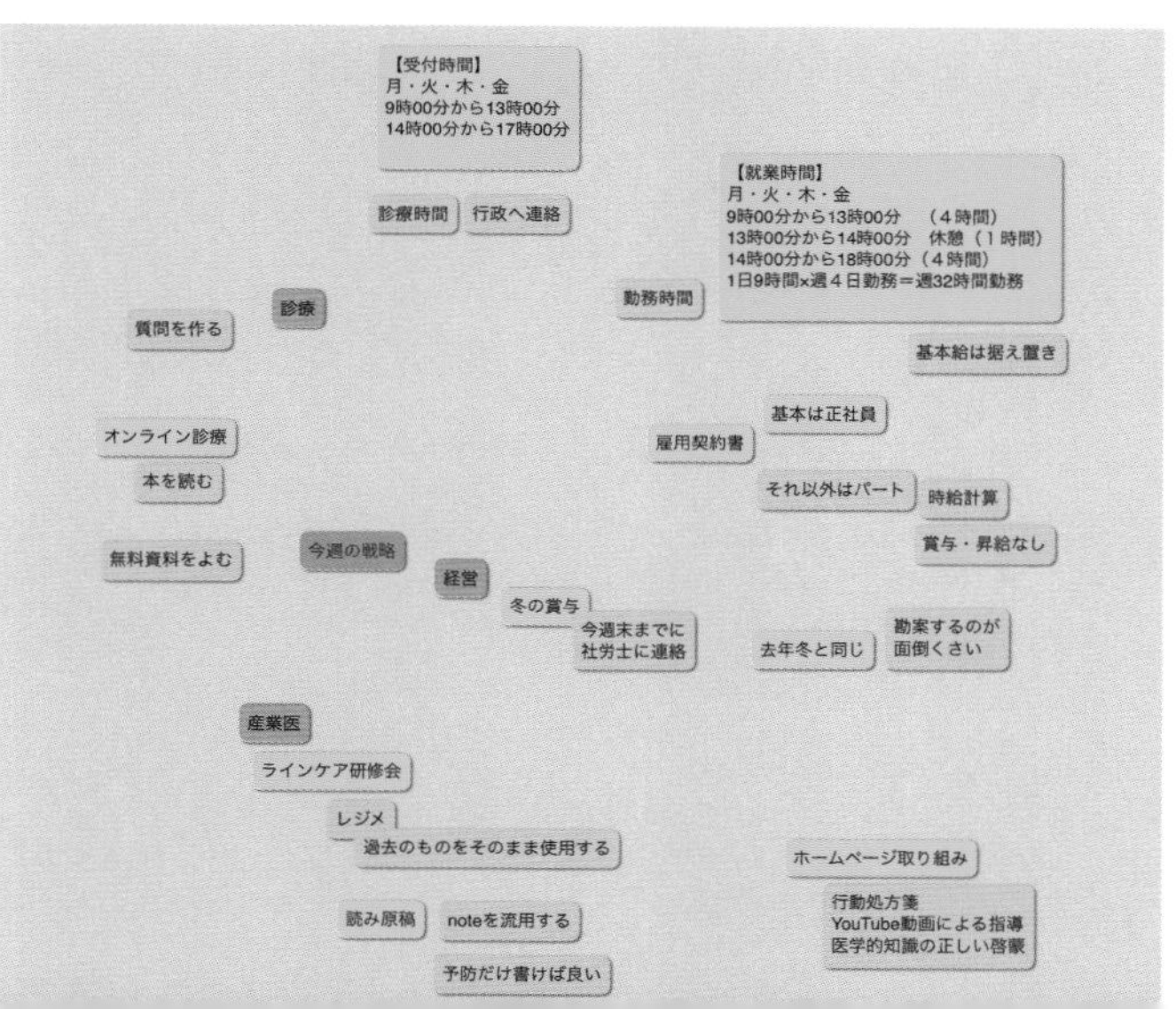

07

研修で使用したスライドの一部。これを使って講演をするのだが、その進め方もThinkSpaceで整理している。

しました」

　このノートは、最初に項目をどんどん出していき、グルーピングして整理したという。これまでご覧いただければわかるように、徳田さんはあまり色を使っていない。黄色の図が基本で、上位階層にピンクや赤を使う程度がほとんどだ。色を使えば使うほどわからなくなることを防いでいるのだろう。確かに、置き場所を自由に考えられるThinkSpaceなら、位置で階層を整理できる。

## プレゼンの内容をチャートで整理する

　冒頭でお話ししたように、徳田さんは産業医としての研修も受け持っている。プレゼンで話をすることも多いのだが、その内容もThinkSpaceで整理している。この方法が興味深く、スライドのスクリーンショットが、時計のように並んでいる。

「何を話すのか、右回りで貼り付けています。15分、30分と経過する時点でどのスライドの話をしているかを仕分けしているわけです」

　これはとても面白い方法で、プレゼンを進めていく時間のイメージがつかみやすい。これを作ることで、だいたいのタイミングは頭に入るという。

*08*

このように時間軸で時計のようにスライドを貼り付けていくと頭にインプットしやすいという。

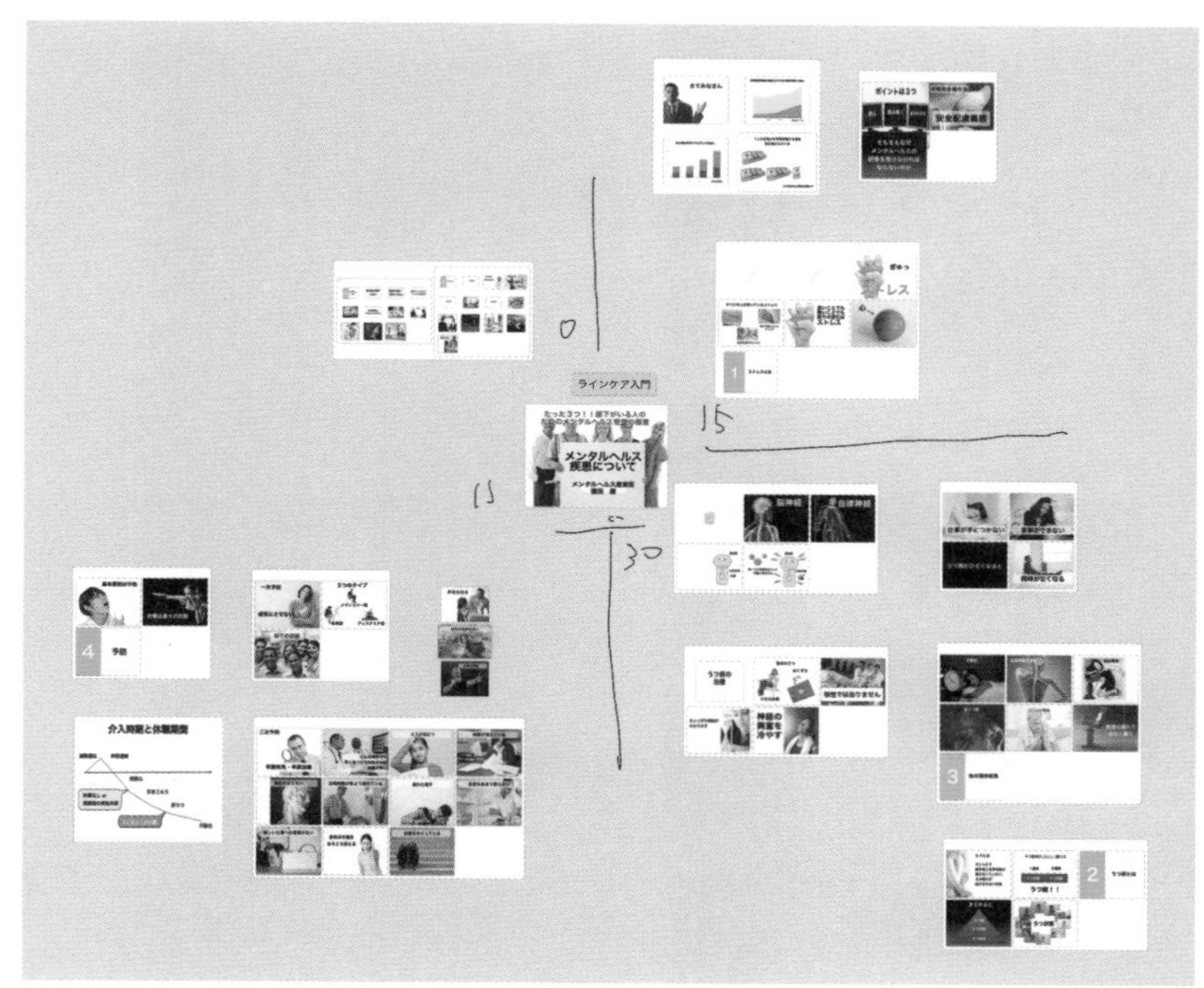


## 自由に使えるツールが重要

徳田さんは、デジタルのツールであるアプリを利用しているが、かなり柔軟でアナログ的な使い方をしている。きちっと割り切れない頭の中にある情報を可視化して並べていくのがThinkSpaceというわけだ。決まりごとやルールが少ないアプリだからこそ、考えている内容がそのまま見えてくる。

脳に詳しい医師が実践している取り組みなので、真似をしてみる価値がありそうだ。

11

notebook

# 勉強法デザイナーのロジカルな手書きノート

Miorin's Cafe

勉強法デザイナー

**みおりん**さん

地方の公立高校から東大を受験するも、高3では大差で不合格に。1年間の自宅浪人の末に東大文Ⅲに入学し、その後法学部へ進学。3年生修了と同時にカナダでのワーキングホリデーに挑戦し、2019年3月に同大学を卒業。都内のIT企業での勤務を経て、2020年に独立。YouTube「みおりんカフェ」（チャンネル登録者数15万人／2023年10月時点）をはじめとした各種SNSでは、「すべての人にごきげんな勉強法を」をコンセプトに、子どもから大人まで使える楽しい勉強法を紹介。総フォロワー数は25万人を超える。

勉強法デザイナーとして活動しているみおりんさん。一体どんな仕事なのだろうか。

「私自身が、浪人をして東大に入ったので、ノートや勉強法の工夫をする機会がとても多かったのです。そのノウハウを再現性の高い形にして届けられればと思って活動しています」

そもそも、東大を卒業し企業に就職したのだが、副業として取り組んでいた勉強法デザイナーの活動が忙しくなってしまい、本業化したという。

私にも東大生の知人が何人かいるのだが、一般にイメージしているような理屈っぽさなどはなく、みおりんさんも同じだ。すごく頭が良くないと東大に入れないというのが我々の考えるところで、いわゆる「ガリ勉」タイプの人ばかりだと想像すると、実はちょっと違っている。

「学部にもよりますが、入学したあとはあまり勉強をしていない学生も多いと思いま

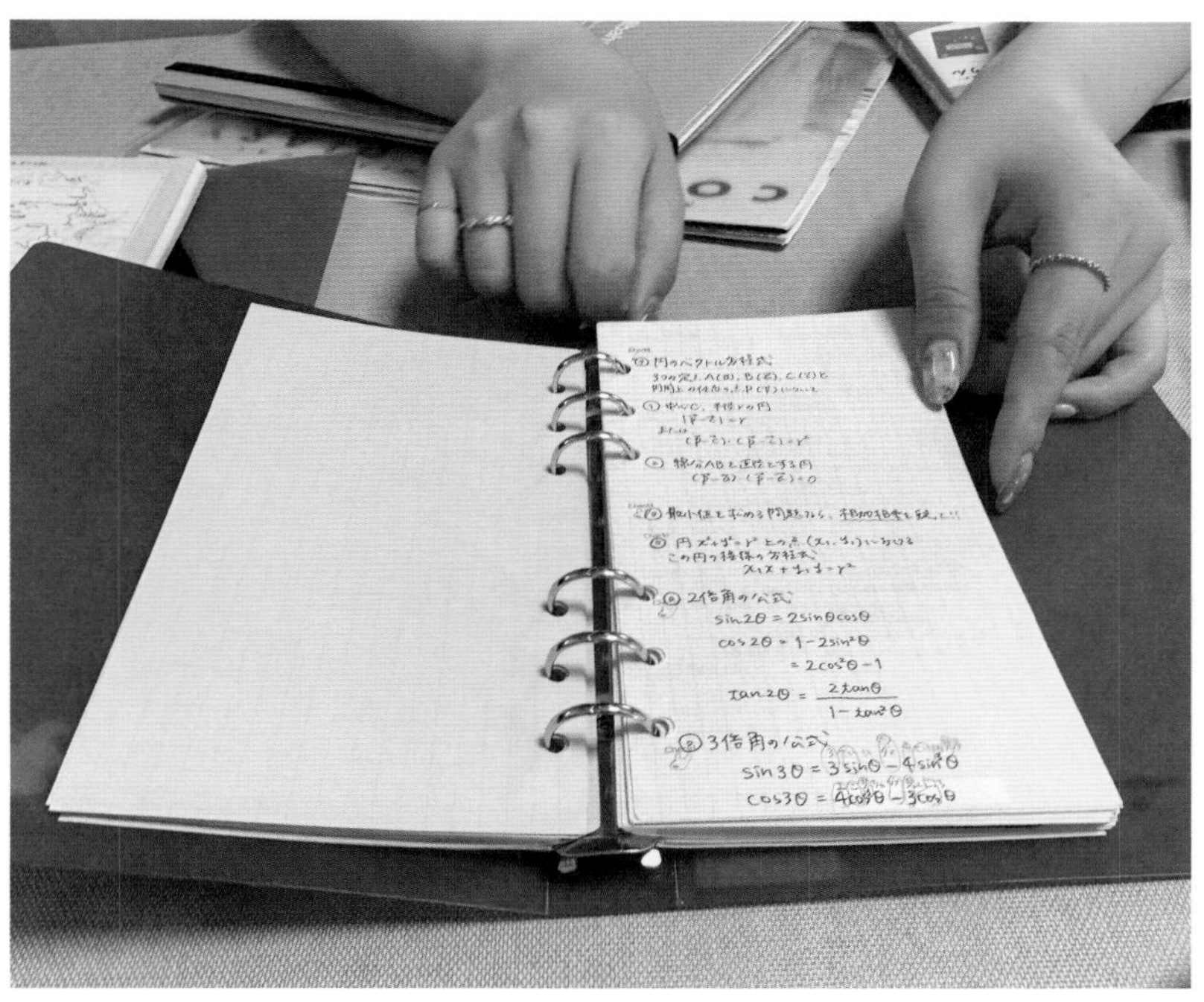


01

ノートの説明をしてくれるみおりんさん。

す。どちらかというと、ガリ勉というより要領の良い人が多いですね。どれだけ、勉強をしないで良い成績を取るか考えている人が多いと思います（笑）」

逆に言うなら、要領良く勉強ができないと東大には合格できないわけだ。

## 勉強法から逆算していく

みおりんさんは、東大の受験に一度失敗して自宅で浪人生活を送りながら合格を目指したという。

「一度失敗してわかったのですが、とにかく学習の量が膨大なのです。私も現役時代の受験では、やるべきことが終わっていないとわかっていました。フィーリングだけの『ノー勉（ほとんど勉強していないこと）』で受かる世界ではありません。そこで、まずは東大に合格した人の情報をひたすら調べました」

今は、書籍やブログなどで、合格者の勉強法をいくらでも調べることができる時代だ。だからみおりんさんは、勉強をする前に勉強法や計画の立て方などを徹底的に調べて、自分なりに構築していったわけだ。

まず、やるべきことを抽出してから、年間計画の紙を作成している。

「予備校ならこんなシートがフォームで作られているかもしれませんが、私は手書きしました。模試のスケジュールを書いて、それまでに何をどう学習するか、大きな流

02

やるべきことを抽出したノート。いわゆるカードのように使っている。

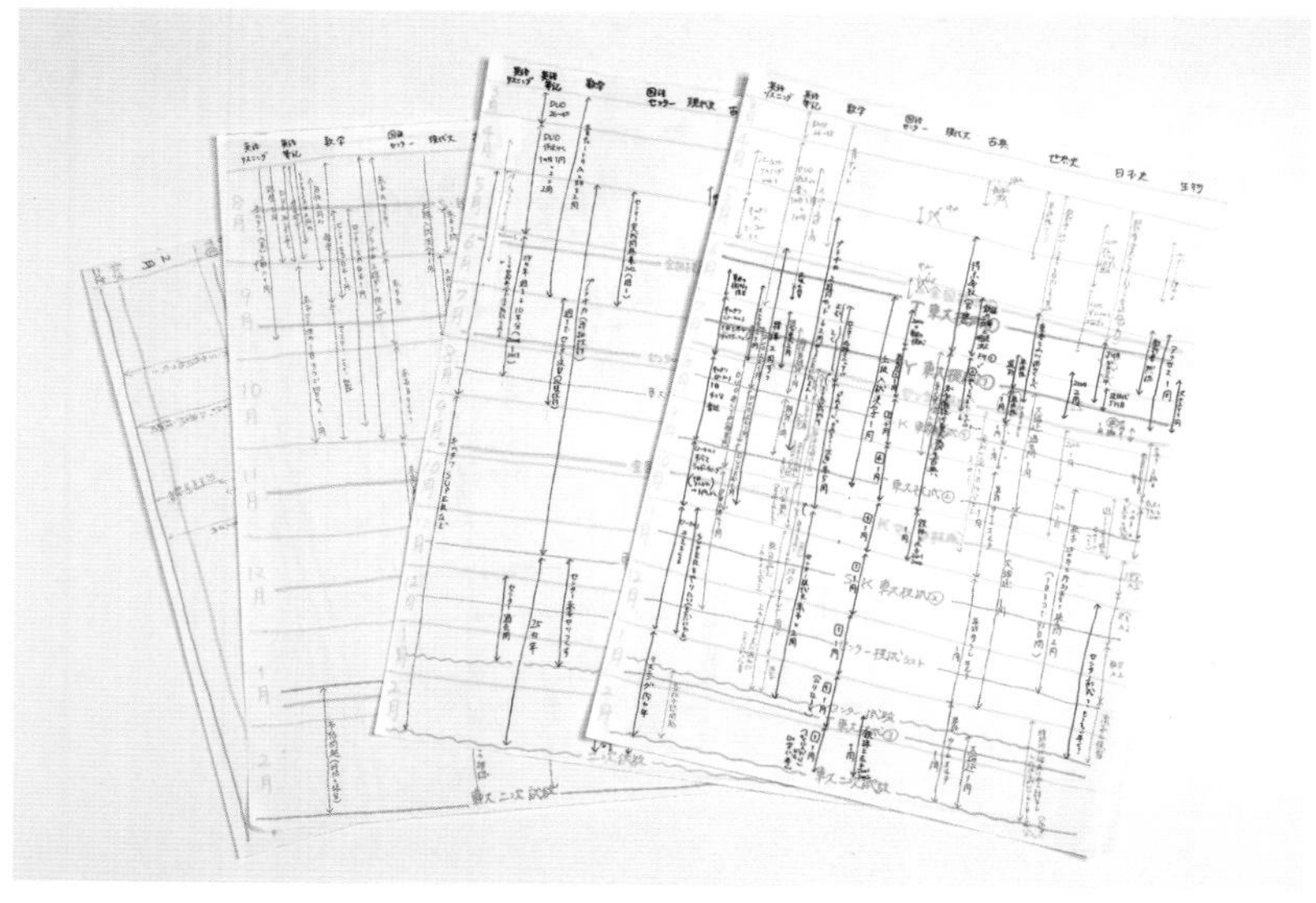

数ヶ月ごとにアップデートを重ねた年間計画表。

## 04

翌月の学習内容を計画したらカレンダーに書いていく。

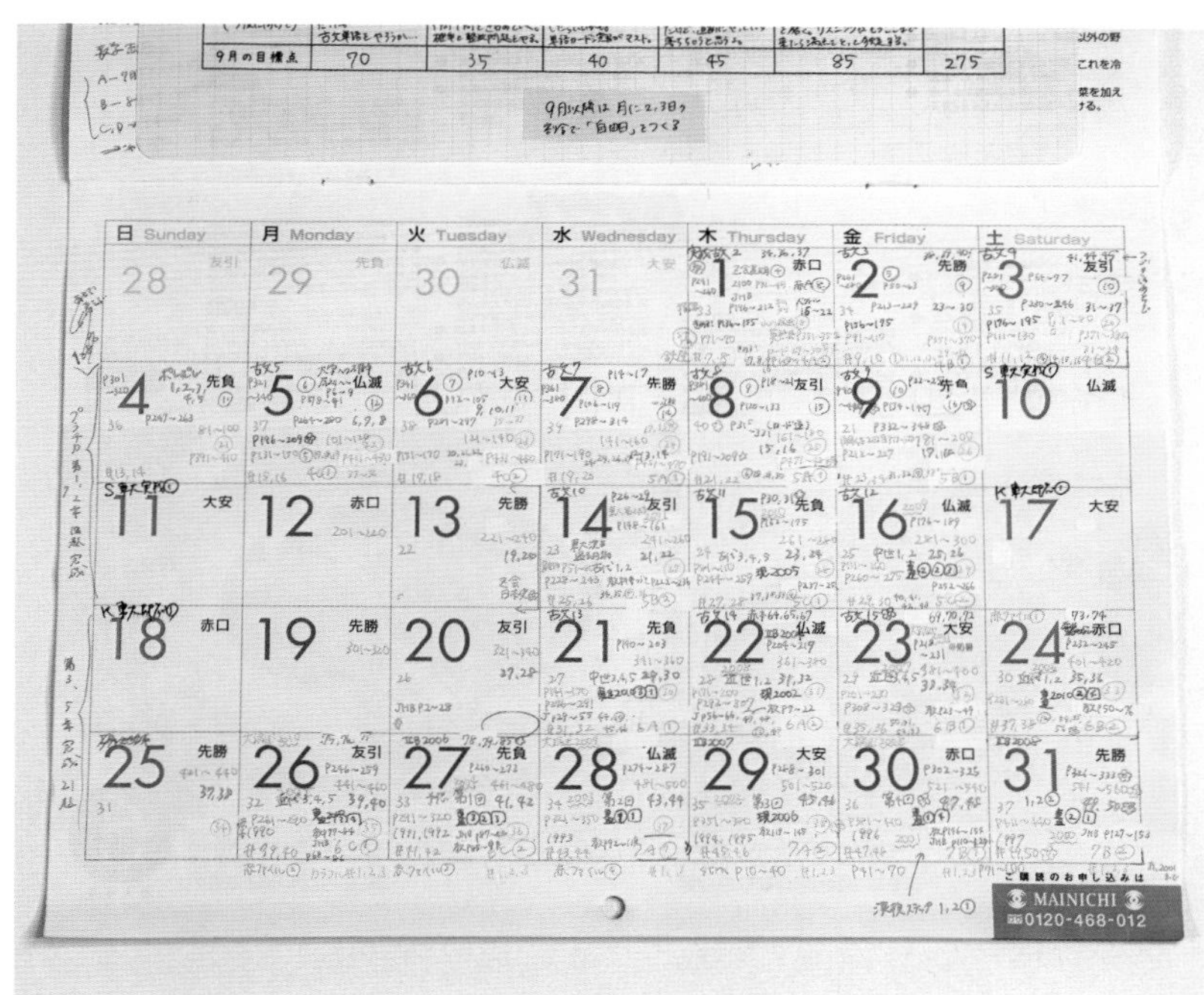

れをまとめています」

このノートは全体の計画がわかる資料で、やることが膨大だからまず全体をデザインすることが重要なわけだ。さらにこのノートは何度かアップデートを重ねるという。

### 日曜日をバッファーにする

年間計画表をベースに、日々のやるべき学習内容を書いたのが、このカレンダーだ。

「家にあった普通のカレンダーを使いましたが、書いているうちに量が増えてしまいました。本当はもう少し大きなマス目の方が良かったかもしれません。このカレンダーは、1ヶ月の終わりに翌月分を書いています」

学習するべき内容がびっちりと書かれたカレンダーは壮観だが、ポイントは日曜日が空いていることだ。

「毎週の学習内容を締めていきます。計画通りにいかなかったときに、日曜日を使ってフォローしていくわけです」

仕事の進捗管理にも役立ちそうなカレンダーの書き方である。色を変えることで科目などを管理している。

さらに、毎日の学習もしっかりと記録している。

「勉強をするときには、必ずタイマーで計測しています。その結果を表にしてまとめています。勉強の時間を科目別に記録しておいて、寝る前にまとめていました」

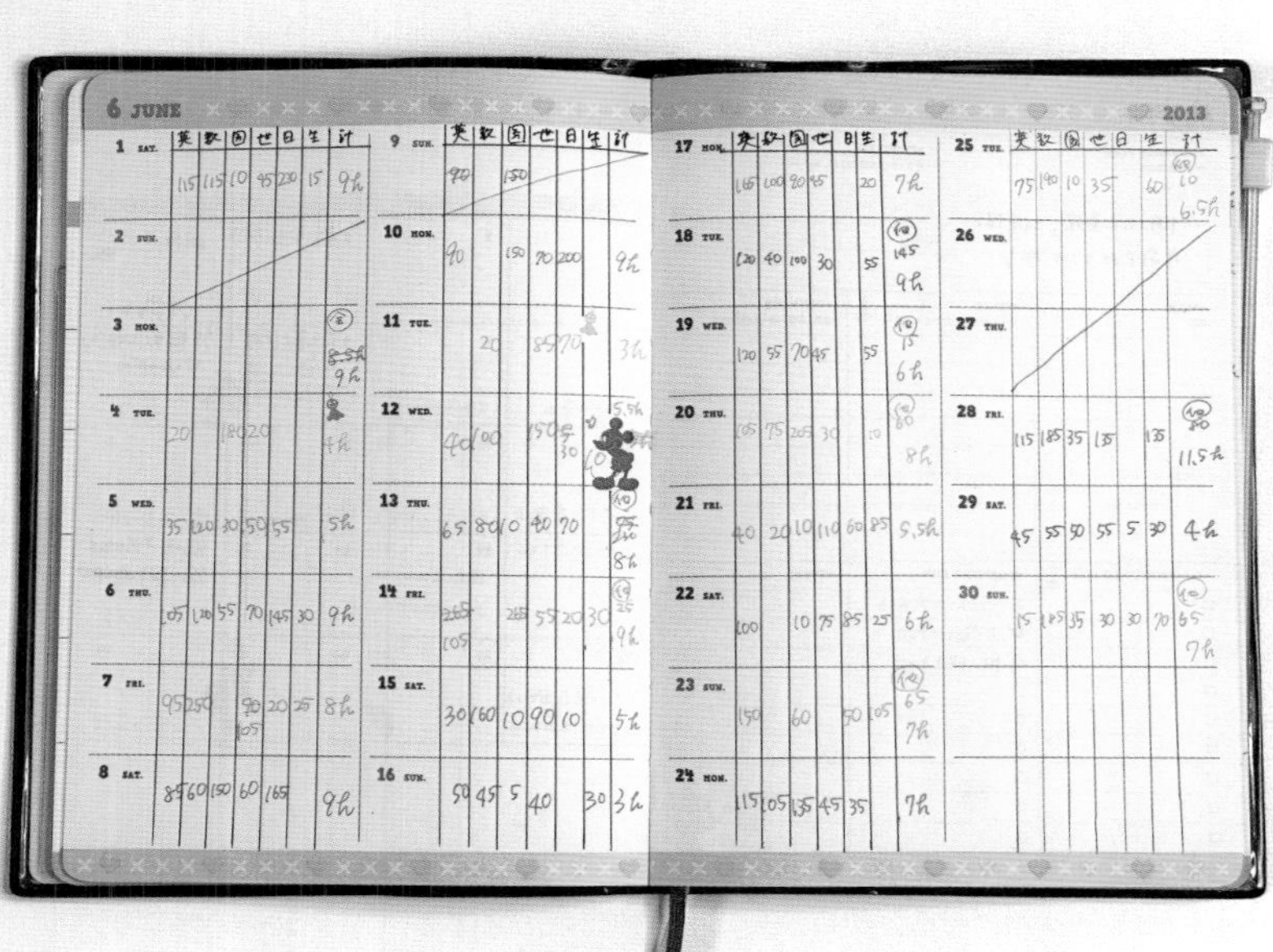

こちらは毎日の学習時間を分単位で記録したリストだ。

分単位で休息を取りながら、仕事や学習をする方法は世界的にブームになっている。ポモドーロなどの手法を聞いたことがある人も多いだろう。

## 最後のやることとリストを作成

模試の結果等をグラフにしてノートにまとめている。

「浪人生は、最初の模試の結果がよく出る傾向があります。それが1年間受験勉強をしてきた優位点ですね。しかし、徐々に現役生も勉強を重ねていきますから、成績が落ちていく傾向があるわけです」

そんな状況を可視化するために、自分でグラフを作成している。

「Excelなどで作った方が正確だと思いますが、この程度なら手書きの方が早かったのと、一覧性が欲しかったのでノートに書きました」

このグラフはモチベーションアップにも大いに役立っただろう。自身を叱咤激励する役目を持つはずだ。

また、最後の追い込みに用に専用のノートを作成した。

「最後の1週間でどれだけ復習できるかが重要なので、この紙を作ってやる気を出そうと思いました」

グリーンのノートには過去問の年号や問題集のページが記載されている。

## 06

模試の結果を可視化したグラフノート。

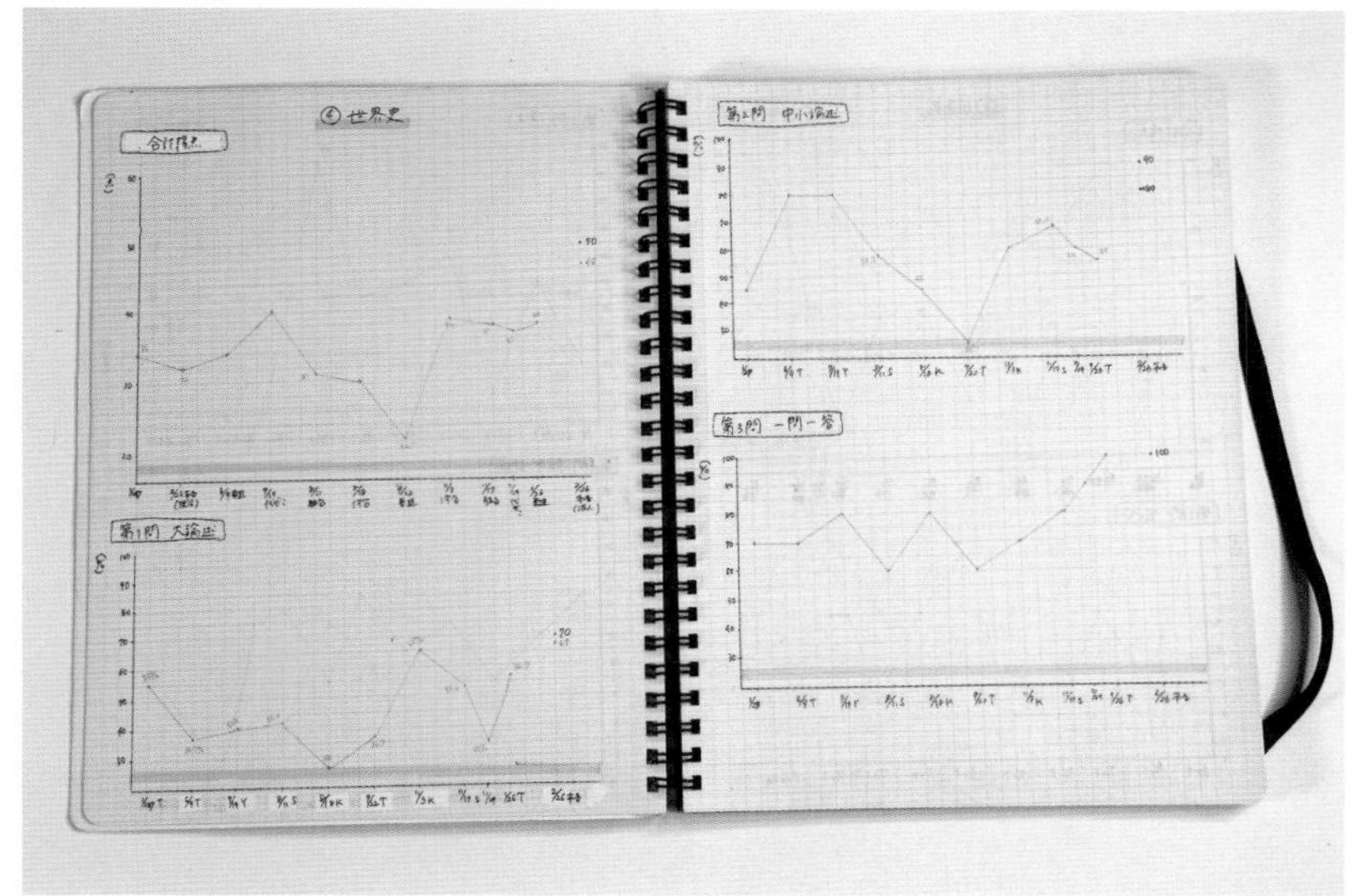


## 07

試験前の追い込みで作成したノートは、過去問の年号や問題集のページが書いてある。

暗記用のノートはシステム手帳のリフィルを利用。

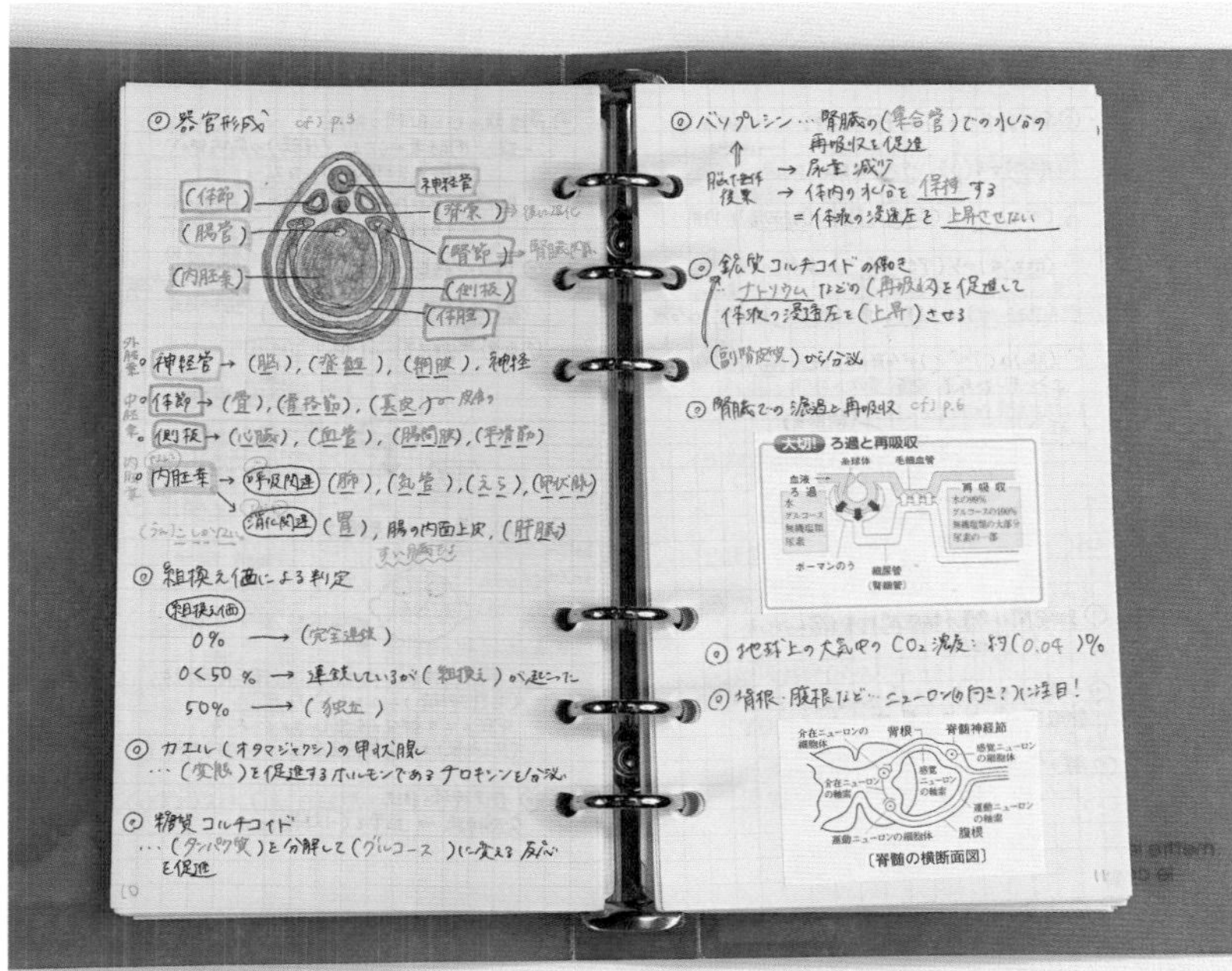


## 暗記ノートは手帳を利用

みおりんさんは、苦手な部分だけを抜き出した暗記のためのノートを独立して作成している。これは、科目や学習の順番などに関係なく、とにかく暗記するための専用ノートだ。ページを自由に増減できることと、一覧性を考えた結果、システム手帳のリフィルに落ちついた。

「覚えることを書き出した暗記ノートです。赤シートをかぶせることでオレンジ色のペンで書いた文字を消せる仕組みを使っています。受験勉強中はこれ1冊でまかないました」

本当に苦手で覚えるべきことがこのたった1冊で済むのだから、やはり大変な記憶力の持ち主としか言いようがない。

## 東大生の要領の良さは社会でも役立ちそうだ

ここまでの計画を立て学習しなければならないのが東大受験だという。とにかくやることが多いのが東大の特徴だそうだ。

情報のあふれている現代だけに、多くの東大受験生が何らかの学習方法を確立して受験に取り組んでいるはずだ。つまり、東大に受かるということは、学習全体の組み立てや管理がしっかりできることが前提になっているわけだ。当然ながら、この要領

赤いシートは自分で切り抜いてリングに付けられるように工夫した。

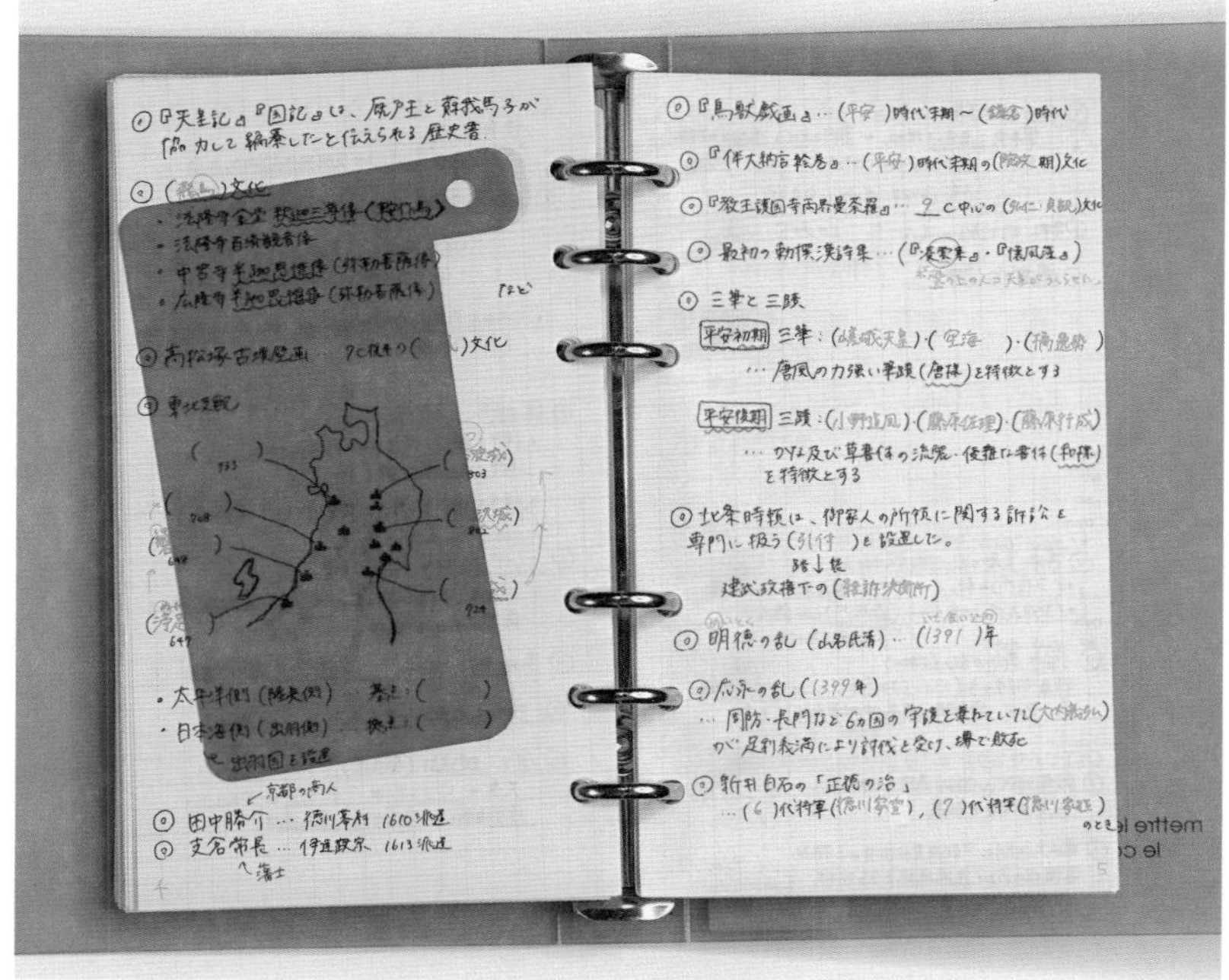

の良さは社会でも大いに役立つはずだ。

みおりんさんがデザインした勉強法は、多くの学生に受け入れられて、成績が上がったという声も多数届いているという。ひたすら参考書を読み、問題集を解きまくっていた、昔の勉強とは違う世界がここにはあった。その進化には舌を巻くばかりだ。

12

notebook

# 膨大な情報量との戦いにノートで対応する

様々なガジェットをレビューしています！

株式会社アバンギャルド
株式会社戸田覚事務所
代表取締役
**戸田覚**さん

株式会社アバンギャルド・株式会社戸田覚事務所代表取締役。中央大学中退後、アルバイトなどを経て、20代前半でライターデビュー。その後、ビジネス書作家としても活動し、著書累計160冊以上、Webや雑誌などの連載多数。講演やテレビ出演などもこなす。2018年よりYouTubeをスタートし、2023年現在のチャンネル登録者数は、22万人以上。大量の仕事を最短時間でこなすのがモットーだ。

ここでは、著者である僕（戸田覚）のノート術も紹介していこう。僕の仕事は、本書のような書籍執筆、Webや雑誌、新聞の記事や連載原稿などの執筆作業が半分。書籍はこれまでに160冊以上執筆し、現在でも記事は月20本以上執筆している。さらに、YouTubeにも意欲的に取り組んでおり、6年近く前にスタートして、動画の総本数は2000本を大きく超えている。つまり、1日1本以上の動画を作っているわけだ。コンテンツは自分で作成しているが、動画の編集などは会社のメンバーが対応してくれている。その会社の経営に加え、講演などの仕事、大きなプロジェクトを請け負ってオウンドメディアや冊子を作る仕事もしている。

個人的なポリシーとしては、量は質に勝ると考えている。例えば、YouTubeの動画なら、質の高いものを1本アップするより、完成度7～8割のものを2～3本アップし

## 01

YouTubeは、毎週10本以上アップしており、2つのチャンネルを運営している。量は質に勝ると考えており、完成度7〜8割の動画を大量にアップするのが成功の秘訣だと考えている。実際に本数をやや減らした時期には、減らした本数以上に再生数が減っているので、自分のチャンネルに関しては通用する法則だ。

た方が、トータルでのビューは増える。つまり、収入も増えるわけだ。会社を経営しているので、安定的な収入が欠かせない。そう考えるとばらつきの多い質に頼る仕事より、量に頼る仕事の方が確実性が高いと考えている。先に量ありきで、その後質を追求することをポリシーにしている結果が、この仕事量というわけだ。こんな量の仕事を40年ほど続けているので、もはや負担とも思わなくなっている。

### 情報も量との戦い

書籍、記事、動画のコンテンツは基本的に自分で作成しており、編集作業を他の人に任せている。当然だが、何を作るかという"ネタ"もほとんどが自分で考えている。一部編集部等からの依頼や提案もあるが、全体から見ると3%もないだろう。

例えば、動画を年に400本アップするとなると、そのネタになる情報は1500〜2500本は必要だ。それらを取捨選択して、有力候補として絞り込む。僕の場合は製品レビューなので、800本程度に絞り込んだ上で、メーカーにコンタクトして借用するなどの交渉をしなければならない。同様の仕事が、執筆にもある。大雑把な計算だが、月間で300〜400件程度のネタをインプットして、記録している。

もはや、この量になると紙のノートでは絶対にこなせない。このようなコンテンツ

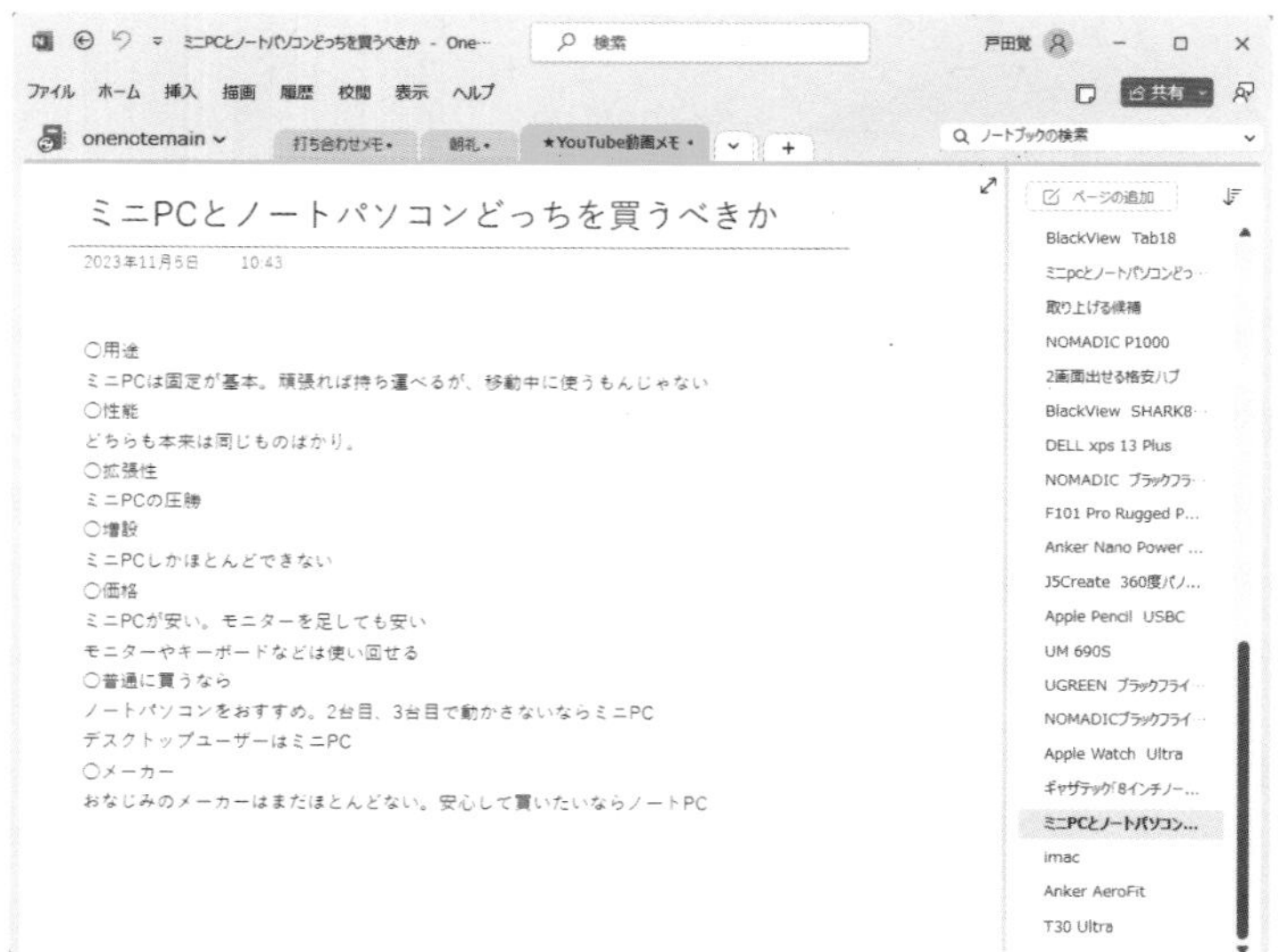

仕事のネタなど、振り返ることが多いノートはOneNoteにまとめている。マイクロソフト製のアプリで、誰でも無料で利用できる。ただし、ファイル容量に制限があるので、サブスクリプションを利用している。本気で使うなら、有料課金の「Microsoft 365」の加入がおすすめで、Excel、Wordなどの Microsoft Office も同時に利用可能なので、仕事に使うならマストと言える。

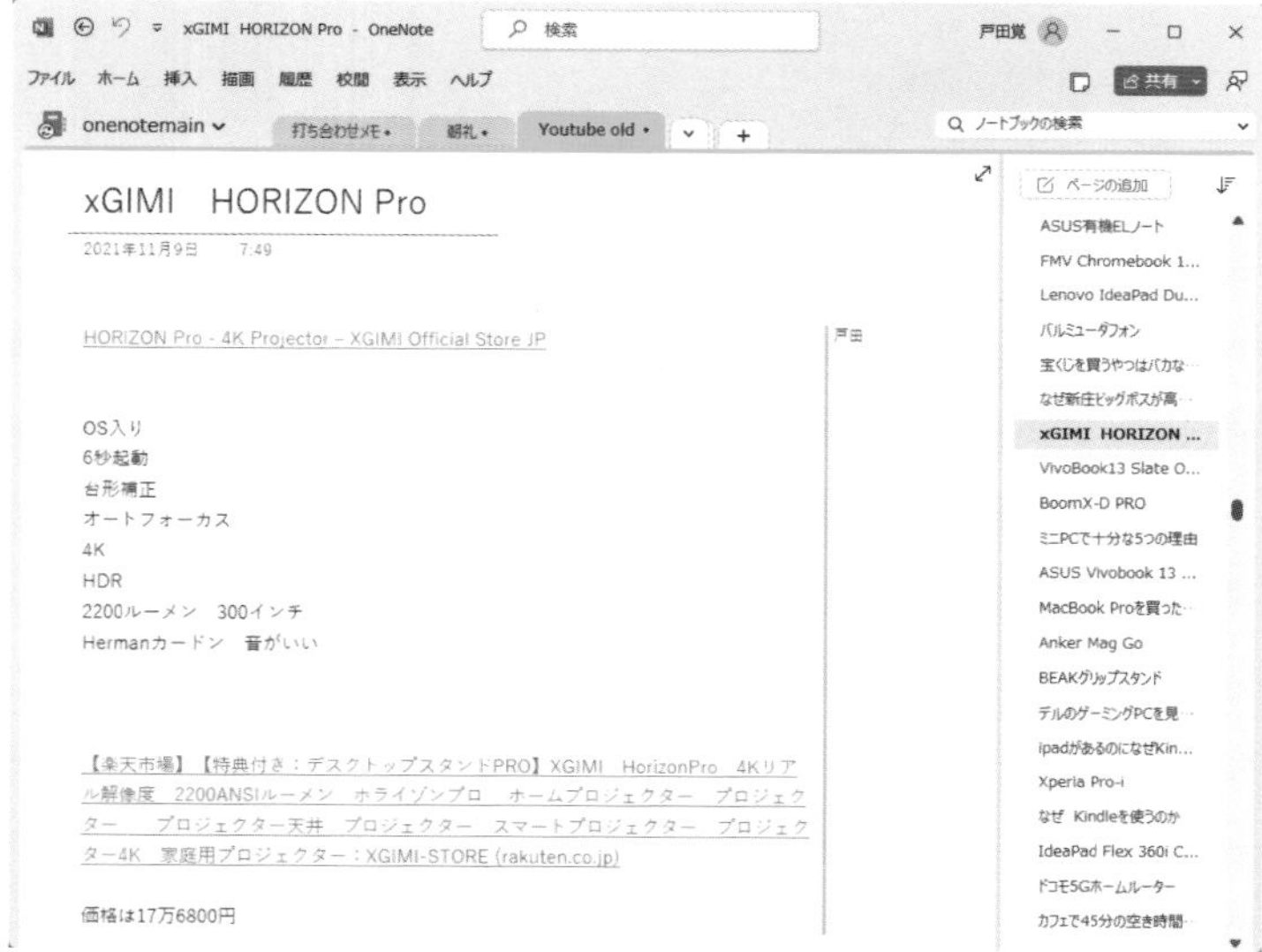


03

古くなったネタは別のセクションにバックアップしている。OneNoteは、ノートが大量になると使いづらい。個人的には連日大量のノートを記録しているので、使わなくなったと思ったら、同じ名前のOLDセクションを作り、そちらにドラッグして移動する。こうすることで、ひんぱんに見るノートがコンパクトにまとまり、探す手間が少なくなる。

OneNoteは、パソコン（Macでも利用できる）に加え、タブレットやスマホでも利用可能だ。もちろん、iPhone、Androidスマートフォンのどちらでも使える。同じアカウントで利用すれば、データは常に同期される。パソコンが万が一故障したり、なくしたりしてもメモはクラウド上に保存されている。紙のノートや手帳はなくしたらお終いだが、OneNoteなら安心だ。

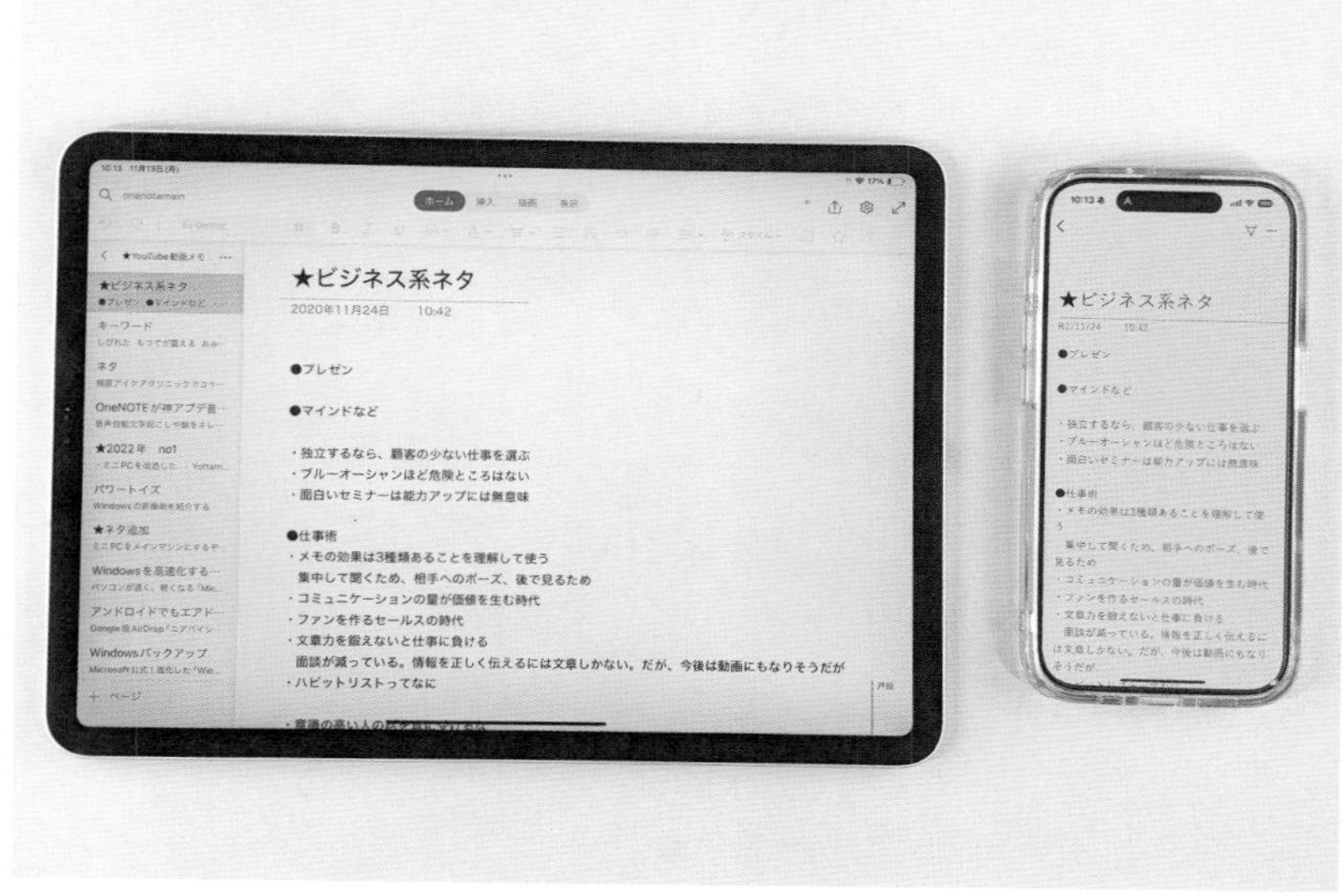

ちょっとした記録はメモアプリのKeepも利用している。こちらは、Google製のアプリなので安心して使える。Gmailなどと共通の容量制限はあるものの、無料で利用可能。Keepに記録するメモは、基本的に一時利用のものばかり。例えば、人から聞いたレストランの電話番号をちょっと書いておくような用途だ。失ってもかまわないメモも記録しておくことで、あとで役立つ。

のネタはすべてOneNoteに記録している。あまりに量が多いために、OneNote自体の量の制約に突き当たり、ファイルは3つめとなっている。もちろん有料契約しているのだが、1ファイルの上限が2GBなのだ。

OneNoteでは、直近で使っているネタを1つのセクションとして運用し、掲載が終了したら「YouTube Old」というセクションに移行して、バックアップとして運用している。こうすることで、目にする情報の量が少なくなり、探すのも楽になるからだ。

## OneNoteを使う理由

OneNoteを選んだ理由は明確で、マイクロソフト製だからだ。Evernoteも有料会員で併用しているのだが、今やトラブルでログインができなくなった。サポートの返信でさえ2週間くらいかかっている。これでは、メインのノートとして使うのは無理だ。結局は、マイクロソフトやGoogleなどの超大手のサービスが、より安心できるわけだ。

もちろん、機能も申し分なく、さまざまなデバイスで併用できるのが便利だ。パソコンで記録したノートはiPhoneやiPad、Androidスマートフォンでも利用できる。いつでもどこでも、どのデバイスでもチェックできるのは重要だ。しかも、ファイルがクラウドにあるので、バックアップを考える必要がない。劣化や災害などで紙のノートが失われる可能性より、マイクロソフト

OneNoteは、前記のようにスマホで利用可能で、iPhone、Androidスマートフォンのどちらでも OK。スマホは常にインターネットにつながっているので、いつでも最新のノートを記録・閲覧できるわけだ。パソコンも SIM が入るモデルを選択し、常にインターネットにつながった状態で利用している。

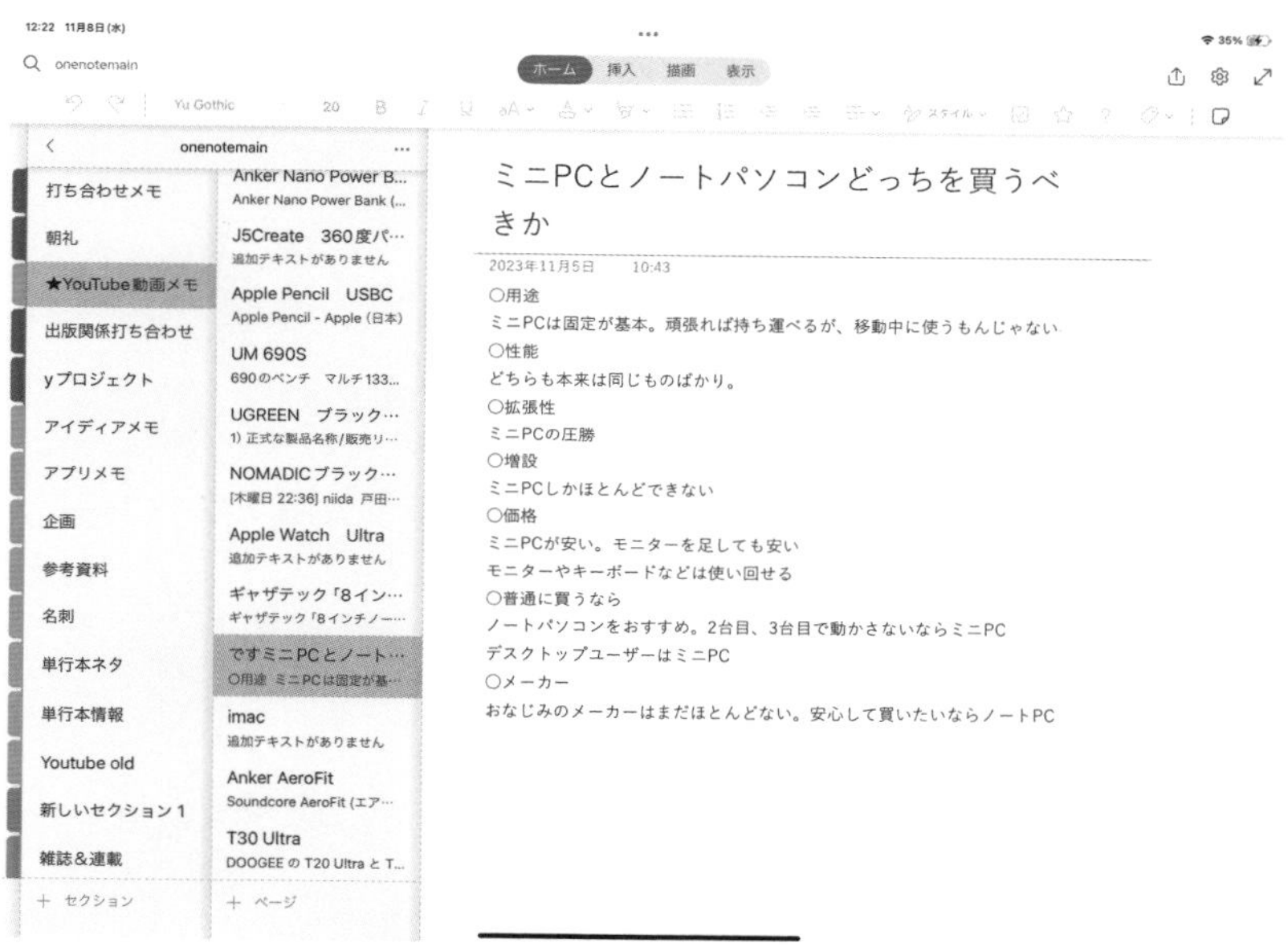


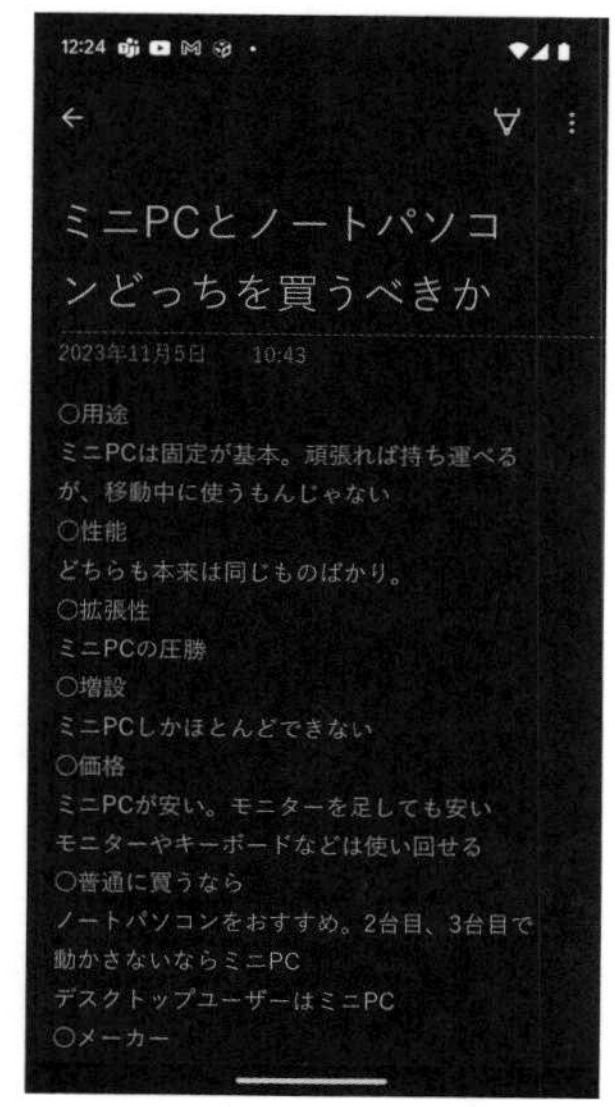

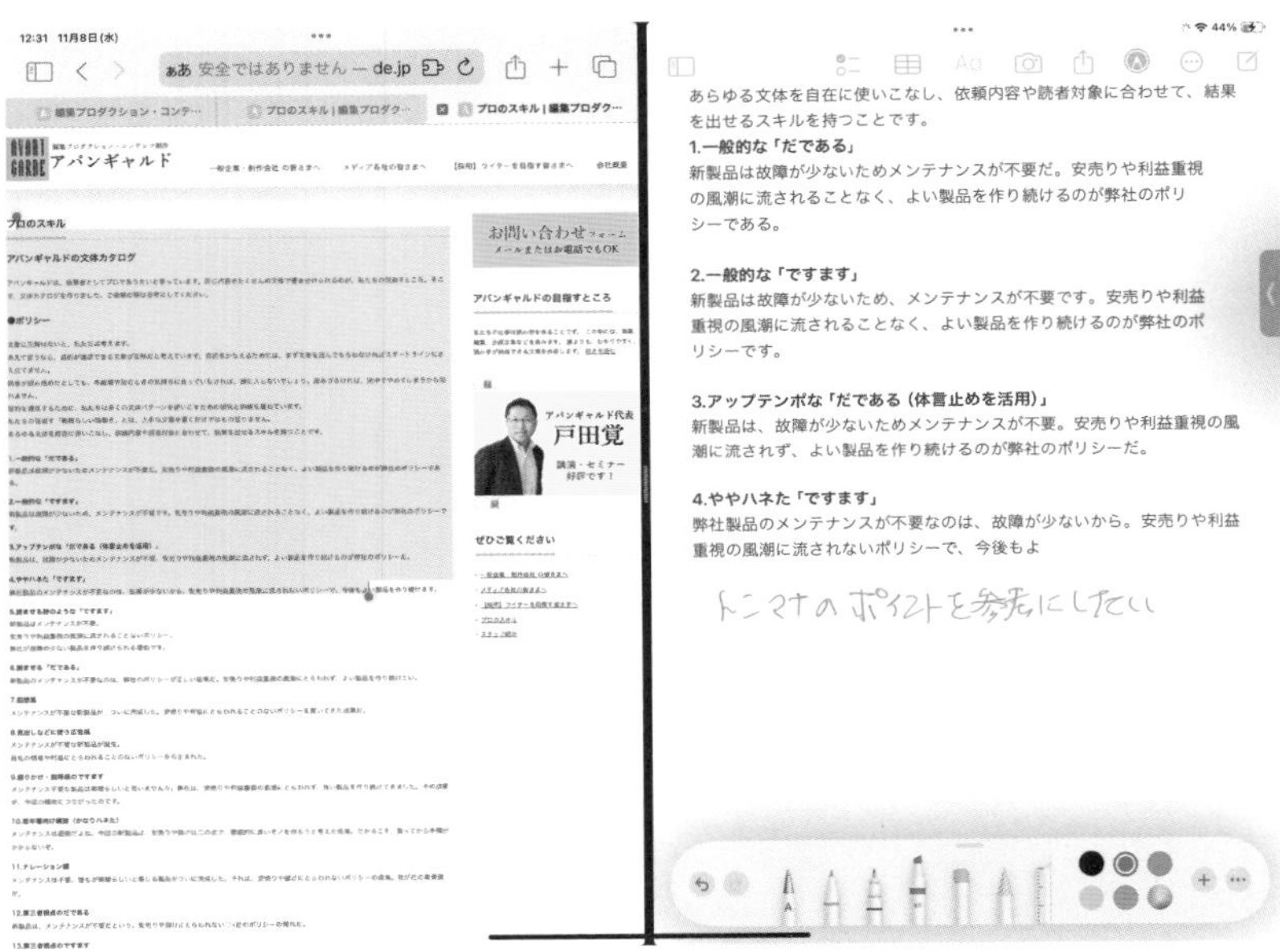

ノートを利用するだけでも、実は画面が広いと大きなメリットがある。スマホでも問題なく内容は読めるが、iPadなら画面が広いのでさらに使いやすい。また、2画面での利用も可能なので、Webページを見ながら標準のメモアプリに情報を記録する使い方が非常に便利で、おすすめだ。

の有料サービスでファイルが失われる可能性は低いと思っている。

## Webからの情報収集はiPadを愛用

今や、多くの方が情報をWebページから取得しているだろう、僕も同様だ。Webの情報はiPad＋Apple Pencilを利用して、iPadの標準アプリメモに記録している。特に腰を据えて情報を探す際には、iPadを使う。たまたまパソコンでWebページを見ていて気になったことがあれば、OneNoteやKeepに記録することもある。

iPad＋Apple Pencilを併用し、画面には左側にWebページ、右側にメモを開いている。気になる情報を見つけたら、タイトルやリンクなどをメモにドラッグするだけで貼り付けられる。つまり、今見ているWebページを瞬間的に保存できるわけだ。さらに、Apple Pencilを利用して所感を手書きできる。パソコンで作業するよりも確実に手っ取り早く、気になる情報をどんどん溜め込んでいける。

重要なのは、「あれはどこで見たっけ?」とあとで考えないで済むようにしておくことだ。一度見た情報を再度探すのは時間の無駄と長年の仕事で気づいている。その対策がiPadの活用で、最初に見ている段階で必要なものをどんどん記録しておくわけだ。

マイクロソフト製のビジネスチャットアプリ「Teams」をご存知の方も多いだろう。「Slack」も同様の機能を持っている。このアプリで情報をやりとりすると、すべてが記録される。つまり、あとで検索して探すことも可能だ。ファイルのやりとり、打ち合わせなども会話よりはるかに記録性が良く、自動でノートが出来上がると言っても過言ではない。外注を含め、ライセンスを割り当てて9名で利用している。

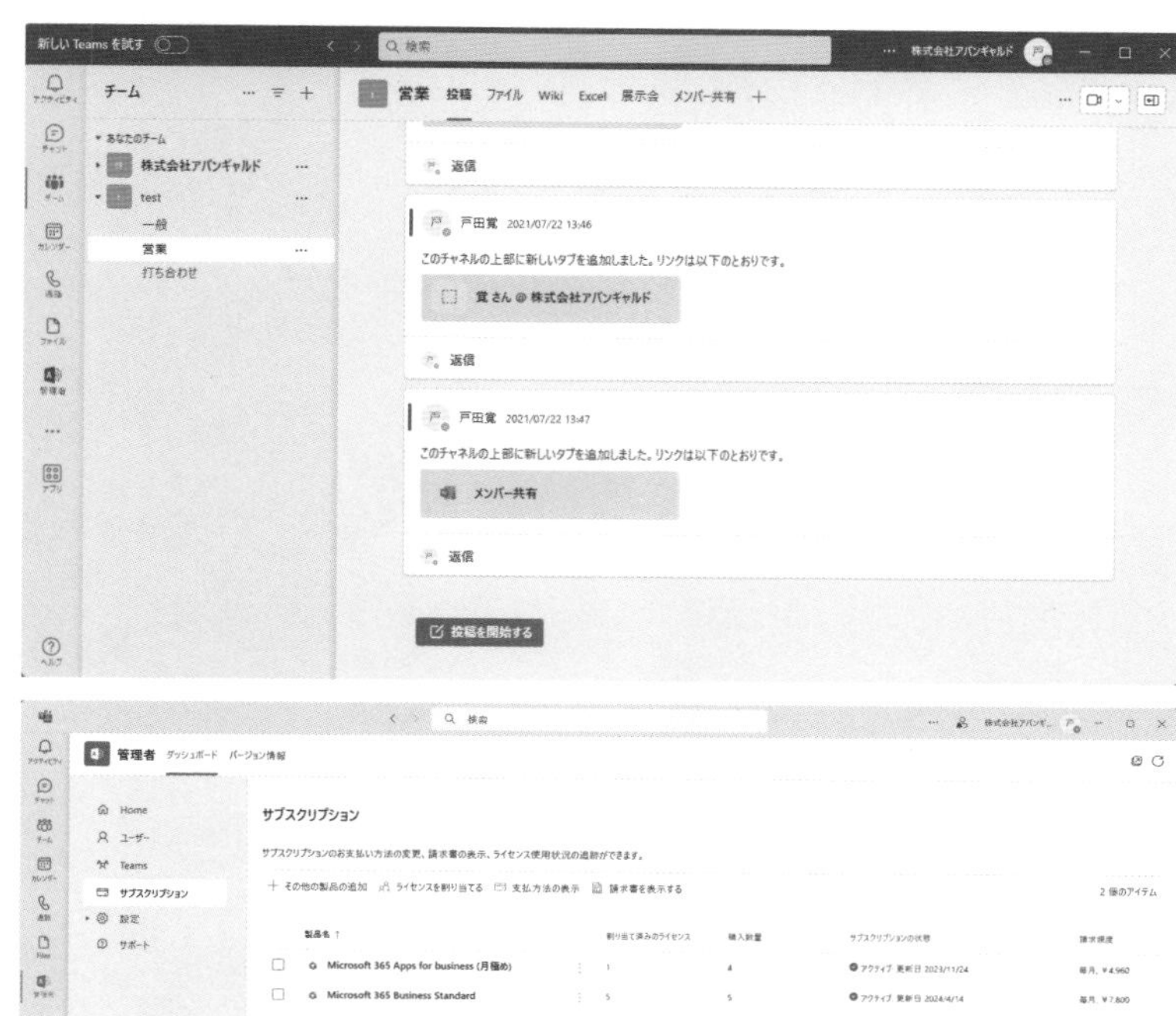


## Teamsがまさに神アイテムだ

社内に加え、ひんぱんに連絡を取っている外部とのやりとりはTeamsを中心にSlackなどを利用している。実はこれが、ノートのあり方を大きく変えた。

これまでは、会議やミーティングをしたら議事録を作って記録を残していた。簡単な打ち合わせならメモを残していただろうし、それがないこともあった。

ところが、Teams上でやりとりをすると、自動的に全部テキストで記録してくれる。誰とどんな話をして、どんな作業をすることになったかが全部記録されているのだ。会社のメンバーと出かけることになり、その待ち合わせ場所や持ち物などを伝えられたとする。これが面談だといちいち記録しなければならない。ところが、Teamsなら依頼が来た時点で勝手に記録されている。ノートやメモを書く必要すらないわけで、あとで検索などして探せばいい。

TeamsやSlackは、コロナ禍で面談しづらいことによって大きく利用が広がった。だが、コロナには関係なく、ビジネスチャットによるやりとりは非常に効率的で、やりとりのノートを書くという時間が大きく軽減されることがわかった。

結論としては、最強のノート術は自分で記録する手間をかけずに、あらゆる情報やコミュニケーションを保持しておくことだ。

愛用しているロディアのノートとPLAUD NOTE。ロディアのノートが好みなのは、マイクロカットのミシン目が入っていて、きれいに切り離せるため。あまりないが重要なノートを記録したら、スキャンしてデータ化している。PDFファイルにすることで利用性も良く、OneNoteに貼り付けるなどして他のメモと同様に保存可能だ。ただし、最初から保存することがわかっているなら、OneNoteを使う。

10

手書きのメモをスキャンすると、JPEG型式の画像やPDFで保存できる。紙と違って劣化せず、いろいろなデバイスで読むことができる。手書きが好きだがデータ保存に懸念を感じている方にはおすすめの方法だ。

## ボイスメモも圧倒的に便利になった

スマホの普及で、ボイスメモがとても使いやすくなった。いつでもどこでも、サッと録音できるし、音声入力も可能なのだ。Pixelのレコーダーは非常に秀逸で、音声メモを自動的にテキスト化してくれる。ちょっとしたアイデアや考えたことは、音声入力でどんどん記録している。思いつきの記録はテキストを打つより、しゃべる方が早くストレスがない。記録しているうちに内容を見失うこともないのだ。

さらに先進の専用ツールを使うと驚くべき記録ができる。「PLAUD NOTE」は記録した音声をテキスト化するのだが、通話内容にまで対応する。さらに、ChatGPTを利用して内容を自動で要約して、箇条書きを生成する。適当にしゃべった内容をとりまとめてノートを作ってくれるのだ。なお、PLAUD NOTEは先行で利用しているが、一般に購入できるようになるのは、2024年の春の予定だ。

このように、僕のノートは徹底的にデジタル化し、記録する時間まで最小限にしようとしている。これで膨大な情報を毎日うまくさばいている。だが、手書きの良さも十分にわかっている。今でも、つらつらとロディアにメモを書くこともあるが、それは主に仕事以外の趣味の分野だ。

# 社会人の勉強、語学、思考整理、記録……
# 成長したい20～30代に支持されている
# ノート術・勉強術

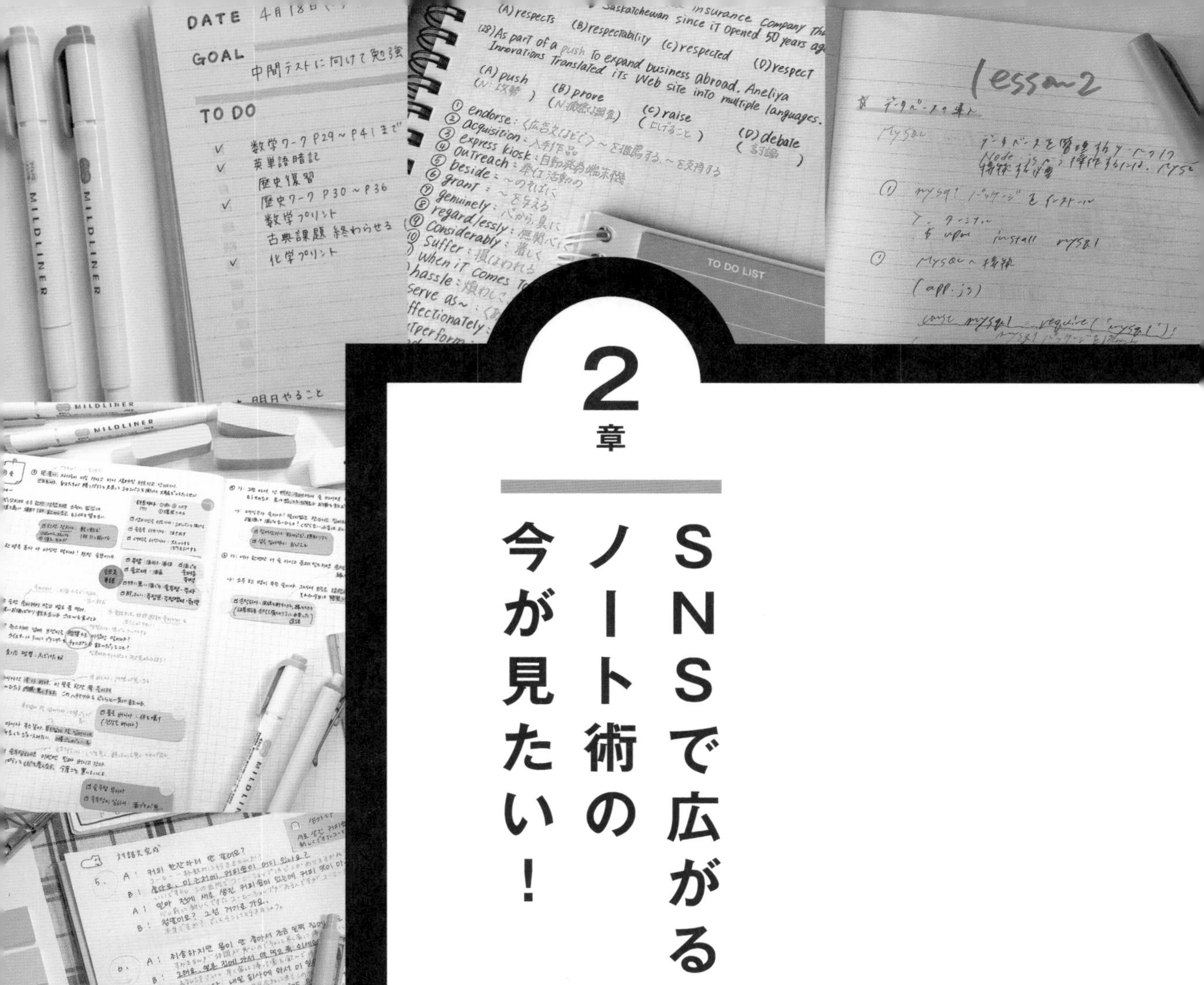


# 2章

# SNSで広がるノート術の今が見たい！

01

Instagram

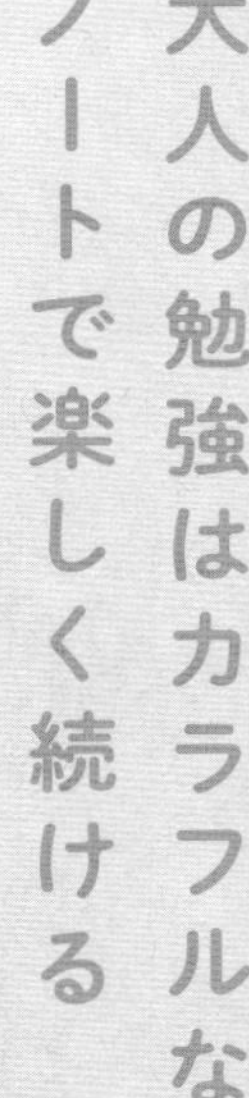

# 大人の勉強はカラフルなノートで楽しく続ける

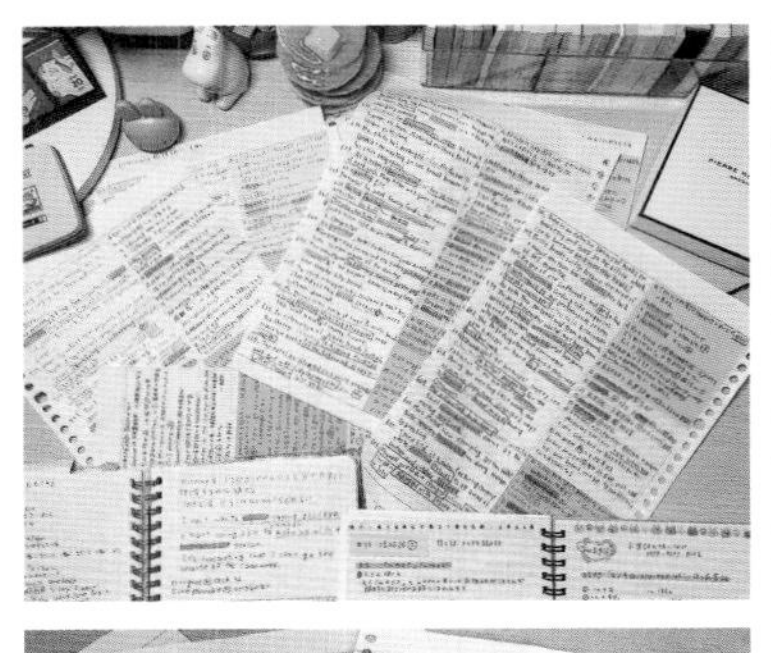

英語を本格的に勉強し始めて1年。無印のルーズリーフに書いた英単語や問題集の解説を見返しています。書くことを推奨しない人も多いですが、自分が頑張った分が形に残るのも良いものです♪

**ひろみ**さん

Instagram @hrm_studygram
派遣OLの勉強部屋

40代。関東在住。派遣社員。好きな文房具店は山田文具店。休日は猫と遊ぶのが癒やし。掲載書籍に『心と暮らしが整う手帳の使い方BOOK』がある。YouTube「沼日記」ではVlogで文具や猫との暮らしを発信中！

## 手書きは覚えやすい

ノートは使い分けをしています。ルーズリーフやロルバーン（リングで180度フラットに開く、ゴムバンド付きのもの）は、問題集を書き写したら、要点をまとめたりしています。

100円ショップのノートは、ディクテーション用、メモ用として。

購入時のこだわりとしては、ロルバーンなどでは、勉強のモチベやテンションが上がるようなかわいい表紙のものを選んだり、シンプルなノートもシールやステッカーを貼ったりして開きたくなるようにしています。

ふせんをよく使っているのですが、大事なことをメモするというよりも、カラフルなノートで楽しく勉強ができるように使っています。

手書きだと書きながら覚えられるので、

## 01

2022年、目標のTOEIC600点超えは成らず。でも今までの勉強ノートを見直していたら、「毎日コツコツ頑張ってきたんだから、また頑張れる！」と思いました！

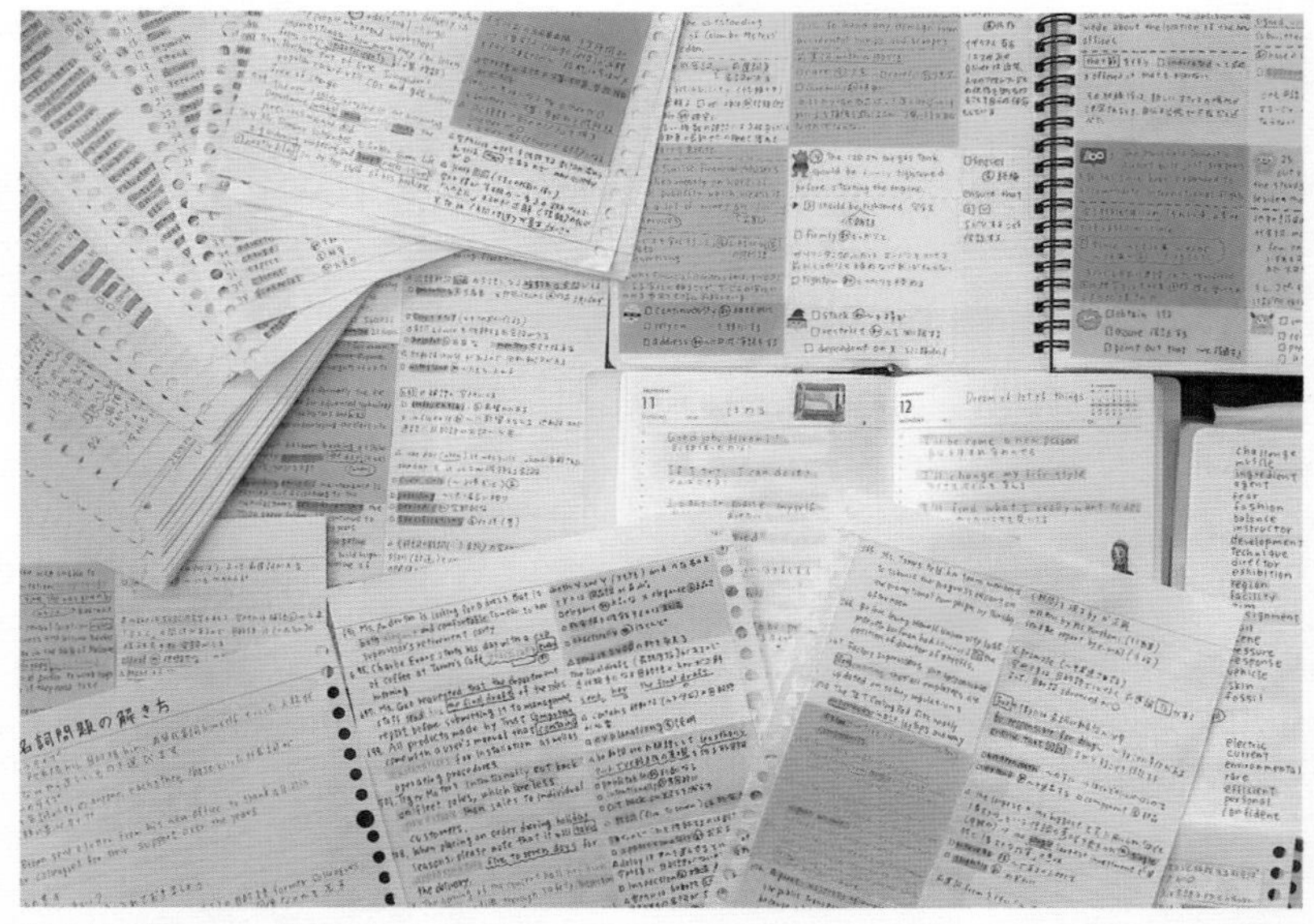

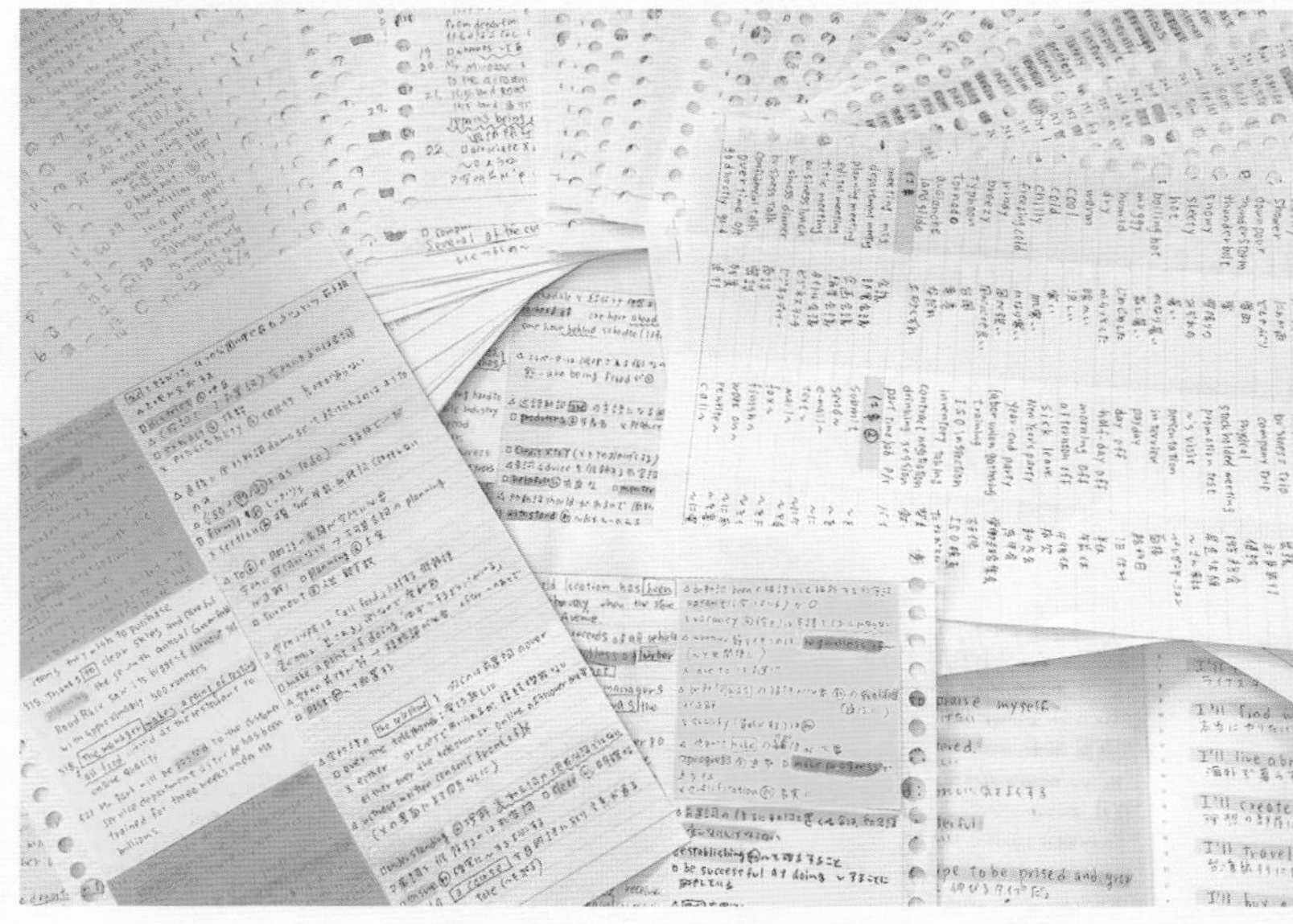

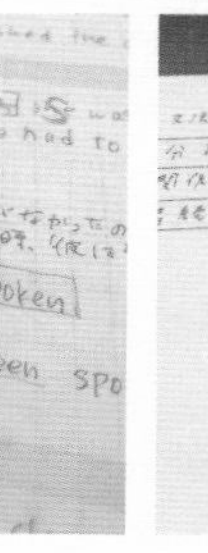
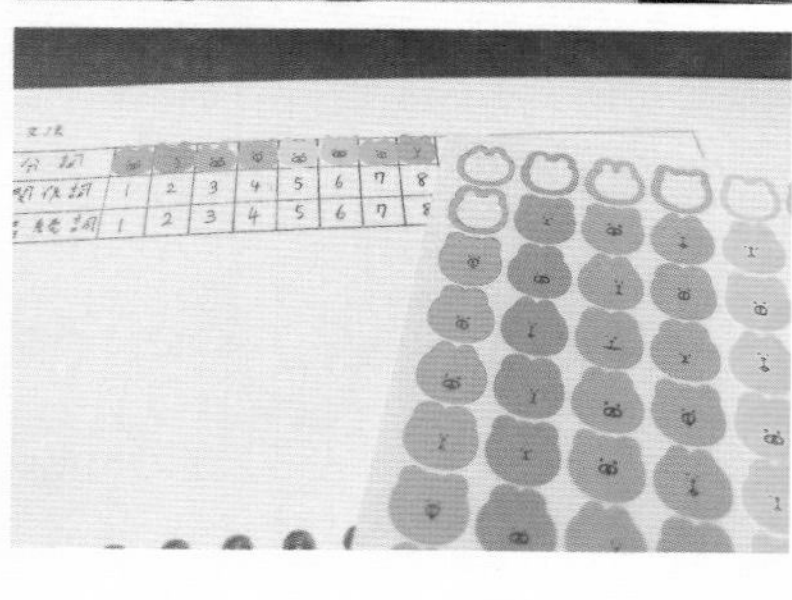

## 02

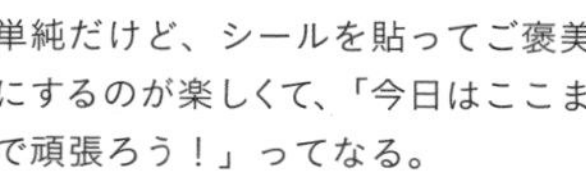

単純だけど、シールを貼ってご褒美にするのが楽しくて、「今日はここまで頑張ろう！」ってなる。

圧倒的に手書きをすることが多いです。

### デジタルは間違えても戻せて便利

Kindleで買った参考書や問題集はスクリーンショットしてノートアプリの「Goodnotes」に格納しています。デジタルは書き込みや切り取りが自由自在にできるので、まとめノートを作るときに使用しています。参考書を読みながら、マーカーを引いたり書き込めるし、間違えてもすぐに戻せるところが便利です。

また、試験前にはよく間違える問題をまとめておいて苦手対策ノートを作ります。アナログ参考書だと、マーカーを引きすぎて何が大事なのかわからなくなったり、間違った書き込みをしてきたなくなってしまうと、とたんにやる気を失うことがありますが、デジタルだと何度でも書き直せるところがとても気に入っています。

仕事でも、たまにしか使わないけど大事なことや、自分がよく探しているものや場所などをExcelにまとめています。あのファイルどこにしまったっけ？　を防いで探し物の時間を節約しています。

デジタルでまとめたものを最終的に理解するのに手書きのノートを使って間違った問題を書き写したり読解に使っています。

## 03

スタプラこと、スタディープランナーを書き始めました。これ楽しい！　書き方は自分次第でいろいろ使えそう！　ダイエットもスタプラで管理しようかな？

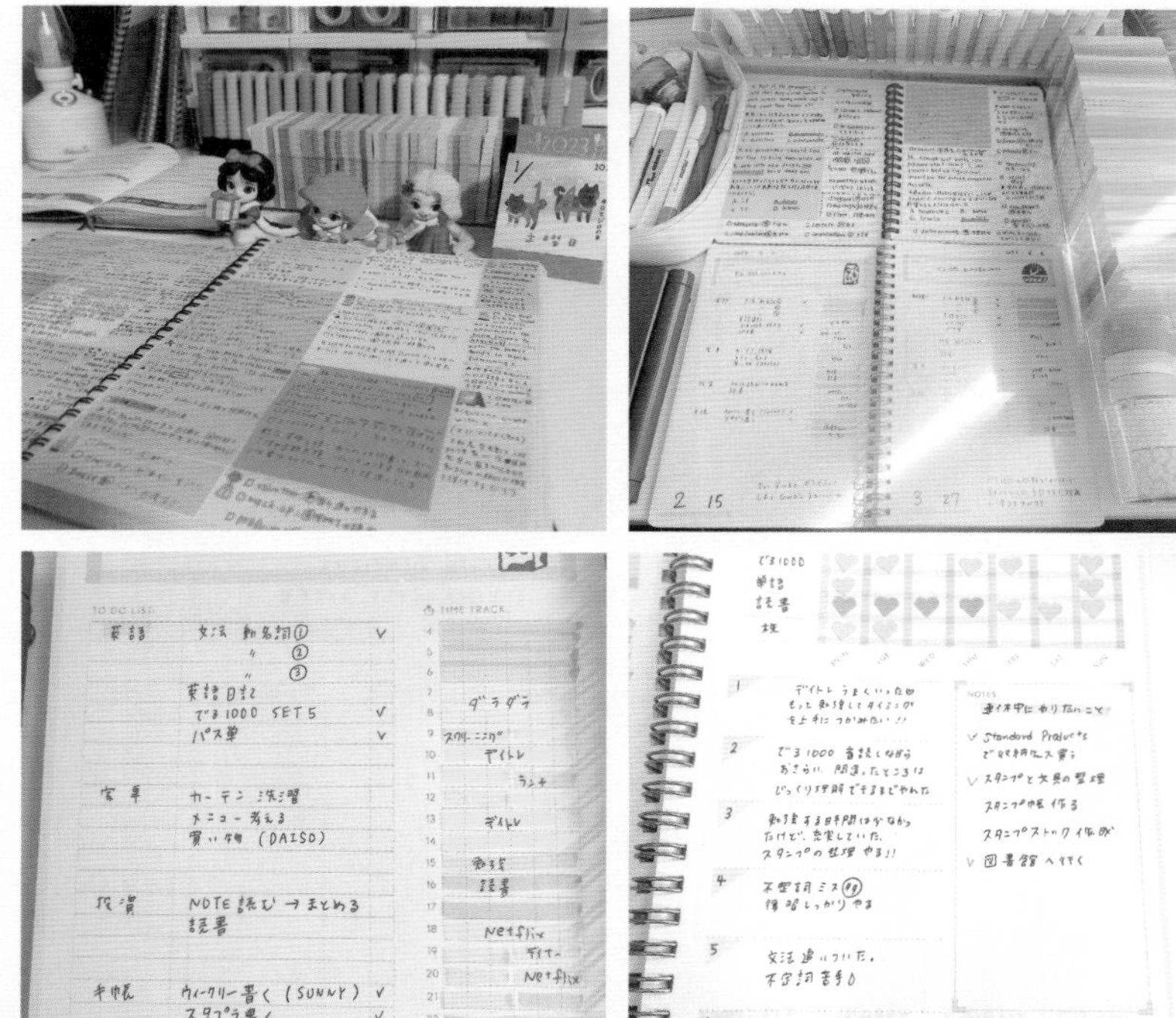


## 04

ふせんは、大事なことをメモするというよりも、カラフルに楽しむのが目的。

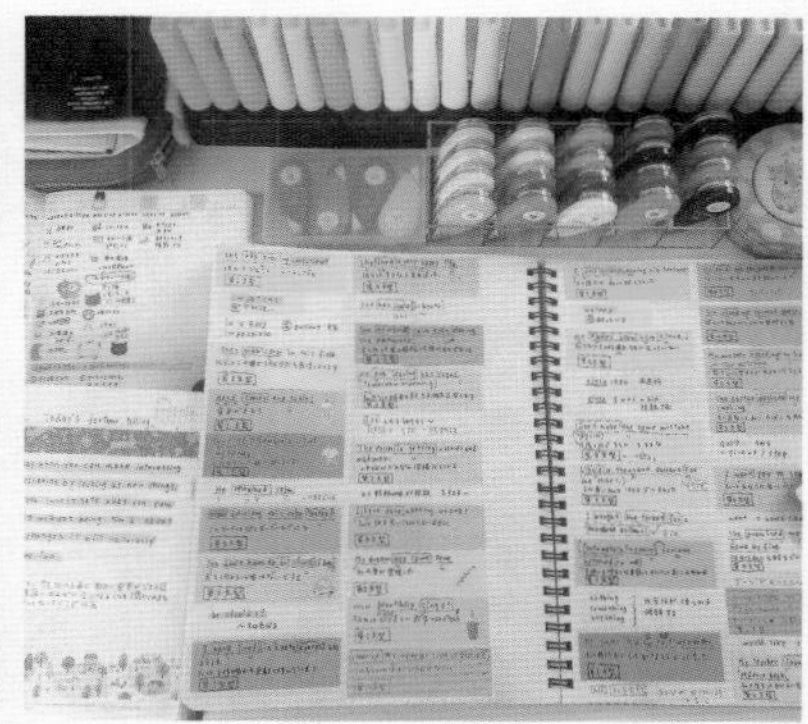

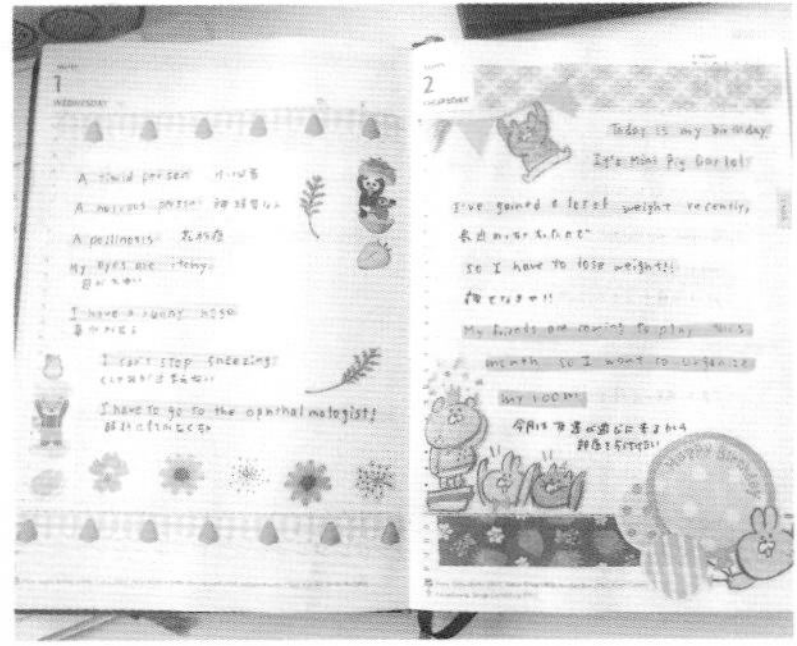

英語日記。書けない日もあるけど、もう3年続けています。英語の勉強を中心に覚えたいことやニュースを書き写したり自由な日記に。シールやマステをペタペタして楽しく続けられています。

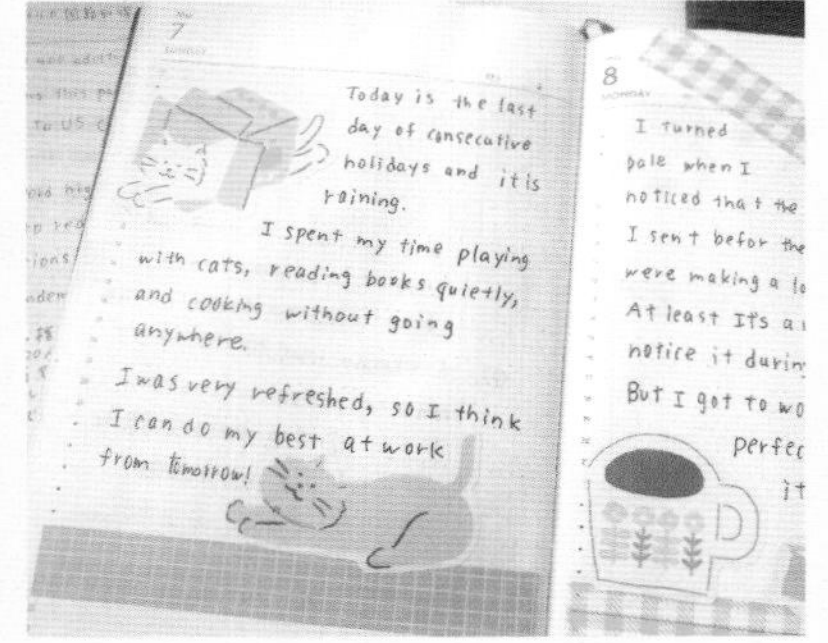


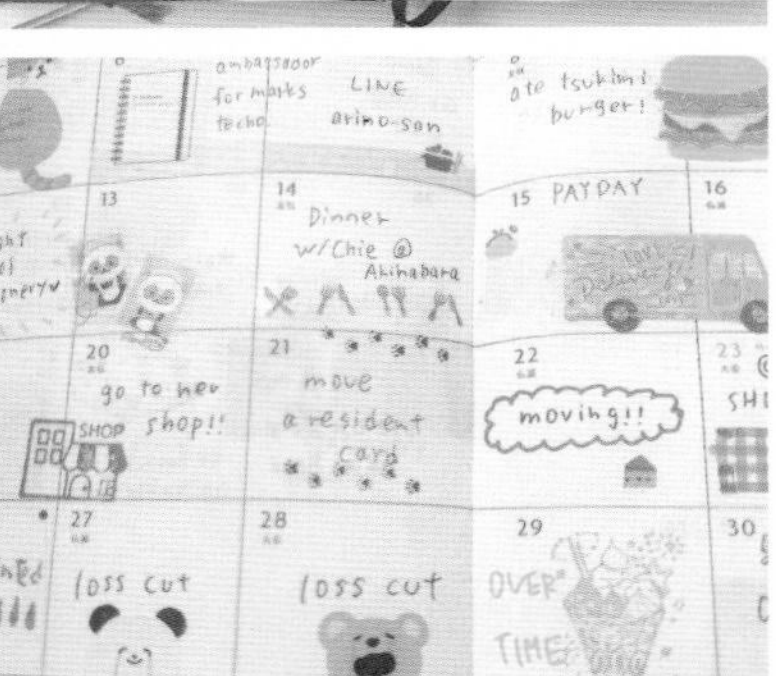


## 今後は「コモンプレイス」を試したい

TOEIC試験会場に、苦手な問題をまとめたノートを持っていきました。直前に確認できて安心感につながりました。

また、仕事や勉強で調べたことをまとめているノートがあり、ぱっと確認できるので便利です。

私が英語を勉強する目先の目標は、外国人の方とコミュニケーションを取れるようになること。最終的には海外で働いてみたいです。世界中のどこでも働けるようになったら、働き方やお金に対する根本的な価値観が変わると思うので。

そのためにとにかく問題集を何度もやっています。わからない文法やあいまいなものがあったら、文法も復習します。反復が大事だと思います。

今後は、調べたことをまとめておく「コモンプレイス」という手帳術があるので取り入れてみたいです。使ってみたいノートは「書き心地の良さ」を追求しているという「MDノート」です。

## 06

手帳の後ろのページにEDiT手帳で使う英語を書き出しています。

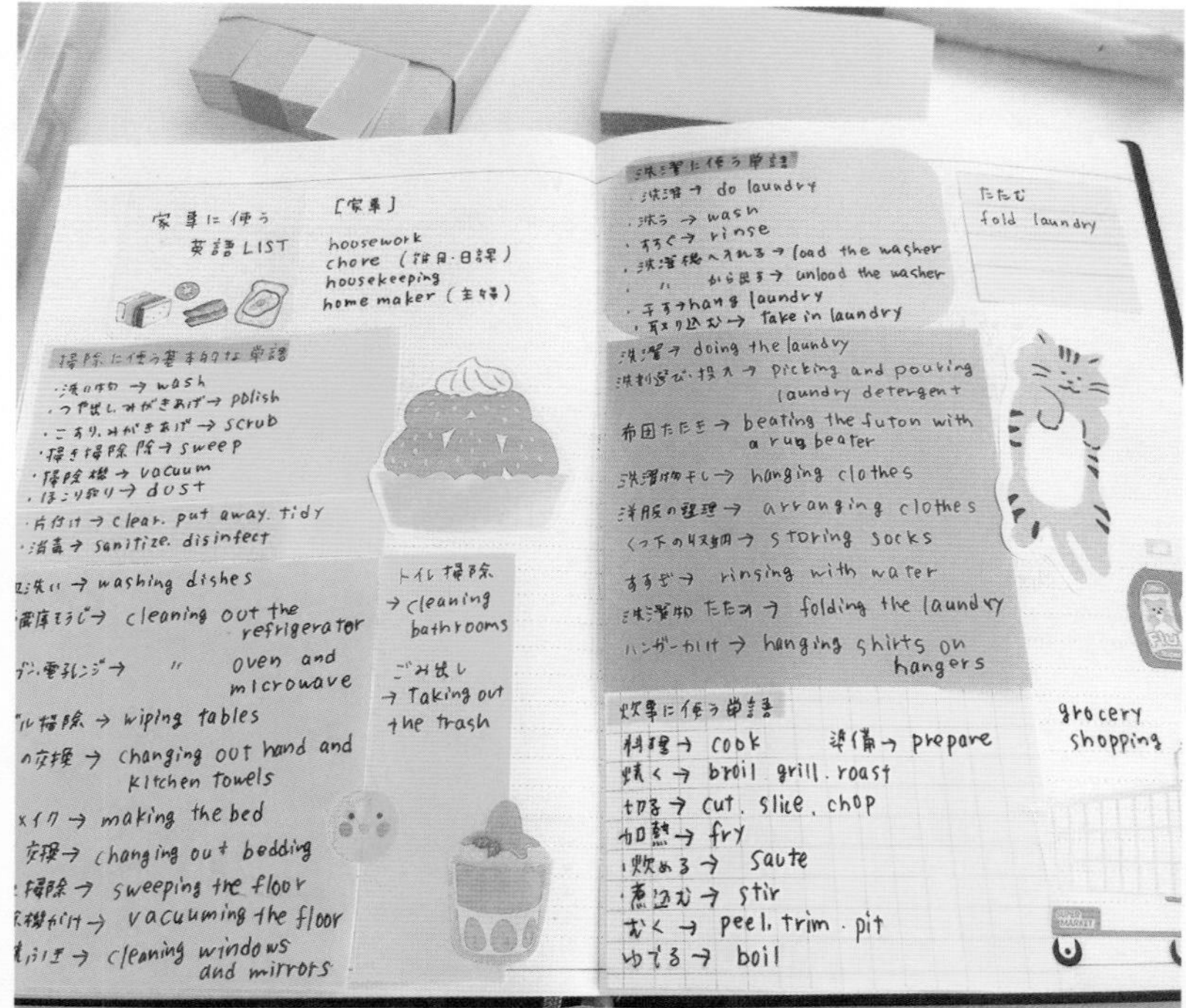


## 07

メモックロールテープフィルムタイプを使ってウィークリーの管理をしてます。チェックリスト、見たいYouTubeや買い物リストなど。何でもウィークリープランナー に書いています。

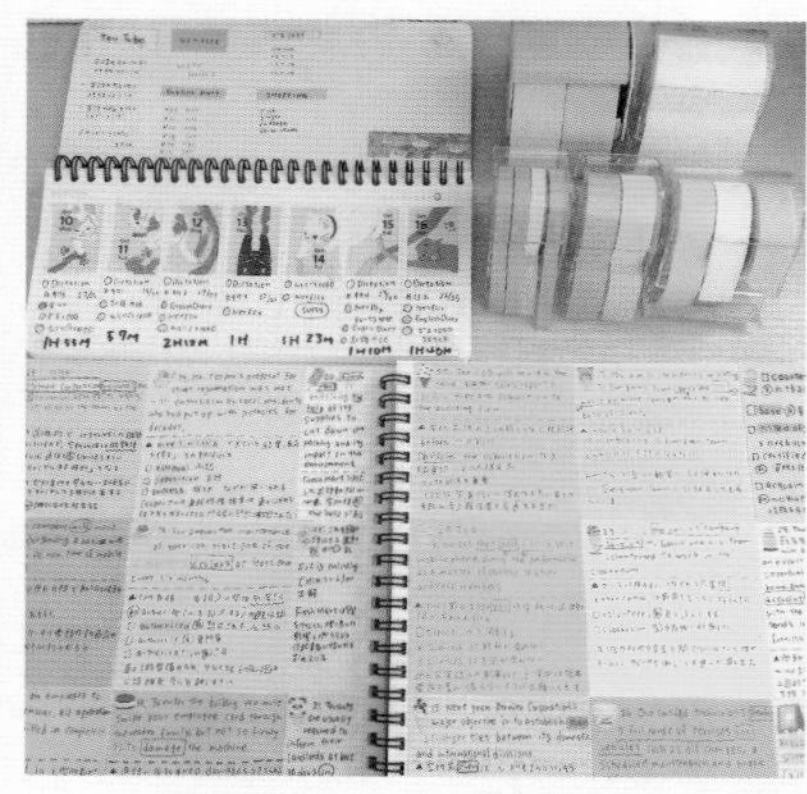

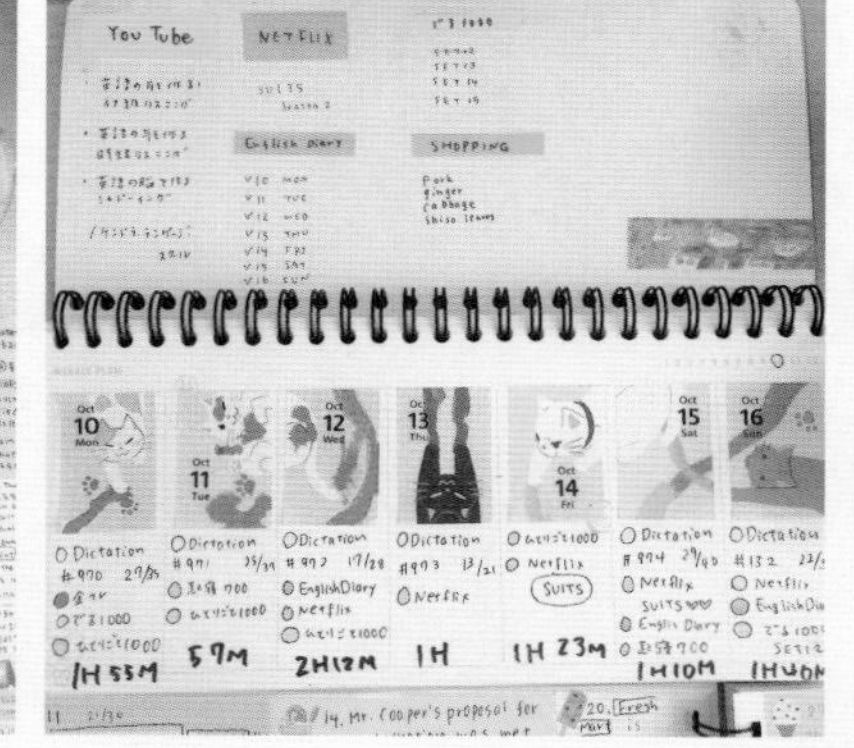

02

Instagram

# 語学が大好き。手書きノートを積み重ねる達成感がたまらない

英検と仏検の勉強を両立していたときの投稿です。2言語同時学習は大変ですが、相乗効果もあるので私にはすごく合っていると思っています。何より楽しい‼

**mei**さん

Instagram @mei__studygram_

猫と暮らす関西在住のアラサーOL。不動産会社で宅建士として勤務。趣味は語学。2021年からフランス語と英語、2023年からスペイン語を独学で始める。現在、英検準1級、仏検2級、DELF B1、西検5級を取得。英検、仏検1級合格を目指して猛勉強中。

## 独学で英検と仏検の1級を取得するために

語学が大好きで趣味で勉強し始め、インスタグラムで学習の記録を残しています。今の語学の具体的な目標は英検と仏検の1級の独学での取得です。

語学勉強用のノートはKOKUYOのCampus、ナカバヤシのロジカルエアー、デルフォニックスのロルバーンダイアリーを使い分けています。

Campusノートとロジカルエアーは問題を解いたりリスニング音声の書き取り訓練など、とにかく量をこなす勉強に使用しています。

B5は個人的に問題を解くのに一番使いやすいサイズ。特にロジカルエアーは補助線があり筆記体がとても書きやすく気に入っています。

ロルバーンの用途は単語帳や覚えたい表

## 01

（左）英作文の対策ノート。補足したいことは付箋に。目立つし頭に残りやすい。

（右）iPadでの勉強。あまり使わないですが、デジタルのノートはアプリ「Goodnotes」をインストールしています。本当の紙のように書けて良いです。

## 02

基本アナログ勉強派な私ですが、最近仏語のニュース記事やエッセイを読むのにiPadを使う時間が増えてきています。使っているiPadは第6世代32GB。アナログ人間の勉強には十分なスペックです。でもお気に入りのニュース記事を写したりするのには、やっぱりノートを使います。

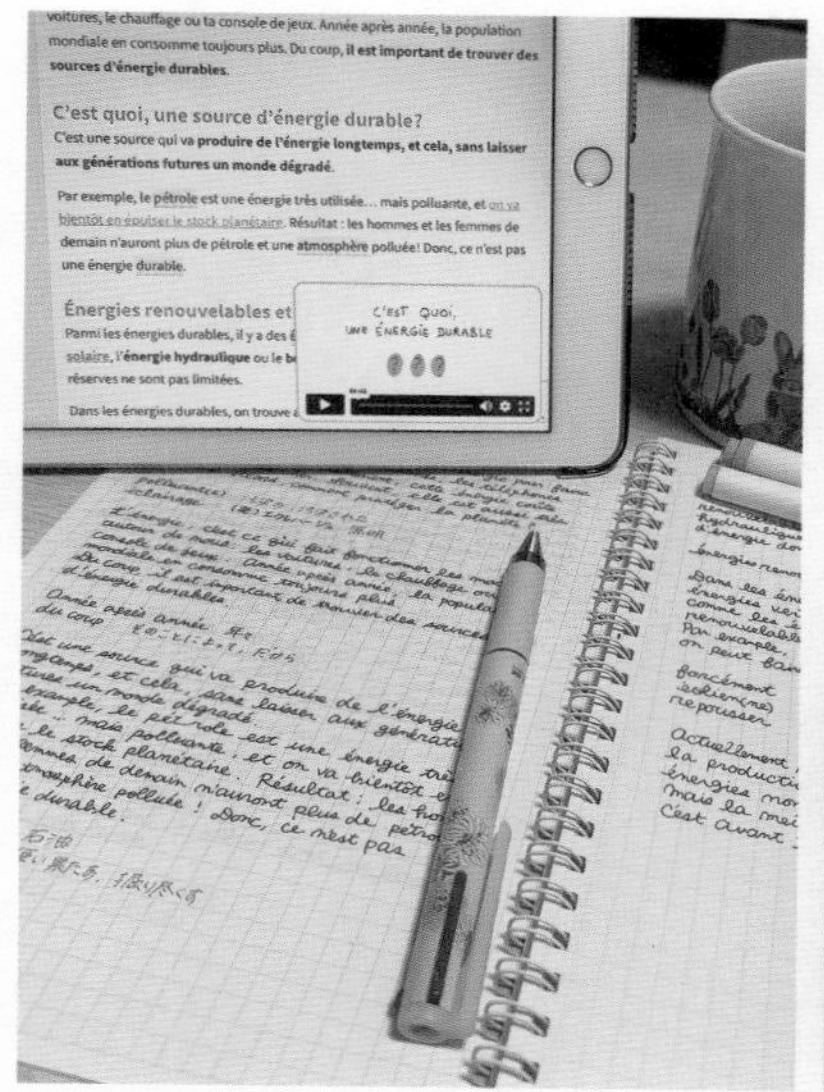

仏検面接対策のときのノートです。オンラインレッスンやインターネットで調べた使えそうな文章を書き出してひたすら暗唱する作業をしていました。気分転換に場所を変えてカフェに行くこともよくあります。

（左）毎日、家での勉強を見守ってくれる飼い猫のきいちゃんです。
（右）仏検対策の問題集は答えだけでなく問題文もすべてノートに書き写して解いていました。

（左）オンラインレッスン用のノート。細かくいろいろなことを1ページに書き込むときは、極細（0.3ミリぐらい）のペンを使うことが多いです。
（右）英検準1級の面接対策。黒文字で日本語、赤文字で英語を書き、赤シートで暗唱していました。

現をまとめたりします。見返すことも多いノートになるので先に述べたノートよりていねいに書くことを意識しています。分厚めなので自分オリジナルの本を作成する感じで使い、1冊使い終えたときの達成感が大きいところが気に入っています。

勉強するときに気分を上げるため、気に入った絵柄やデザインが表紙のノートを購入します。どのノートも限定柄などが豊富なので自分のお気に入りを探すのも楽しいです。

## 基本はすべてアナログに手書きする

基本的に私の勉強はすべてアナログに手書きです。

一番の理由は勉強した形がデジタルツールよりも目に見えて残りやすいからです。試験前日に使ったノートを積み重ねて眺めると、自分の勉強量に自信が持てるのでルーティンとしてやっています。

最近はスケジュールなどをデジタルで管理する人が多いですが、私は勉強計画もすべて紙媒体にしています。

英検と仏検の1級が目標ですが、好きな気持ちを忘れず楽しんで勉強継続したいです。

インスタグラムでは、いろいろな方から勉強に関しての相談やコメントをいただきます。今後も、私と同じような語学学習者の方へ、自分なりの学習方法やモチベーションの保ち方をシェアできる場を持てた

初めてDELFを受験した日の投稿です。
(左) スケジュール帳の空いたページにはときどき試験の感想などをつづることもあります。
(右) 試験前日に、使ったテキストとノートを積み重ねて撮影しました。勉強量の可視化は自信につながるのですごくオススメです。

らいいなと思います。

ノートを消費すると目に見えて自分のやってきたことが量として残るので自信がつきます。付せんやシールを使って自分好みにアレンジすることで見返す度に気分も上がり、記憶も定着しやすいと感じます。

## ルーズリーフも使ってみたい

ノートはやはり持ち運ぶ際にどうしてもかさ張るので、外で勉強する際は適宜ルーズリーフを持ち運ぶのもいいかなと思っています。最近のルーズリーフは罫線だけでなくマス目や白紙等いろいろな種類が出ているので使いやすそうだなと。ノートは人の数だけ使い方が異なると思うので、今後も自分のわかりやすいように工夫しながら使っていきたいと思います。

## 07

勉強用のスケジュール帳です。左側のウィークリーページはその日実際できた内容を細かく書き、右側に週始めに1週間でこなしたいことをタスクとして書き出しています。何もかもやるのは無理なので、優先順位を決めてタスクを考えています。

オンラインレッスンとラジオ講座のまとめノート。見返すことが多いノートなので、シールやマスキングテープでデコレーションをしたりして気分を上げています。その代わり、見やすいように文字は1色のみに統一しています。

03

Instagram

# 少し高いノートは自己投資の一部。勉強している時間が特別なものになります


**白鳥まき**さん

Instagram @piopio.study


フルタイムワーママ。育休中にキャリアの不安を感じ、10年ぶりに英語勉強をやり直し。独学で英検1級合格。小学校児童英語資格を取得。Instagramで勉強仲間と毎月テーマを決めて勉強中。現在SNS総フォロワー3万。Kindle書籍『夢を叶える学習方法』『人生を楽しむ時間術』ベストセラー2冠。

土日に決めた勉強を
無理なく実行する

@piopio.study

ポイントは
忘れないうちに書き出す

参考書に書いてあるポイント
ナルホド！
と思ったら書き出しています。


土日に決めた勉強を無理なく実行するために。無理して思い詰めても家族にもしわ寄せがくるのでできる範囲でやろう。でも平日になると忘れるのでポイントをメモ。

## 書きやすさと肌触りを重視して選ぶ

ノートやメモは自分が気に入ったものを使っています。特に書きやすさや、持ったときの肌触りの良いものを意識して選んでいます。少し高めのものを選ぶと、勉強している時間が特別なものになるので、こだわったものを自己投資の一部と考えて使っています。

常に持ち歩くノートには、自分が気に入った言葉を書き入れたり、子どもの絵を貼っています。これを見てやる気をもらっています。

今使っているノートは主に2つあります。「勉強用のノート」と「アイデア出しのノート」です。

勉強用は主に英語学習の内容です。「間違いノート」は当日の試験の安定剤になりました。このノートにはこのようなこ

01

何もやらないより0.1%勉強した方が100倍良い。悪魔のささやきで「このくらいやっても意味ないのではないか」と聞こえてくるときがしばしば。ちょっとでもやっていると、自分のできなさを実感でき、その世界に触れ続けることができるので、完全OFFよりも時間ができたときに「よし！　本気で勉強しよう」という気持ちになります。そこまで耐えるかどうかが結構難しいところ。たかが5分されど5分。ゆるくでも積み上げげる。

とを入れていました。

**・間違えた場所を書き出す**
**・間違えたときの思考回路を書き出す**
**・なぜ間違えたのか分析して英文を精読**
**・見直す度にチェックを入れる**

これを試験前に読み直すことで、自分が間違えやすいところを気を付けることができました。英検1級もこのおかげで合格できました。

アイディア出しには、思いついたことをそのまま書き出すために線が入っていないものを使っています。何か思いついたときにはメモをとるようにしていますがそれだけでなく、勉強中に他のことが思い浮かんで集中できないときや、気持ちがざわついているとき、メモに書き出すとスッキリして、勉強にも集中できるようになりました。

またノートやメモのカバーには色を意識しています。青系統のものは仕事用、ピンク系統のものはプライベート（勉強用）と決めています。そうすると、自然とその文具を手に取ったときに気持ちが入れ替わることができます。

隙間時間に勉強をしようとすると、ノートが手元にないときがあります。そのような時には、付せんをノート代わりにして使うようにしています。

以前は「このノートにはこれを書く」とこだわりすぎて、大事な隙間時間を有効に使えなくなることがありました。今は、『臨機応変に使っていくこと』を一番大切なこ

02

私は頭の中で「ex-」がつく言葉が全て同じに見えるのでカテゴリーで分けることにしました。語彙力を高めるために遠回りに見えることをコツコツやるぞ。自分の言葉でワンフレーズにして書くと頭に入りやすくなるそうです。

間違えた理由を赤でメモをしておく。

ととして意識しています。

## デジタルツールを使い倒す

ゼロ秒で勉強できる仕組み作りのためにデジタルツールを使い倒すようにしています。市販のアプリには便利なものがたくさん出ているので、気分転換としても大事な勉強ツールになっています。iPadには、仕事で使う本、勉強の参考書からノートまで入れておいて、これがあれば何でも勉強ができます。

それでも自分の思考を整理したり、アイデアを出したりするときにはアナログの手書きです。iPadも手書きができるのですが、やはり紙に書いた方が思考力が深まります。また、勉強ログについても手書きです。自分で、「終わったものにチェック」を書き入れると達成感を覚えることができるからです。記録としても見返しやすいのはノートだと感じています。

また、子どもが2人いるので行事などもそれぞれ違う時期にあり、確認すべきことが増えています。子どもとの会話中や、保護者会などで話を聞いているときに「確認しなくてはならない」と思ったことは「1つのタスクに1枚の付箋」と決めて書き出しています。それを手帳に貼っておき、落ちついたときに取り組むようにしています。

# 03

結構その場の気分で勉強してしまうので、どこを勉強したのか記録。面倒くさがりでも、書きたくなる仕組みづくりです。そして隙間時間に効果的に勉強するため。

- **iPadに問題集を入れておく**
- **分厚い単語帳は分冊で持ち歩く**
- **部屋の中はネックスピーカー**
- **ボーッとする場所に単語を貼る**
- **単語アプリをいれる**
- **すぐに聞けるアプリを入れる**
- **暗記する英作文のカード**

いろいろやって合格した英検1級。今はあの時より加速できてないけど、やれることからやっていこう。

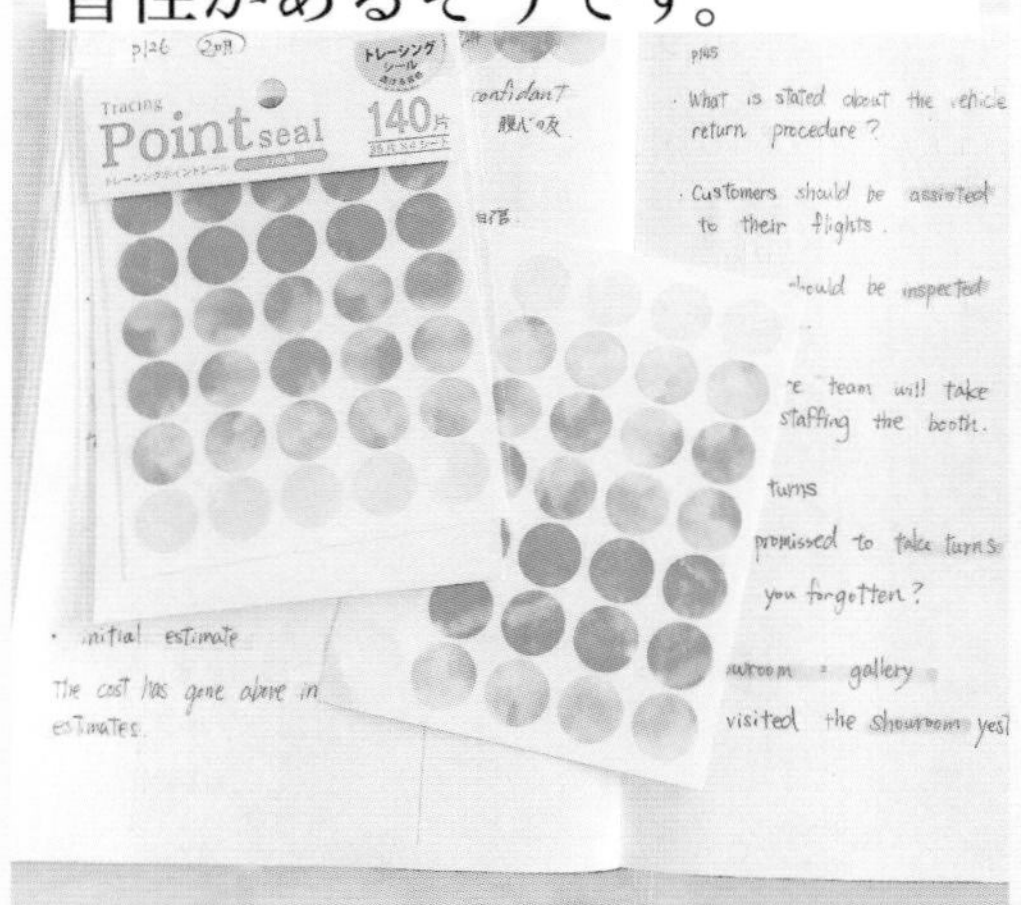

人間は空いている○があると
思わず書き込みたくなる
習性があるそうです。
Tracing
Point seal
トレーシング
シール
140片

ボーっとするところに付箋
好きな付箋に
書き出すのは結構良き
@piopio.study

## より効果的な時間の使い方を意識したい

今後はもっとワークライフバランスを叶える勉強術を身につけていくことを目指しています。

社会人になってから、自分の挑戦したいことが増えてきました。その反面、家族などにも時間を作る必要も出てきたので、より効率的な勉強術が必要になってきました。日々楽しみつつできる時間の使い方なども意識しながら勉強方法を模索している最中です。

そしていずれフリーランスになることも視野に入れて、英語力を高めていこうと思っています。他にもデザインやマーケティングも気になっていて、新しいことを学ぶのは、大変なこともありますが、自分のできることにつながっていくのでワクワクします。時には、「なんでも挑戦して欲張りすぎなのかもしれない」と思うときもあります。それでも、私にとって大切なものなので、どれも諦めずに地道に1ミリでも進もうと思っています。

さらに、夢を実現させている方の多くは日記を書いていらっしゃるので、私もダイアリーノートを取り入れたいと思っています。また、AIが出てきたので、デジタルツールの使い方もAIを使用しながらより効率的な勉強術や仕事術を引き続き模索していきたいです。

04

Instagram

# 勉強を習慣化して成長につなげたい

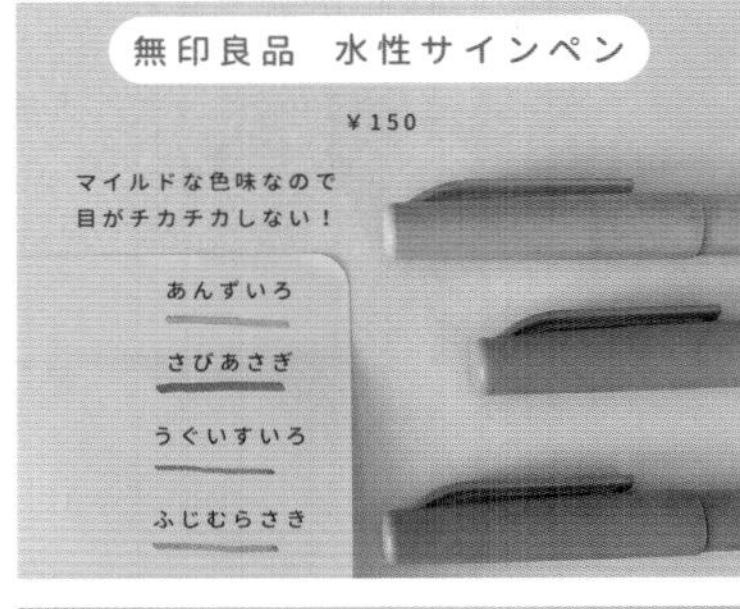
無印良品　水性サインペン
¥150
マイルドな色味なので
目がチカチカしない！
あんずいろ
さびあさぎ
うぐいすいろ
ふじむらさき

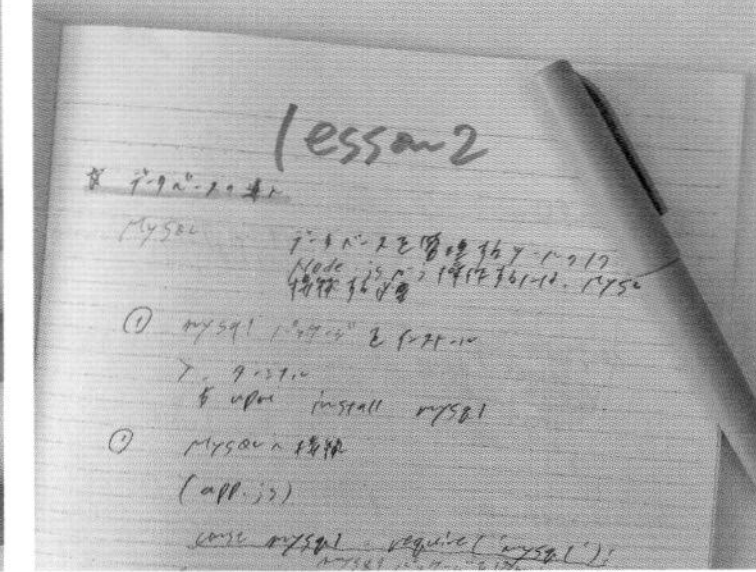

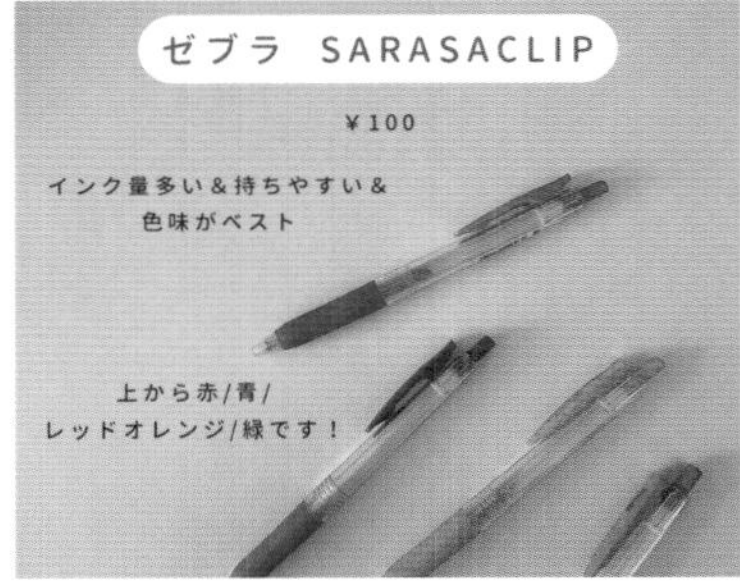
ゼブラ　SARASACLIP
¥100
インク量多い＆持ちやすい＆
色味がベスト
上から赤/青/
レッドオレンジ/緑です！

「勉強を習慣化したい」「勉強を楽しくしたい」「勉強を自分の成長につなげたい」という思いを叶えるために発信をしています。

**ふっか**さん

Instagram @fukka._benkyo
社会人の勉強習慣化

20代。東京在住。IT企業でエンジニアとして勤務。2022年の夏頃からInstagramで勉強習慣化について発信。現在は1.9万人のフォロワーがおり、その影響力を活かして、宣言＆見張りの効果で勉強を習慣化させるサービス「勉強習慣コーチング」を運営。

## 使っているノートは3種類

3種類のノートを使用しています。

1　**KOKUYOのソフトリングのA4 Campusノート**……1日のやることリストや個人的に引き受けている仕事のMTGメモ、自身の夢ややりたいことを深ぼる際に使用しています。

2　**KOKUYOのA4 Campusノート**（テープ綴じのものです）……毎日の日記を書く際に使用しています。

3　**KOKUYOのソフトリングのB5 Campusノート**……仕事の際、スケジュールを書いたり、仕事で気づいたこと、学びのメモに使っています。

## 手書きは思考を深掘りしたいときに

手書きとデジタル両方を使い分けていま

## 01

**勉強時間が2倍になった。社会人の勉強時間の作り方。**

**①朝5時に起きて勉強。**朝は絶対に予定が入ることがないので勉強時間を確保できる。夜更かししてダラダラすることもなくなる。**②何にどれだけ時間を使っているか把握する。**1日を振り返ったときに、「あれ、今日体感2時間分しか動いてないんですけど？」みたいなことを防ぐ。無駄な時間を可視化しよう。**③帰宅後1時間で家事を済ませる。**とにかくスピード命！　帰宅してからどれだけ早くデスクに向かえるかでやる気と集中が全然違う。**④時間の使い方を評価する。**時間の使い方の良し悪しを振り返る。**⑤毎日やるタスクをルーティン化。**簿記・FPを毎日勉強していますが、簿記→FPの流れをルーティン化するとどちらも勉強できるようになるし集中力も続きやすい。

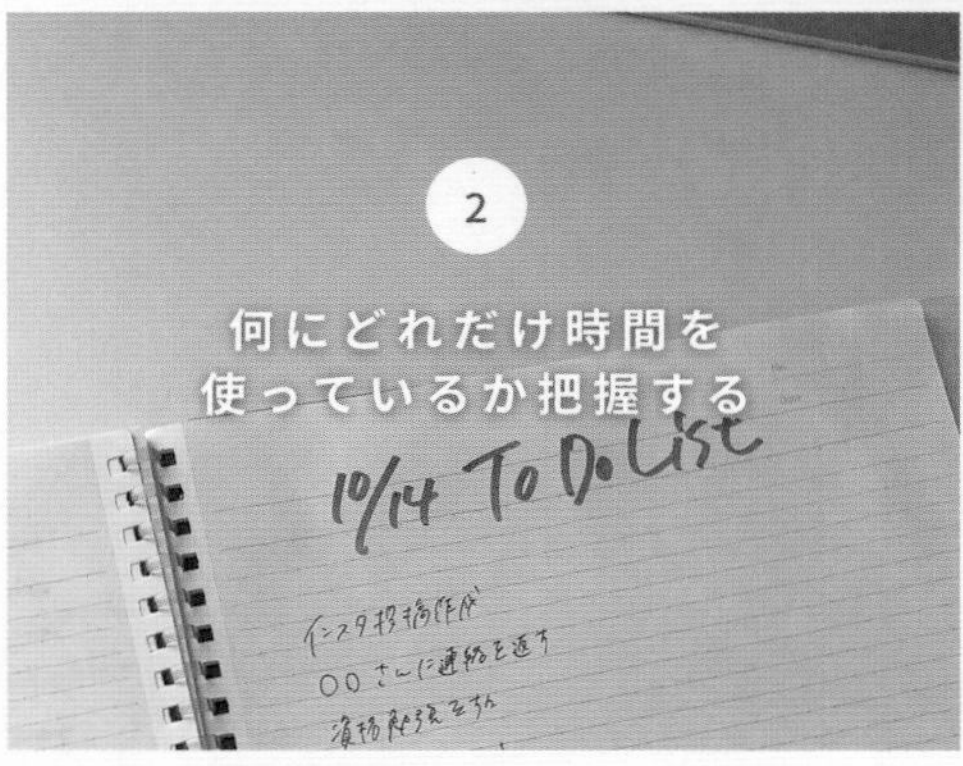

2
何にどれだけ時間を
使っているか把握する
10/14 To Do List

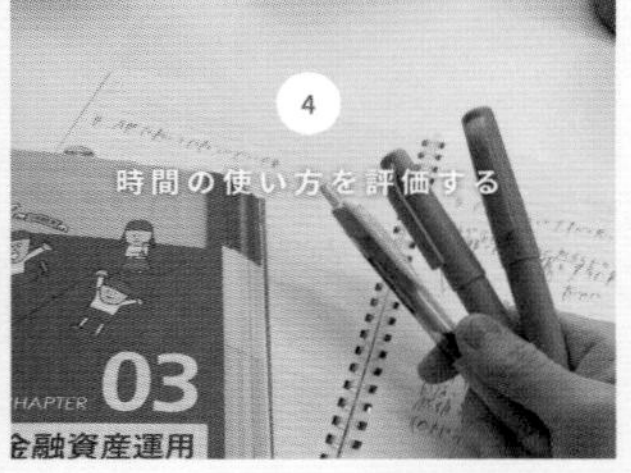


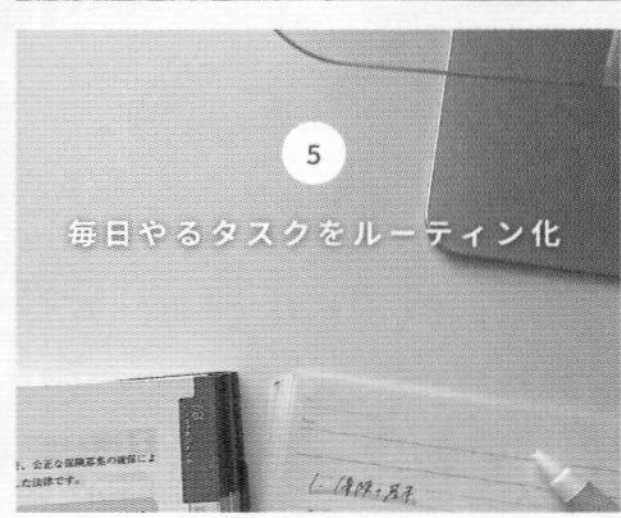


## 02

**私が思う勉強が続かない人の特徴。①できないことに言い訳をつける。②モチベ上がるだけで行動が伴っていない。**そのほか、計画が立っていない。SNS見すぎ。覚悟が足りてない。勉強が続かないことに慣れてしまっている。今いる勉強できない環境を変えてください。

11:38
1
出来ないことに言い訳をつける


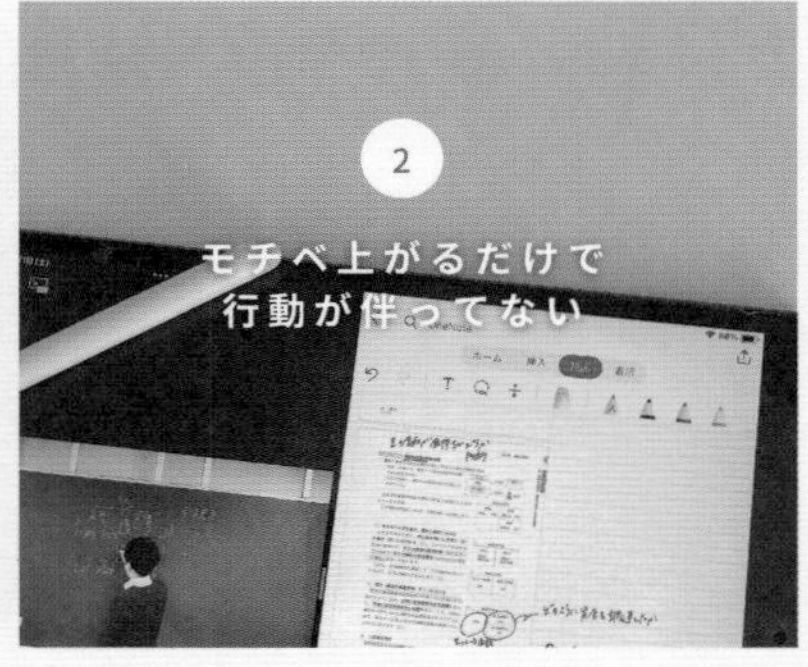

2
モチベ上がるだけで
行動が伴ってない

2
好きな飲み物を用意する

3
時間を区切ってタスクする


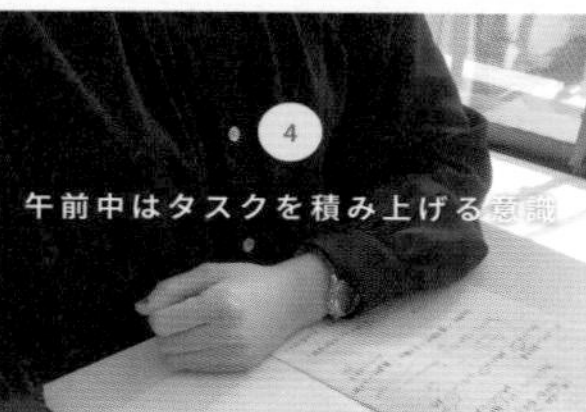

4
午前中はタスクを積み上げる意識


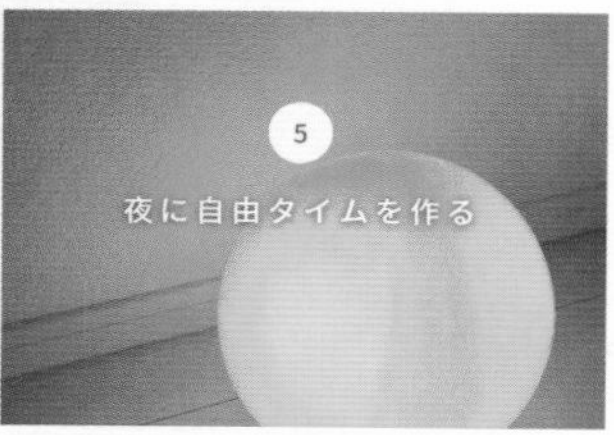

**家勉強のマイルール。**

**①机の上・部屋は整理する。**勉強中無駄なものに集中力を奪われなくて済む。5分もあれば片付くのでやってみて。**②好きな飲み物を用意する。**勉強時間の切り替えをするために。好きな飲み物を飲めるので勉強開始に対してプラスのイメージをつけられる。**③時間を区切ってタスクする。**終わりが見えない中やり続けない。**④午前中はタスクを積み上げる意識。**午前の満足度で1日の満足度が決まる。なのでなるべく集中時間を積み重ねられるように。**⑤夜に自由タイムを作る。**「夜は好きなことするぞ」と決めるとメリハリがついて日中集中できる。我慢しないで、夜は本当に好きなことをして過ごす。

すが、手書きは、例えば日記を書く際、その日の内容や自分の思考を深掘りしたいときに使用します。

デジタルだとどうしても思考が制限されてしまい、ある経験から得られる学びを抽出しきれない感覚があります。

また、思考を制限せず、思いつくままにインスタグラムの投稿アイデアや自分の叶えたいことを書き出したいときは手書きです。

一方、家計簿や習慣化トラッカーなど1ヶ月ごと、年ごとに全体のデータを俯瞰したいものを、Notionというアプリに記録しています。

すぐに見返せるようにしておきたいもの（1週間の振り返り等）もNotionに記録して、自分の成長をわかりやすく感じられるようにしています。

## 記録することで日々の学びが蓄積できる

勉強においての目標は、日ベースでは、限られた時間で、いかに集中力を最大化し、計画通り勉強できるかです。その先には現在勉強中の簿記3級合格、FP3級合格があります。

仕事においては、上司のように人望を集められる人になりたいです。まだ新卒1年目ということもあり、責任やできることが少ないです。人望あふれる人間になるために、業務知識を身につけたり、スキルとし

## 04

**計画通りに勉強を進める方法。**
**①休憩時間をなるべく作らない。②勉強時間を固定しておく。** 空いた時間に勉強しようとするとなかなか習慣化されない。**③スケジュールに余白も作る。** 詰めすぎると高確率で後ろ倒れになって自暴自棄になりがち。**④15分でも勉強出来るという考えを当たり前にする。** 1時間とかまとめて勉強したいところだけれど、15分でも十分。習慣化には、やった時間じゃなくて頻度が大切。**⑤一日の流れを頭の中で思い返す。** 一度頭の中で思い返すだけでもその通りに過ごそうという意識が働く。

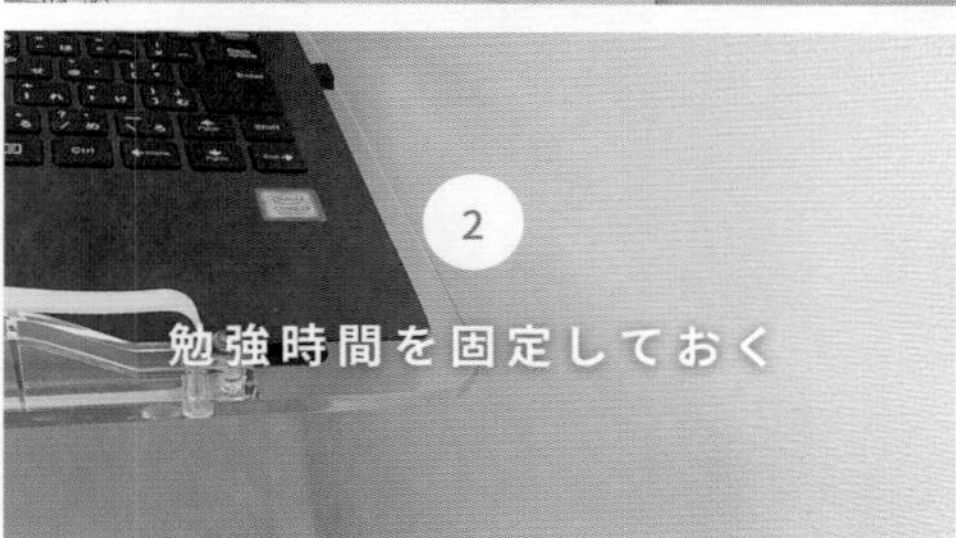

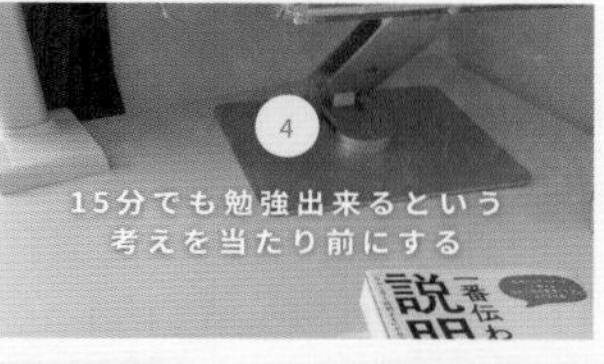


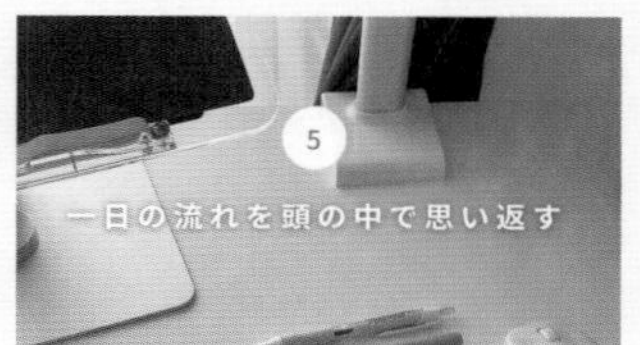

## 05

**継続力を鍛える方法。**
**①生活習慣を記録する。**「継続できた」という経験が手軽に得られる。**②少しずつ始める。** いきなり1日1時間勉強はハードルが高すぎて続かない。毎日少しずつ。**③出来た自分を褒める。** 自分ができたことにも目を向けて、毎日自分を褒める。自分の小さな変化もわかって、継続が楽しくなる。**④継続できた感情を日記に書く。** 何にチャレンジして、その効果はどうだったのか、その時の気分はどうだったのかを日記として書く。**⑤ルーティンを決めて毎日過ごす。** 毎日自分の決めたルーティンをこなすと自分継続できてるじゃん！とふとしたときに気づく（笑）。ルーティンをこなすと自己肯定感も上がる。

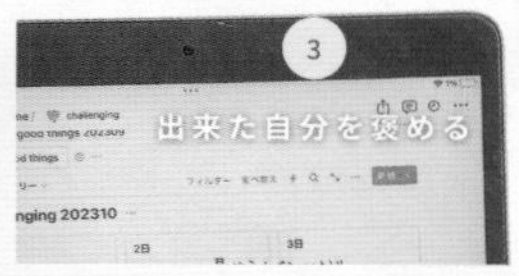

4
essential;
継続出来た感情を日記に書く

1
毎朝理想の過ごし方を書き出す


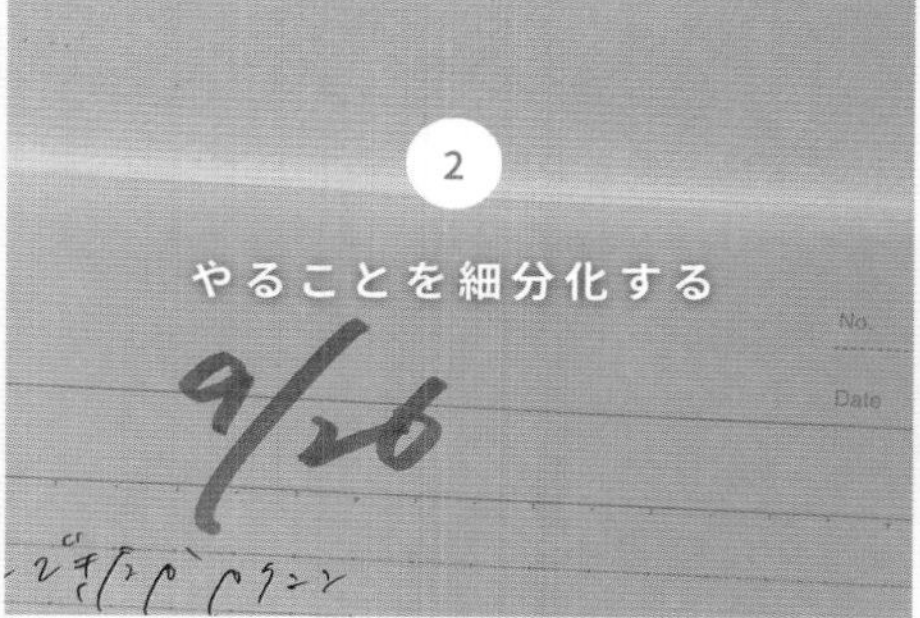

2
やることを細分化する
9/26

**①毎朝理想の過ごし方を書き出す。**毎朝、昨日の時間の使い方を振り返って、今日はこういう風に過ごしたい！という理想を書き出す。②**やることを細分化する。**とにかく細かく。1つが30分で終わるくらいの細かさで。手を付ける障壁が限りなく減る。③**早く終わりそうなものから手を付ける。**小さなタスク完了を積み重ねて勢いを付けたいから。④**朝にすべてを終わらせる意識。**朝の生産性は夜の2倍ある。だから朝にすべてのタスクを終わらせることを意識（終わらん）。⑤**作業時間を計測する。**実際にかかった時間はあまり意識してない。時間制限というゴールを設けて、その時間は集中することが重要。

てできることを増やしていきたいです。これらを実現するには、日々自分が課題に感じていることをスルーせず、毎日少しずつ改善していくことが大事だと思います。

ノートに記録することで、日々の学びを蓄積させて、翌日のアクションに活かせるようにしています。

小さな改善が積み重なれば、やがて大きな成果や自信になると思って、ノートへの記録を継続しています！

## ノートやメモが役に立っています

ノートやメモが役に立ってくれたことは本当にたくさんありますが、

**①やりたいことを書き出すことで、そのやりたいことを実現するには何が必要か？どんな行動を起こしていけばよいか？という疑問が生まれ、さらにそれを深掘りすることで、実際のアクションに移すことができました。**

ノートに書かなかったら、ぼんやり「こんなことやりたいな」という思考で止まっていましたね。

**②理想の社会人像に近づけた。**

自分の言動で直すべきところ、尊敬できる上司の真似したい点など学びや気づきをメモすることで、翌日の改善につなげることができました。その改善を積み重ねることで、少しずつ理想の社会人像に近づいています。

## 07

**集中力が爆上りしたお部屋。**

部屋に出ているのは布団と作業机だけ。めっちゃ物がない。ほとんど白で統一させました。デスクにあるのは時計、飲み物、ディフューザー、パソコンスタンド。お気に入りで囲んでます。最近本は積読ぎみです。情報系、お金の勉強のテキストも。服の色は白か黒に絞って、多く持たないようにしています。

**③言語化能力や課題解決力が高まった。**

①と関連しますが、頭で考えているだけでは漠然としていた自分の感情や考えを、ノートに書くことでクリア（言語化）にすることができます。また、誰かと話したり、説明をする際、自分の伝えたいことに対して適切かつ具体的な言葉で話せるようになりました。

言語化能力や語彙が鍛えられれば、課題に対してどのようなアクションを起こしていけばよいか具体的に考えられるようになるし、アクションが具体的であるほど、行動も起こしやすくなる。よって課題解決力が高まったと感じています。

### 今後はOneNoteを活用したい

OneNote（iPadで使用）は活用していきたいなと思っています。アナログの手書きで書ける良さと、デジタルのデータとして蓄積できる良さを兼ね備えているので、とても便利だなと感じています。

05

Instagram

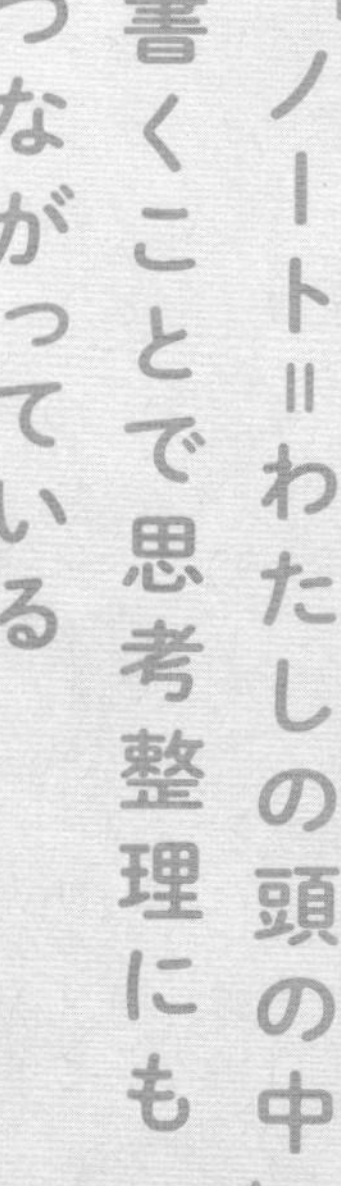

# 「ノート＝わたしの頭の中」書くことで思考整理にもつながっている

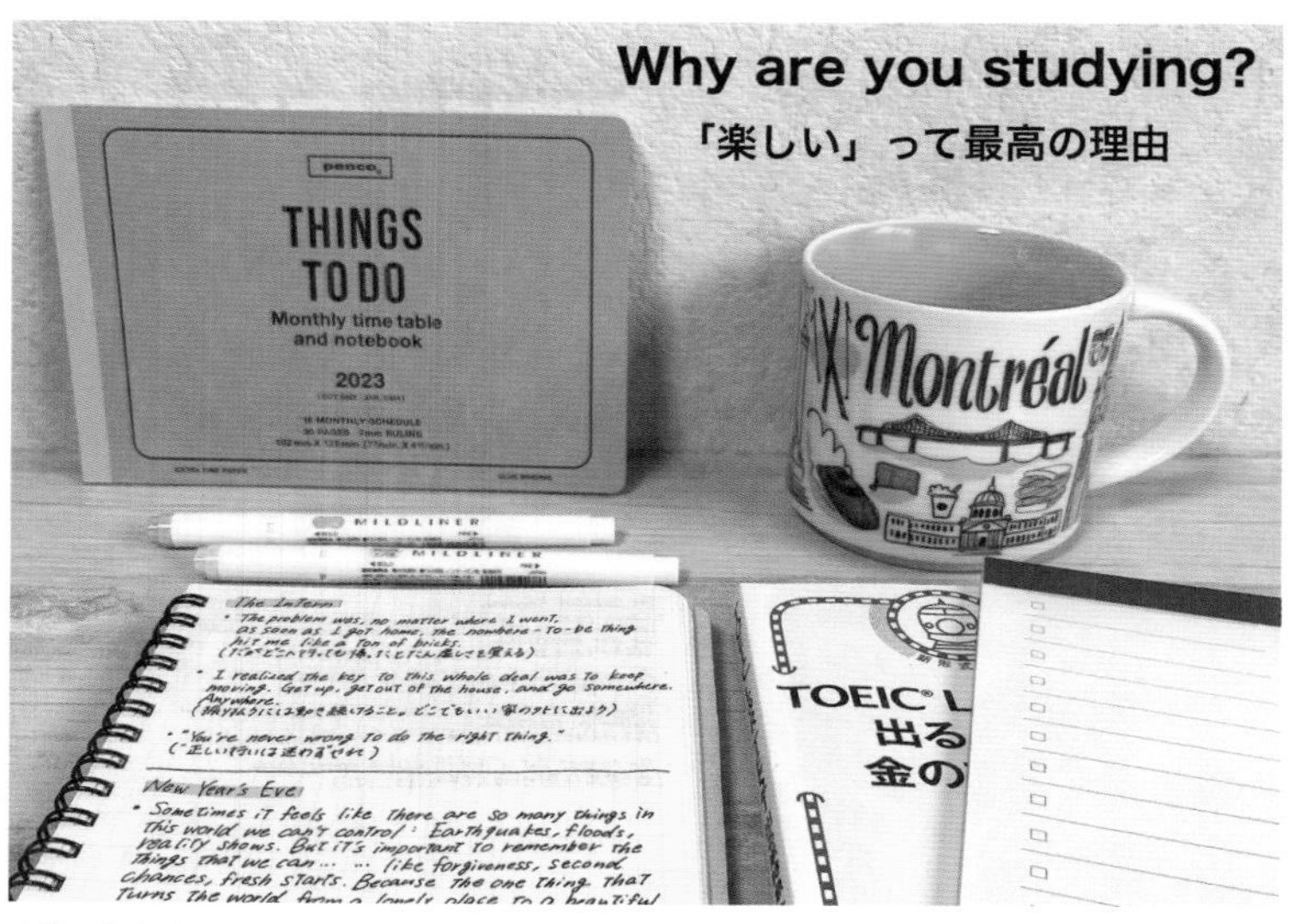


大学の勉強をしていると改めて実感する「英語」の楽しさ。経済、商業の知識も必要だし楽しい！と思うところもあるけれど…英語には敵いません。誰に強制されているわけでもないし、気づけば英語に触れている。勉強した分だけ知らない世界を知れた気がしてワクワクします。英語や海外が好きな方ならわかってくれるはず…。ゆるーくTOEICの勉強再開しよう。早く900超えてしまいたいよ。楽しいから勉強してるって、最高の理由。

**Kumiko**さん

Instagram @k_.stugrammm

宮城県出身。20代。新卒から現在に至るまで大好きな英語を使う業務に多く携わる。お気に入りの場所は、社会人になって留学場所に選んだハワイ。好きな文房具店はSmith。休日はカフェで勉強や作業をしたり、旅行計画を立てるのが好き。Instagramを通して「大人が楽しく学ぶ日々」を発信中。

## ルーズリーフとノートを使い分け

勉強で使うものはA5サイズのルーズリーフを使うことが多いです。持ち運びしやすく、勉強する科目が多いので自分好みにファイルに綴じることができて気に入ってます。また、思考整理やまとめたりするときは自分の気分が上がるメモやノートをデザイン性重視で購入しています。

## わたしにとっての勉強

勉強熱心な祖父の影響で勉強は昔から好きでした。一時期離れることもありましたが、10代後半で英語の勉強を本格的に始め、「語学を学ぶ楽しさ」に出会いました。英語を勉強するようになり、出会う人や価値観が広がり自分自身の成長に繋がったと感じています。

## 01

お決まりのカフェで勉強する土曜日。このスタイルに慣れてきて土日どちらかは外で勉強して気分転換です。わたしの受験経験は高校受験で止まってます…！　でも進学校だったからめちゃくちゃ勉強したんです。それもまたいい思い出です。

一番苦手なのは暗記。計算や問題解く方がスキ…。それでもやらなきゃ！のときは、いかに楽しくできるかを重視していました。わたし的「これ、結構効果あった！」という暗記方法。**【メモや付箋で意味合わせ】**2種類のメモか付箋を用意。付箋1に英単語。付箋2に日本語訳。あとは付箋1、2がセットになるようにゲーム感覚で組み合わせていきます。ツラいことはできるだけ「楽しく」こなせるように。

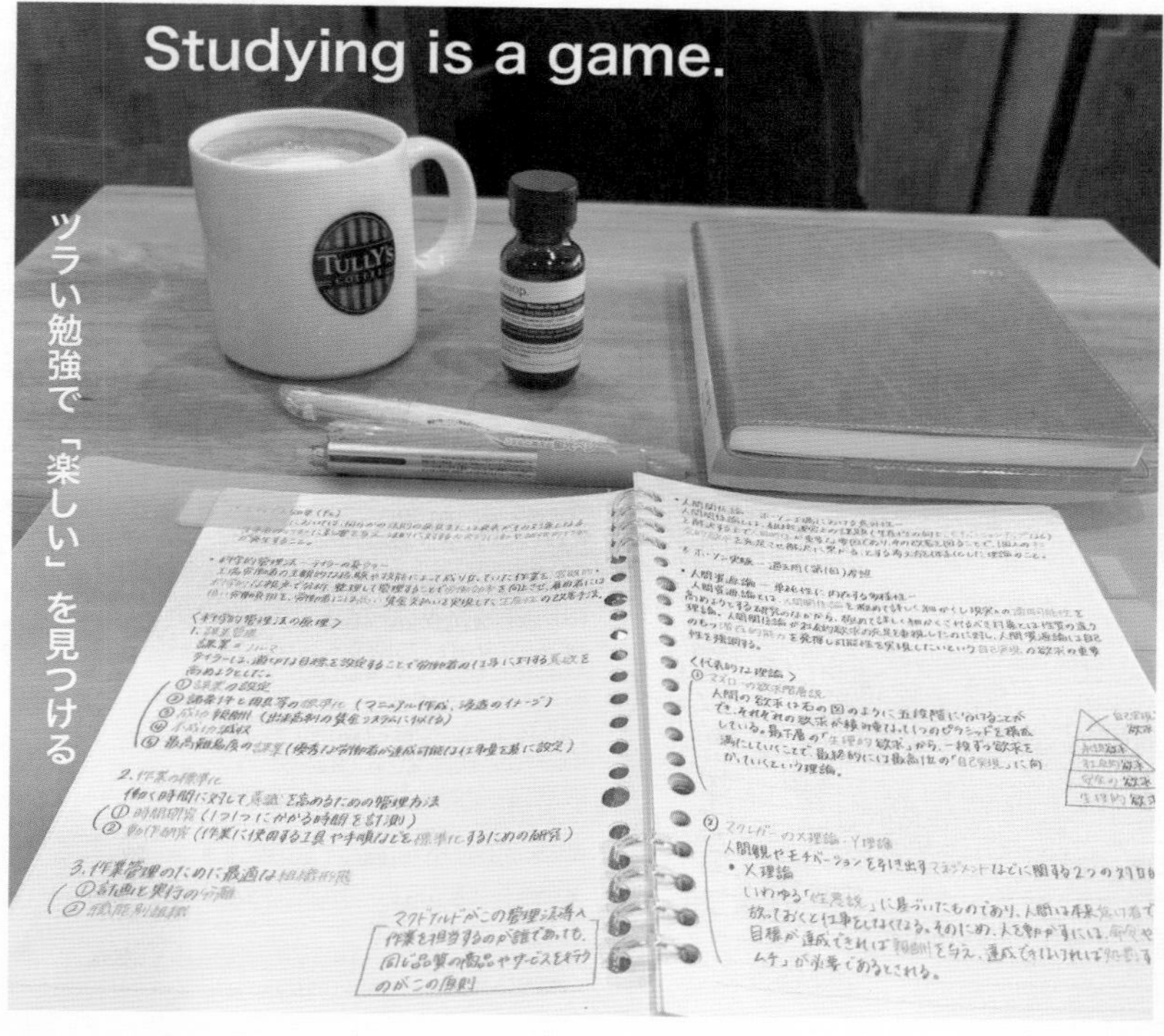

Studying is a game.
ツラい勉強で「楽しい」を見つける

## 02

「行動力」が身についてきたら一緒に高めたい「実行力」。実行力を身につけると成果に結びつきます。

How did it turn out?
行動の仕方を変えてみる

1. 期限を決めて取り組む
2. 取り組んだ結果を振り返り、記録
3. 次に活かせること、反省点を挙げる

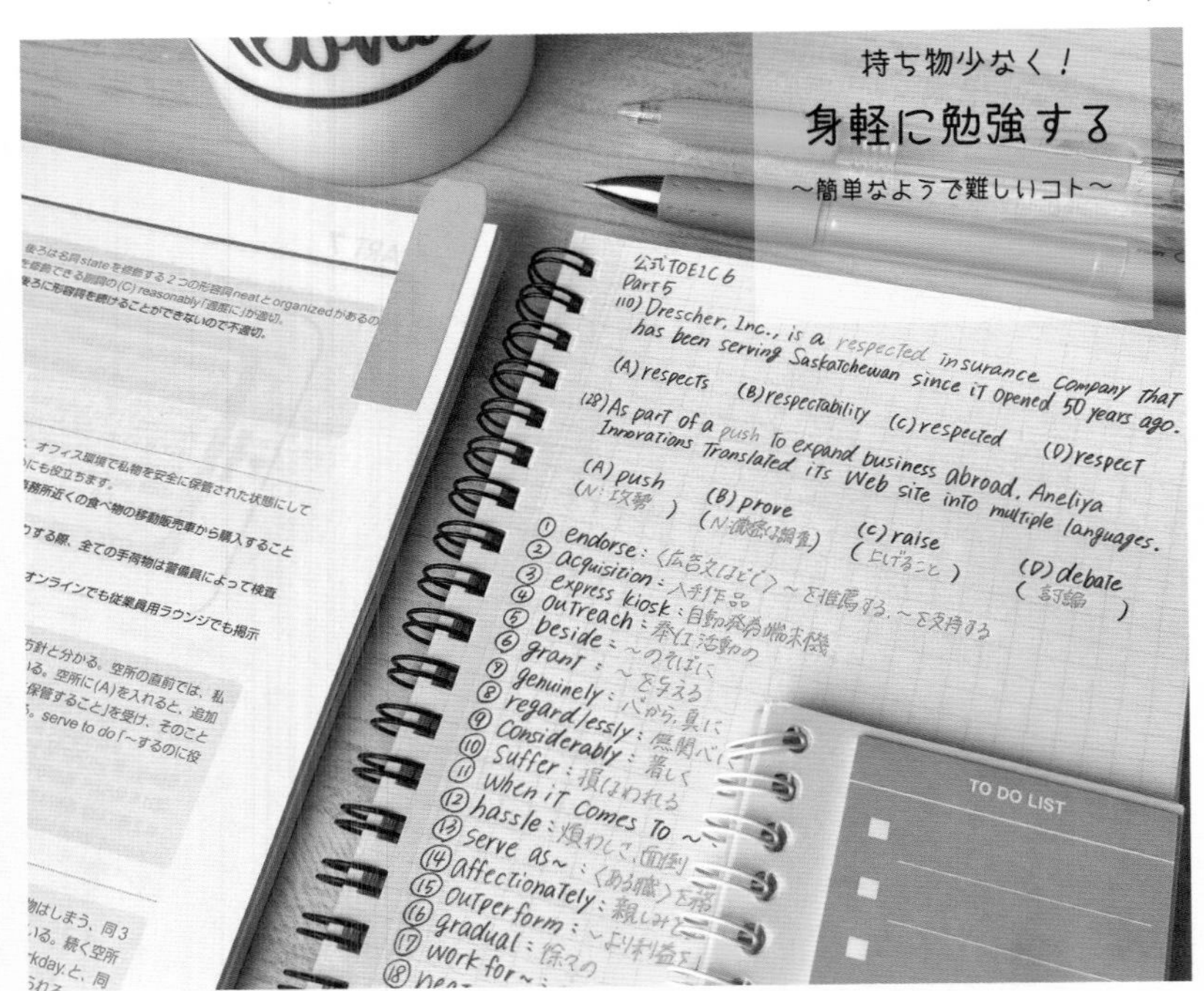


持ち物少なく！

# 身軽に勉強する

～簡単なようで難しいコト～

「なんか効率良くないな…」「勉強量の割に結果が出ない」そんなときに意識していること。昔はペンをたくさん持ち歩き、ノートもいろいろ分けていたけれど、荷物が多くて肩が痛くなるし、TO DOが多いとやる気がなくなる。「それならいっそ、減らしちゃおう！」ノート1冊（またはiPad）、テキスト、ペンケース、付箋くらいの持ち物で身軽に勉強。コレが結構大事な気がします。

現在は、新たな挑戦として働きながら大学に通っています。

勉強や仕事に追われる毎日ですが、大人になってからの学びは仕事やプライベートに直結するものが多く充実しています。

これからも「楽しく」学ぶことを第一に、より人生を豊かにするためにも学び続けていきたいです。

現在は自分の好きな「英語」を使って仕事をしています。英語を使って仕事をするなんて、10代の私には想像もつかなかったと思います。

学んできたことを仕事で活かせて、またそれが日々の勉強のモチベーションです。

仕事は生活するための手段と言えばその通りですが、自分の経験や努力が好きなことを通して誰かのためになっているということがとても幸せだと感じています。今後もさらに自分自身に磨きをかけて、常に向上心を持って行動していきたいです。

## わたしにとってのノート

「ノート＝私の頭の中」だと思ってます。

小さい頃から文字を書くことが好きでした。学生時代は授業で使うノートや友人との交換ノートを自分好みにアレンジするのが楽しかったです。現在は、自分自身の考えをまとめるためにも必ずノートを使用してます。勉強だけではなく、書くことで思考整理にも繋がっています。

## 04

少しでもラクに続ける。全てのコトを継続したいし、全部やりたい！　でもそんなことはムリなわけで。だから常に短期集中50%、長期継続50%で取り組んでいます。**●短期集中→**大学の勉強　**●長期継続→**英語学習
TOEICの勉強再開と同時にスタディープランナーを復活。

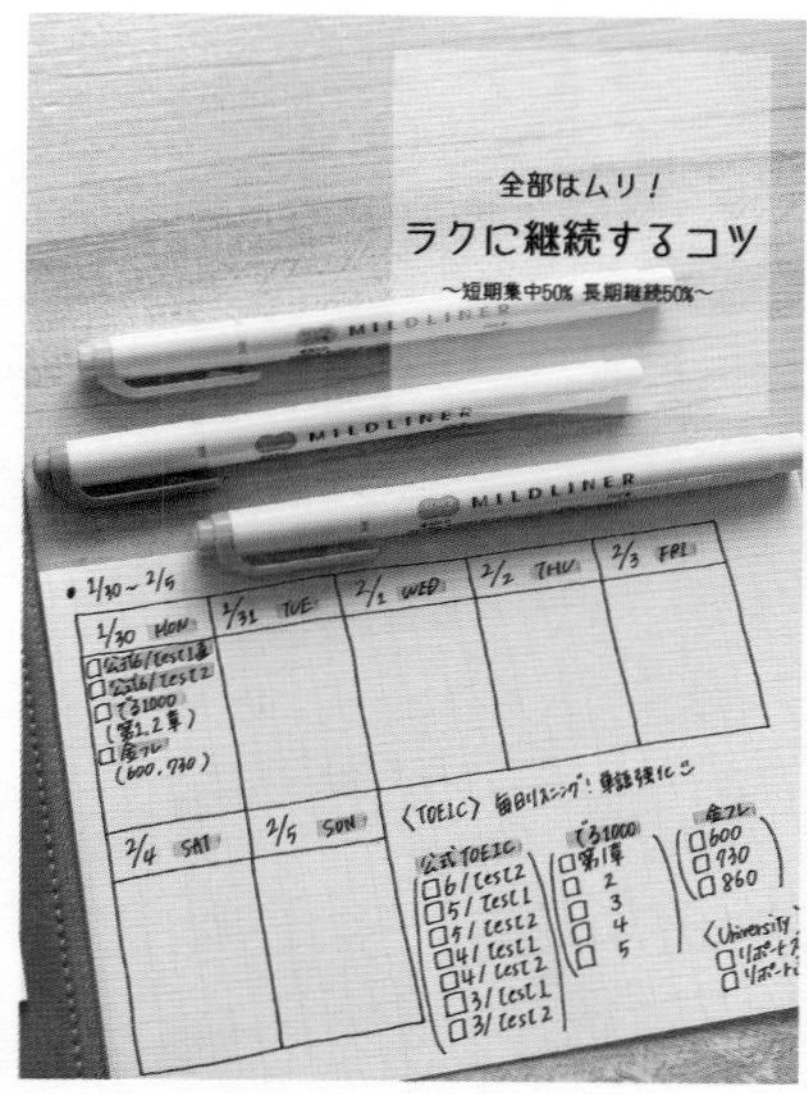


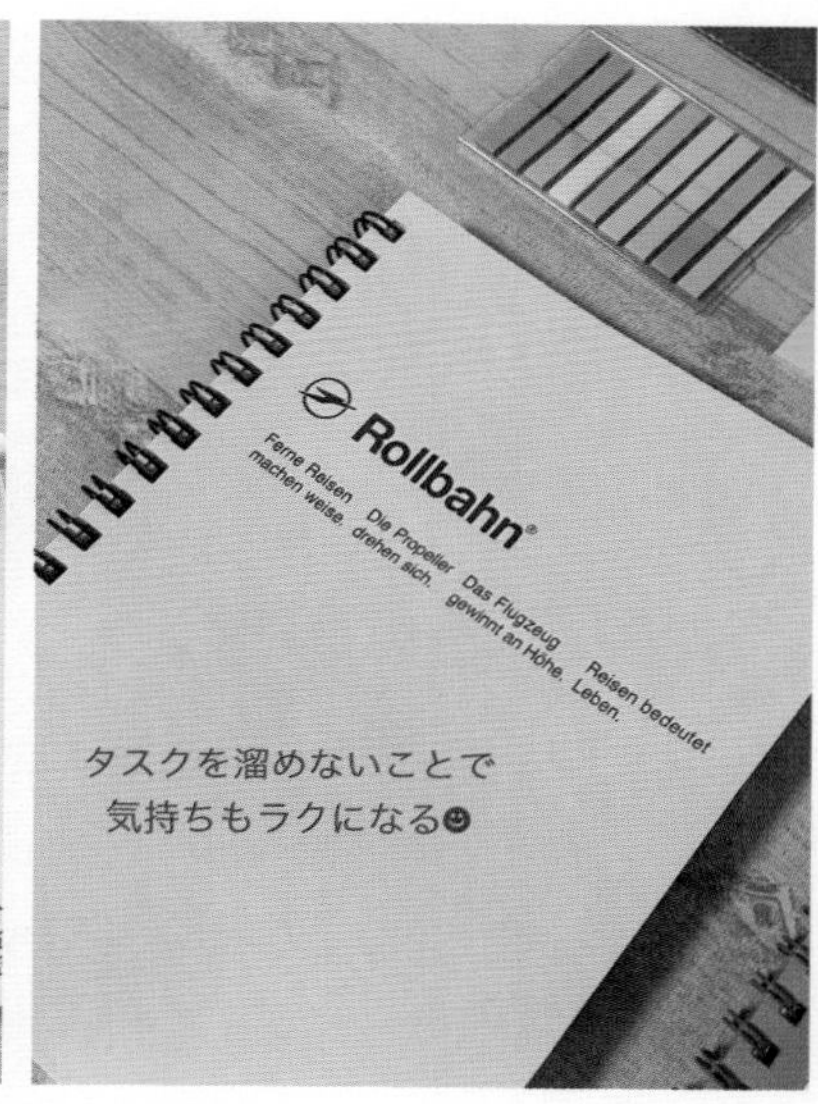


## 05

続けたから分かったこと。①ツラいのは最初の1週間　②同じ時間に取り組めば続けられる　③娯楽を組み合わせることが大切　④自信につながった　⑤続けるために必要なのは記録すること
今年から始めた「毎日筋トレかストレッチ！」も気づけば1ヶ月経ちました。終わった後に記録したいのと、運動しながら推しの動画を観てたら続けられていた…（笑）。

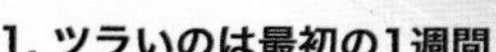

ここ数日勉強していなかったので今日は少し頑張る日！　最近、どうしても欲しい仕事にご縁があり英語で話す機会をいただきました。しかしボロボロで自分の英語力に落ち込み。準備も練習も頑張っていたので結構、いやだいぶショックで…。120％頑張った後の脱力感と悔しさ。でも良い経験でした！！　その仕事をいただけていたら、ほぼ外国人メンバーと私なので英語を聞くの必死で仕事どころではなくなりそう（笑）。アメリカ英語慣れしてるから、オーストラリアやイギリスの方と話すと分からないこともあり緊張。どの国の英語も聞き取れてこそ英語上級者だと思うのでそこ目指して引き続き頑張ります！

学生時代は「誰かと共有するためのノート」。現在は「私だけが使う自分のためのノート」。今後使い方が変わっても、自分色に染めることは変わらないと思います。

## 文字を書くことで得たこと

わたしが書くことで得たのは「文章力」と「計画性」だと思います。文字を書くと、自分の考えや、やらなければいけないことを「視覚化」することができます。

そのメモやノートを常に見える場所に置いたり、毎日見返すと目標達成に向けて一歩ずつ進んでることを実感します。

計画的に勉強や仕事を進めるために、勉強ではオリジナルのスタディープランナーを使い、仕事では紙のスケジュールに書き込んでます。

また、SNSの発信内容で意識しているのは「自分の言葉で表現する」ことです。スマホを使うと予測変換に頼ってしまうので、発信内容に行き詰まったときには文字を書くことで頭の中を整理してます。ここ数年「文章の書き方が好き」と褒めていただくこともあり、これは文字を書いていたおかげだと思ってます。

## 07

わたしは夏休みの宿題は70%くらいを最初に取り組んで、残りは夏休み終了前に焦ってやるタイプ。「また明日でいっか」「時間残ってるし、土日にまとめて！」なんていう甘い、あまーい気持ち…。

昨年まで明日でいっか！を繰り返していたけれど、仕事、大学、英語の勉強をこなすためにはタスクを明日に持ち越してたら増えていくばかり。朝起きてTO DOを確認することが憂鬱に。しかし！「30分あれば終わることなら今日中に取り組んでしまおうか」3日に一回くらいそう意識して行動することで確実にタスクをこなし、翌日はまた新しいことに取り組めてます。もちろん、睡眠優先の日もあるので数日に一回ペースで湧き出る気持ちです。

何冊にも分けてスケジュールやタスクを管理していた以前の私。正直に言います。続きませんでした。丁寧にノートを書いたり、まとめたり。スケジュールを細かく書くのだって憧れるのに、何度試しても続かない…。だから私は多くても2冊だけ。普段用と勉強用で手帳を使用してます。これは普段用のもの。

社会人の勉強垢が語る!
勉強を趣味にして変わったこと
THINGS TO DO


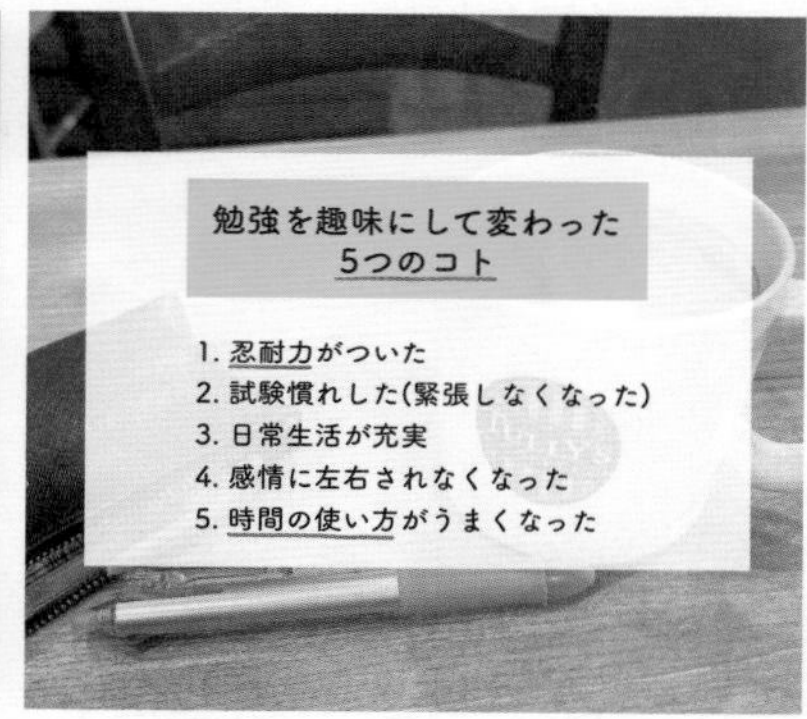

勉強を趣味にして変わった
5つのコト
1. 忍耐力がついた
2. 試験慣れした(緊張しなくなった)
3. 日常生活が充実
4. 感情に左右されなくなった
5. 時間の使い方がうまくなった


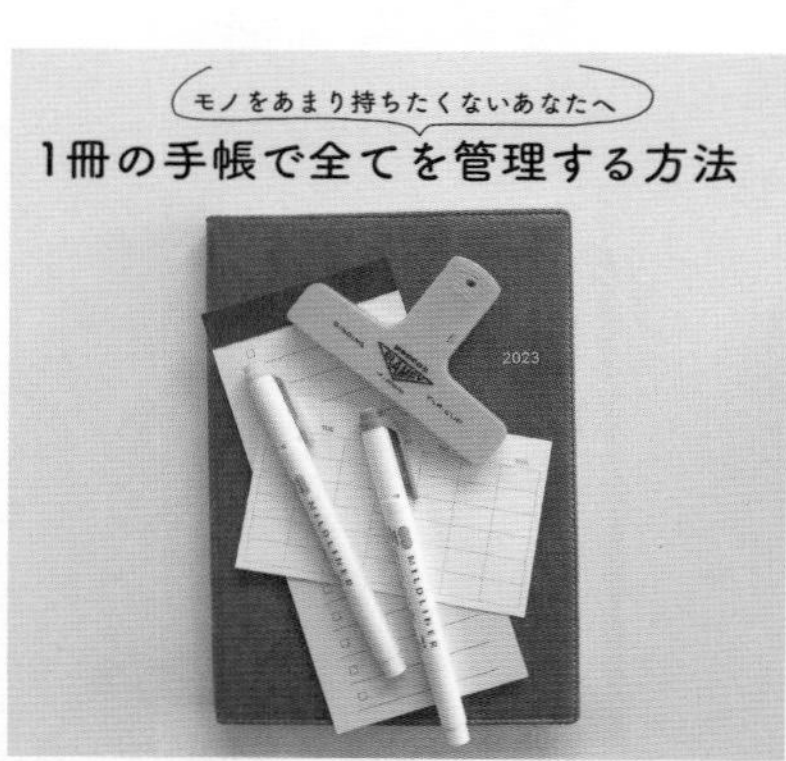

モノをあまり持ちたくないあなたへ
1冊の手帳で全てを管理する方法


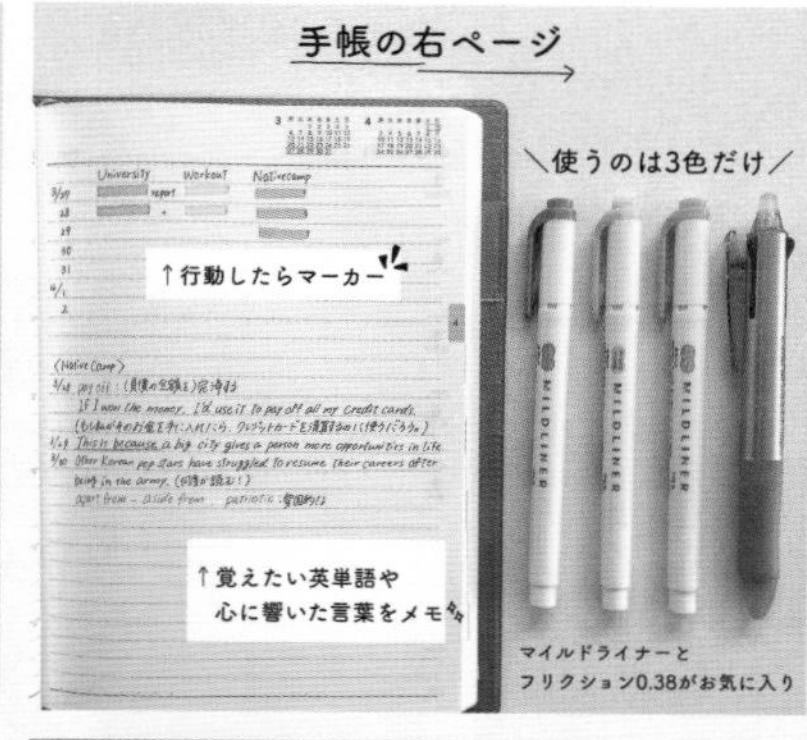


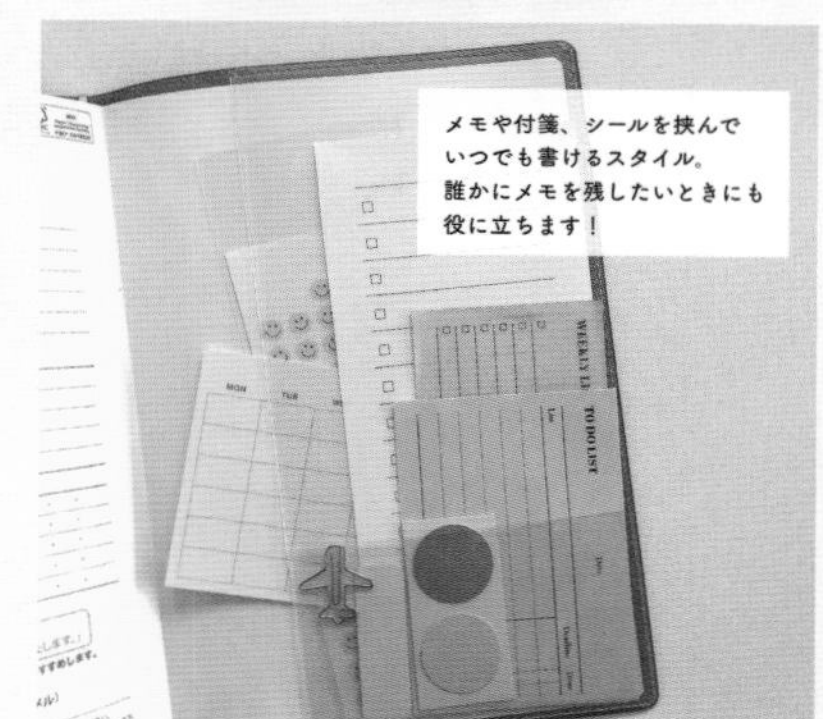

手帳の右ページ
使うのは3色だけ
↑行動したらマーカー
↑覚えたい英単語や
心に響いた言葉をメモ

フリクション0.38がお気に入り

メモや付箋、シールを挟んで
いつでも書けるスタイル。
誰かにメモを残したいときにも
役に立ちます！


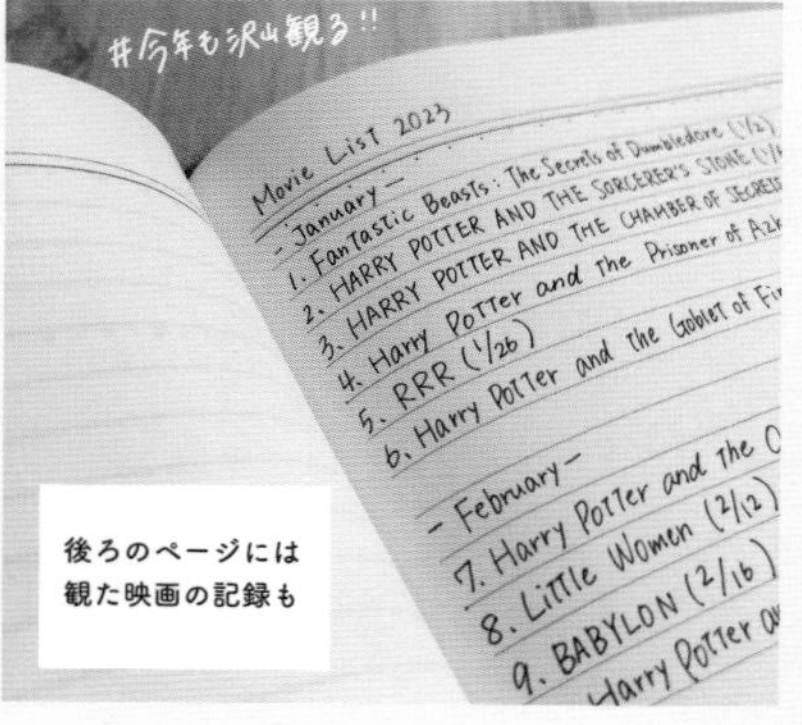

#今年も沢山観る!!
Movie List 2023
後ろのページには
観た映画の記録も

06

Instagram

# アナログとデジタルを上手く使い分けていきたい

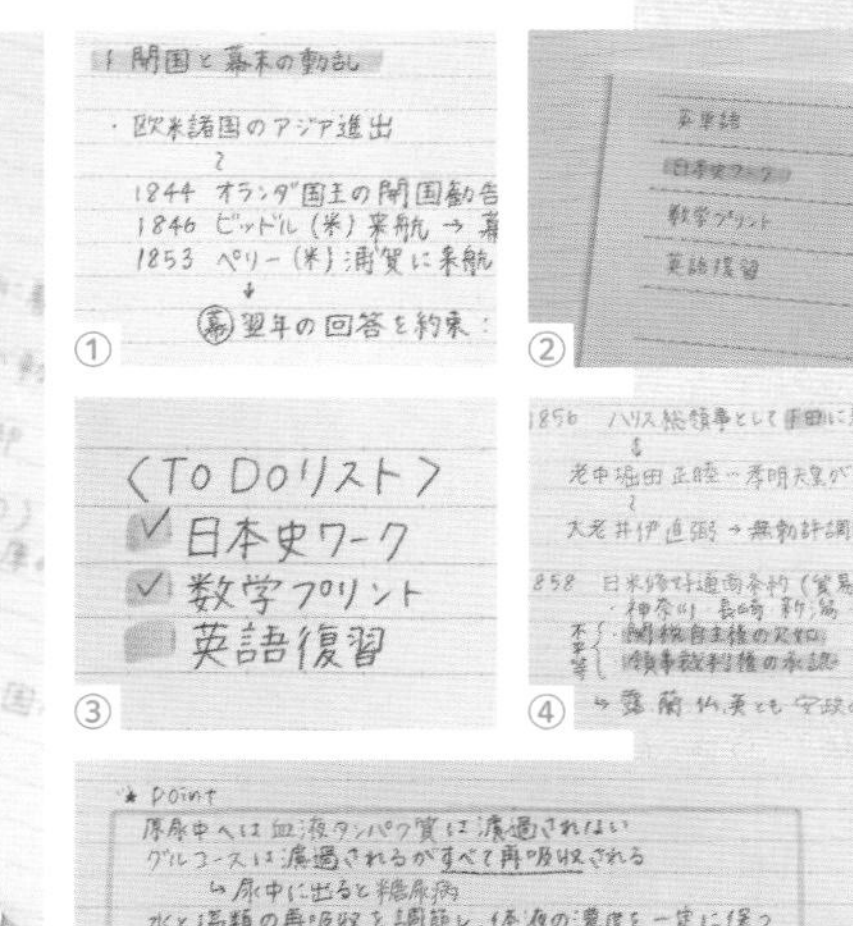

実は便利なグレーマーカー。①見出しやタイトルにグレーマーカーを引くと、ノートが見やすくなります。／②ToDoリストを消すときにシャーペンやボールペンを使うと文字が読めなくなってしまうのでグレーマーカーを使うのがおすすめ。／③ToDoリストのチェックボックスを作るとき、ちょっとグレーマーカーを引くだけ。／④少しだけ強調したいときも。赤やオレンジで書くほど重要じゃないけど少し目立たせたいときに使えます。／⑤ポイントや文法をグレーマーカーで囲むと枠を作れます。細い方を使うのがおすすめ。

## CampusノートとNotionアプリを使っています

中学生の頃からずっと基本的にCampusノートのB罫を使っています。大学生になってからはCampusのルーズリーフを使うことが増えました！　いろんな種類のノートがありますが、同じものを長く使っていくことで愛着が湧いてきます。Campusノートは表紙のデザインがたくさんあるので選ぶのも楽しいですよね！

デジタルツールが増えたこの時代だからこそ、アナログの手書きが好きです。手書きだからこその温もりを大切にしたいです。日頃感じたことや、ちょっとした出来事もノートに残しておきたいので、ノートにペンで書くというスタイルを続けていきたいと思っています！

でも効率良くたくさん書きたいときにはデジタルツールを使ってメモを取ることも

**Noca**さん

Instagram @noca._.428

東京在住の大学3年生。文房具や文字、勉強についての発信。おすすめの文房具の紹介やノートの活用法など。ガラスペンやシーリングスタンプの販売も行う。過去にMVの歌詞の文字やグッズロゴも担当。

## 01

①横型ノートが便利すぎる?!／②ロルバーン横型タイプを買ってみました！／③スリムだから狭いスペースでも使いやすい！／④おしゃれで目にやさしいクリーム色！／⑤私がいつも使ってる縦型Lサイズと比べるとこんな感じ！

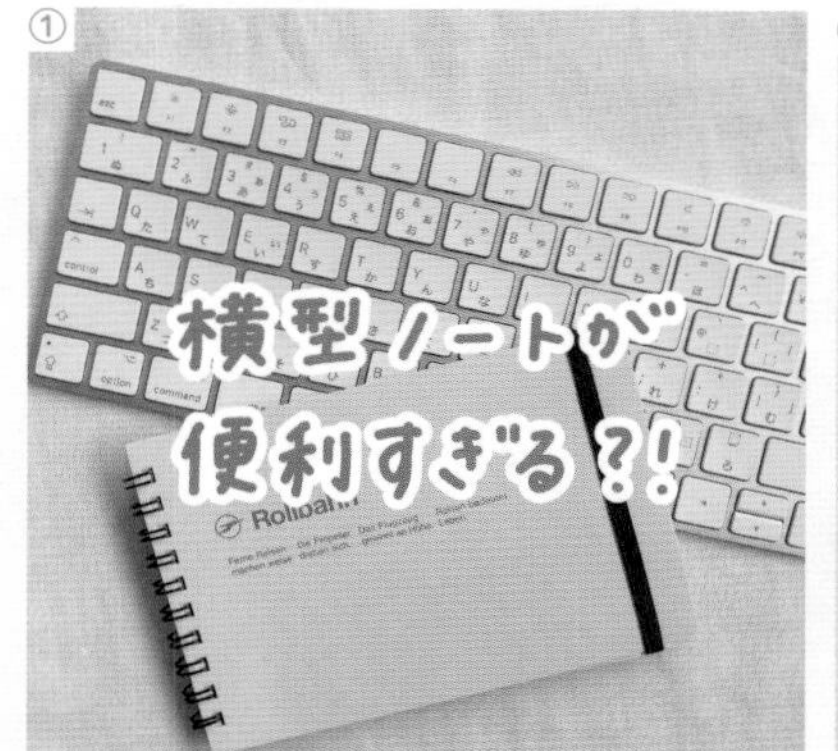

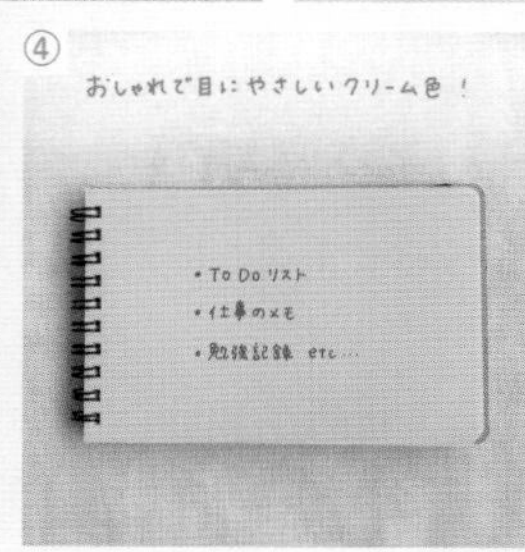

④
おしゃれで目にやさしいクリーム色！
• To Do リスト
• 仕事のメモ
• 勉強記録 etc…

よくあります。

デジタルではNotionというアプリを使っています。自分で細かくカスタマイズできるのが本当に便利で、整理しやすいです！かわいくアレンジしたり、テンプレを使ったりできて、勉強でも仕事でも愛用しています。

フォルダをたくさん分けられるのが私のイチオシポイントで、たくさんの内容があってもきれいにページを分けられるのでとても使いやすいです！

アナログとデジタルを上手く使い分けていきたいです。

### ノートに書くことでモチベーションアップ

ノートやTodoリスト、お気に入りの文房具を使って大学やお仕事の目標に向かって頑張っています！　スケジュールを決めて計画的にタスクをこなせるように心がけています。ノートに書くことで、モチベーションアップにもつながります！

ノートは、できるだけ細かいところまで書くことで理解が深まるのかなと思っています。中高生のときから授業ノートはとにかくたくさんの内容をわかりやすく書くということを意識していました。例えば先生が説明したちょっとした内容もメモすることで、理解力が深まり試験でも良い点数が取れました。

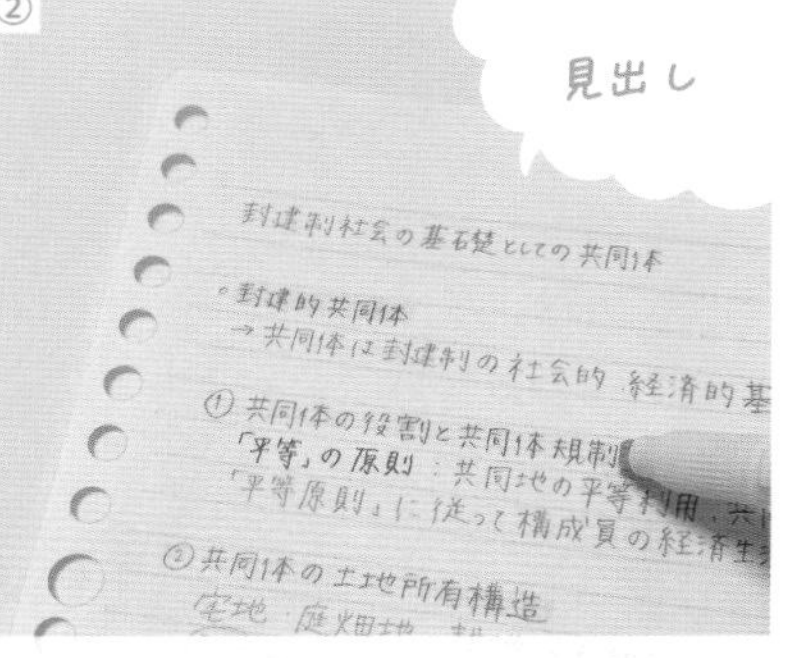


見出しにマーカーを引くと見やすいし、可愛いノートになる！

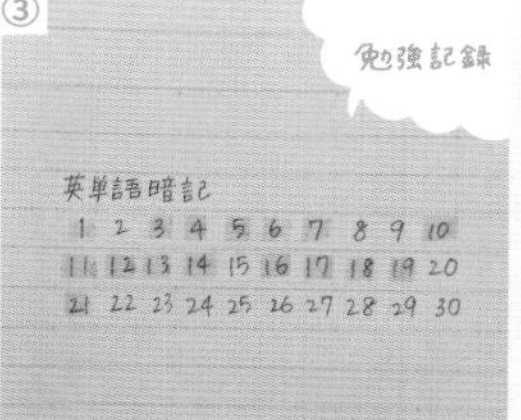

勉強記録
英単語暗記
1 2 3 4 5 6 7 8 9 10
11 12 13 14 15 16 17 18 19 20
21 22 23 24 25 26 27 28 29 30


簡単で見やすいから勉強記録をつけるのもおすすめ！

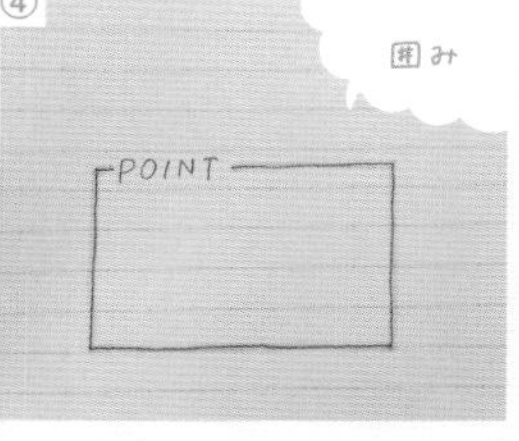


シャーペンで書いた上からマーカーでなぞるとかわいい！

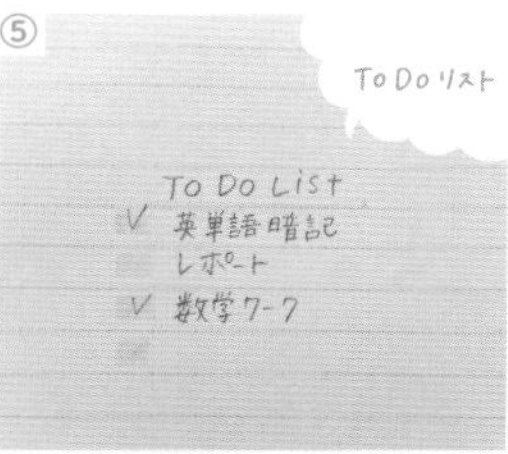

ToDoリスト
TO DO LIST
英単語暗記
レポート
数学ワーク


短くラインを引いてToDoリストのチェックBoxに！

## 02

①意外と使える！ マーカー活用法／②見出しにマーカーを引くと見やすいし、かわいいノートになる！／③簡単で見やすいから勉強記録をつけるのもおすすめ！／④囲み。シャーペンで書いた上からマーカーでなぞるとかわいい！／⑤短くラインを引いてToDoリストのチェックBoxに！

最近は頭の中でなんとなく考えていることもノートに書き出してみています。そうすることで頭の中が整理されたり、考えていたことを忘れることがないのでおすすめです♪

### かわいい文房具を選ぶのが楽しい

かわいい文房具や使いやすい文房具などたくさんの文房具があって、いろいろ使いたくなってしまいますが、私は自分が一番使いやすいと思うアイテムを長く使っています。

たくさんの文房具を持っていますが、普段愛用している文房具はある程度決まっていて、同じ文房具を何年も使い続けています。文房具好きの私が厳選したおすすめのアイテムをインスタグラムでご紹介しているのでぜひ見ていただきたいです。ネット購入もいいと思いますが、私は文房具は必ずお店で見て購入しています。お店で自分で見て選ぶのがワクワクするので、おすすめです♪

①充実した夏休みになる！　スタディプランナーの作り方／②左ページ／③右ページ／④勉強記録を付けるとモチベが上がる！／⑤マイルドライナーでチェックボックスを作るのおすすめ！／⑥マーカーの色は同系色にするとまとまって見える！／⑦次の日にやることとか目標も書くと継続して頑張れる。

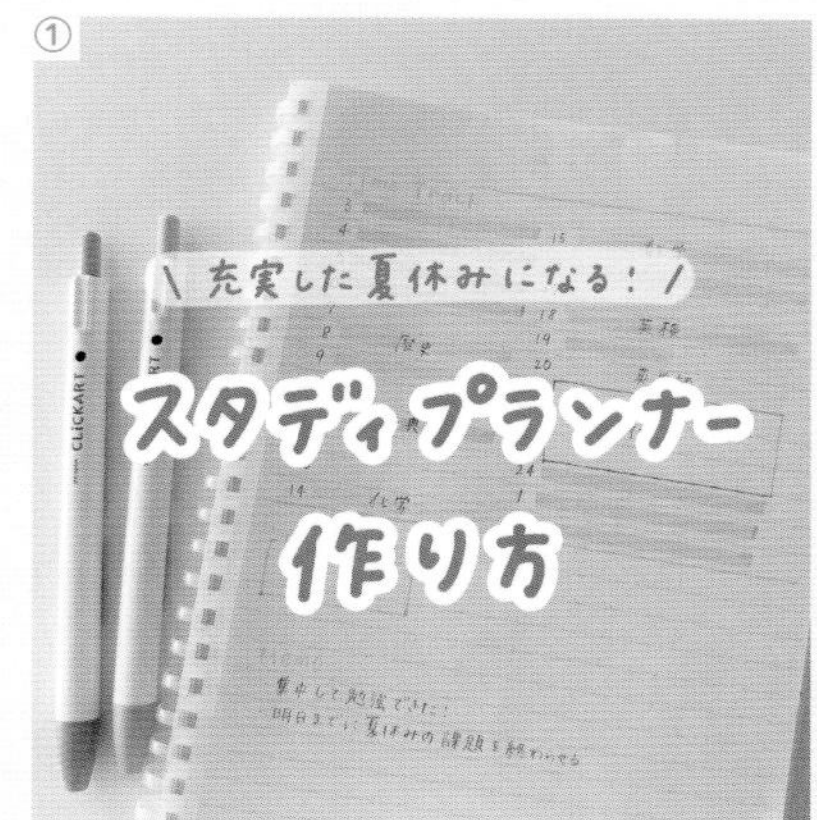


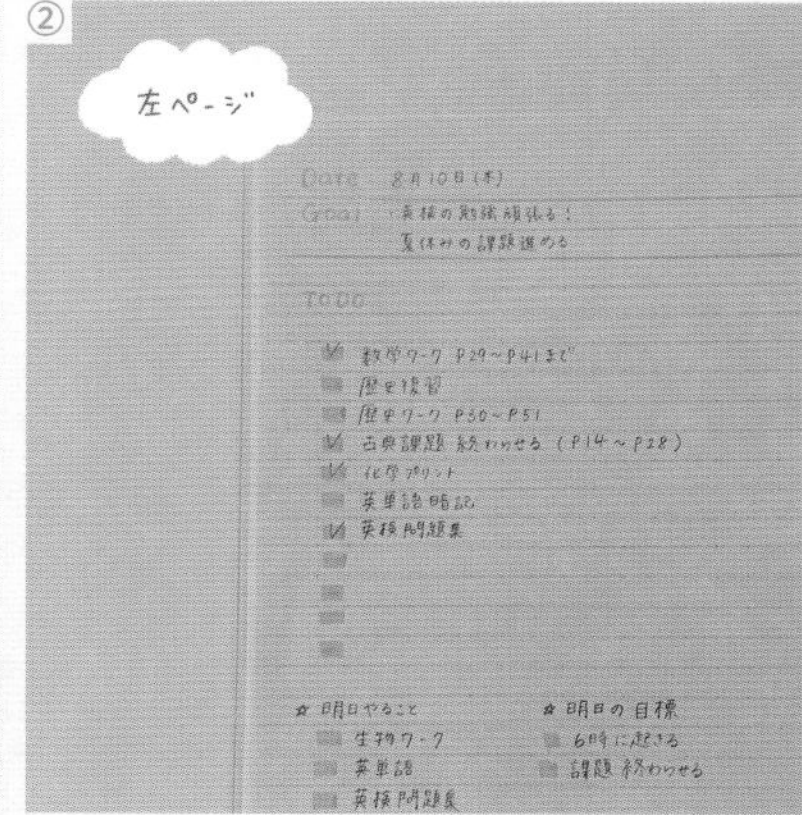


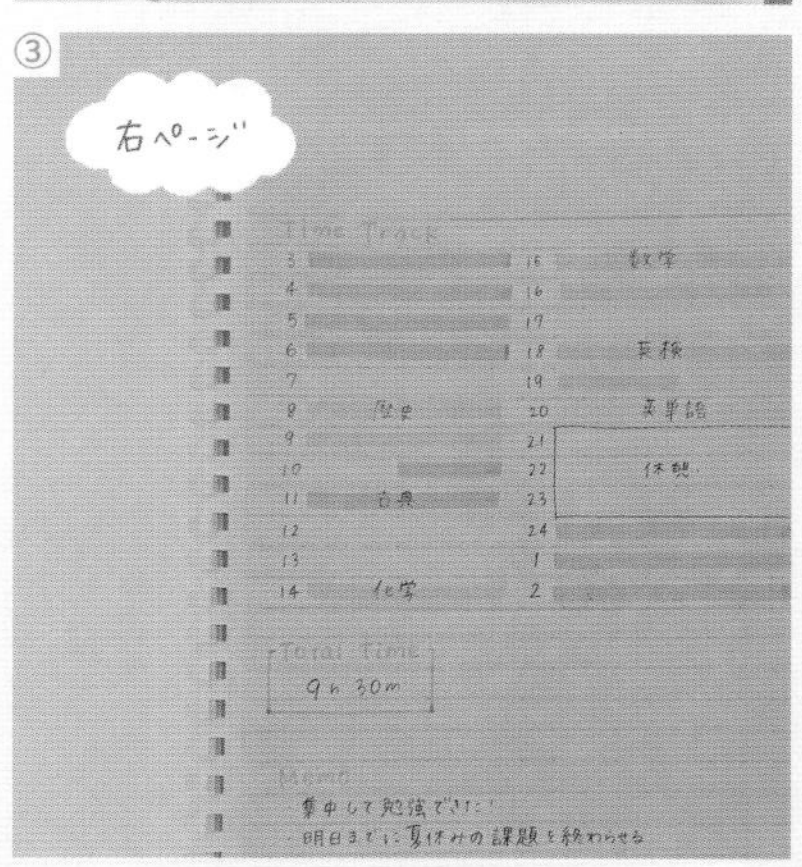

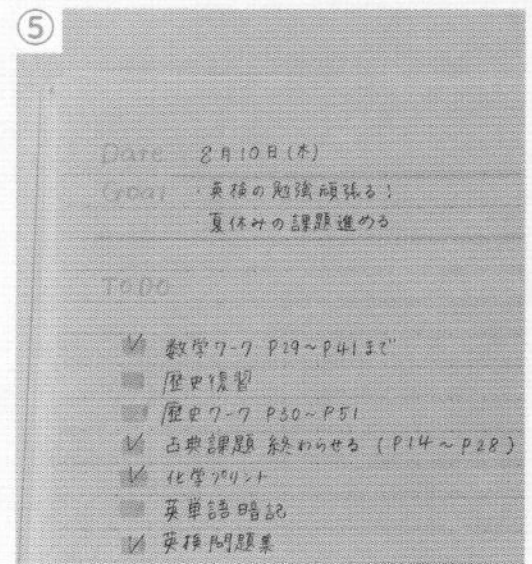


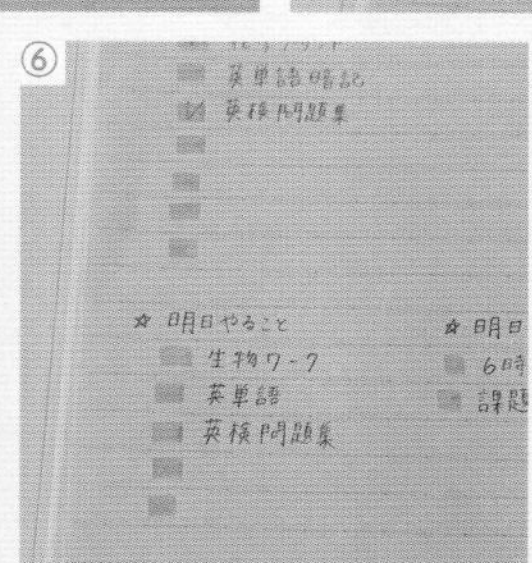


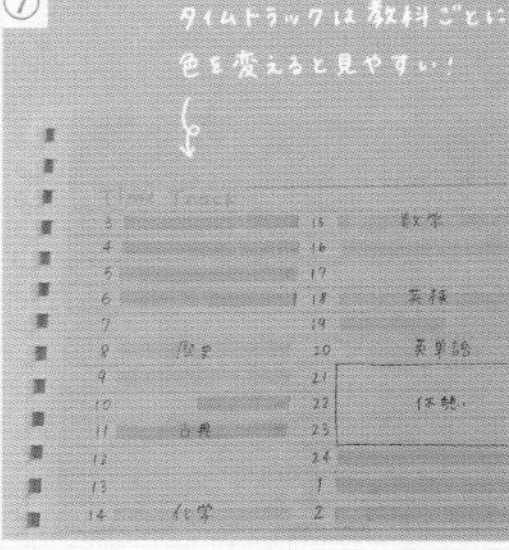

# 07

Instagram

# 常に韓国語に触れる環境を作り、生活の一部、ルーティンにするために

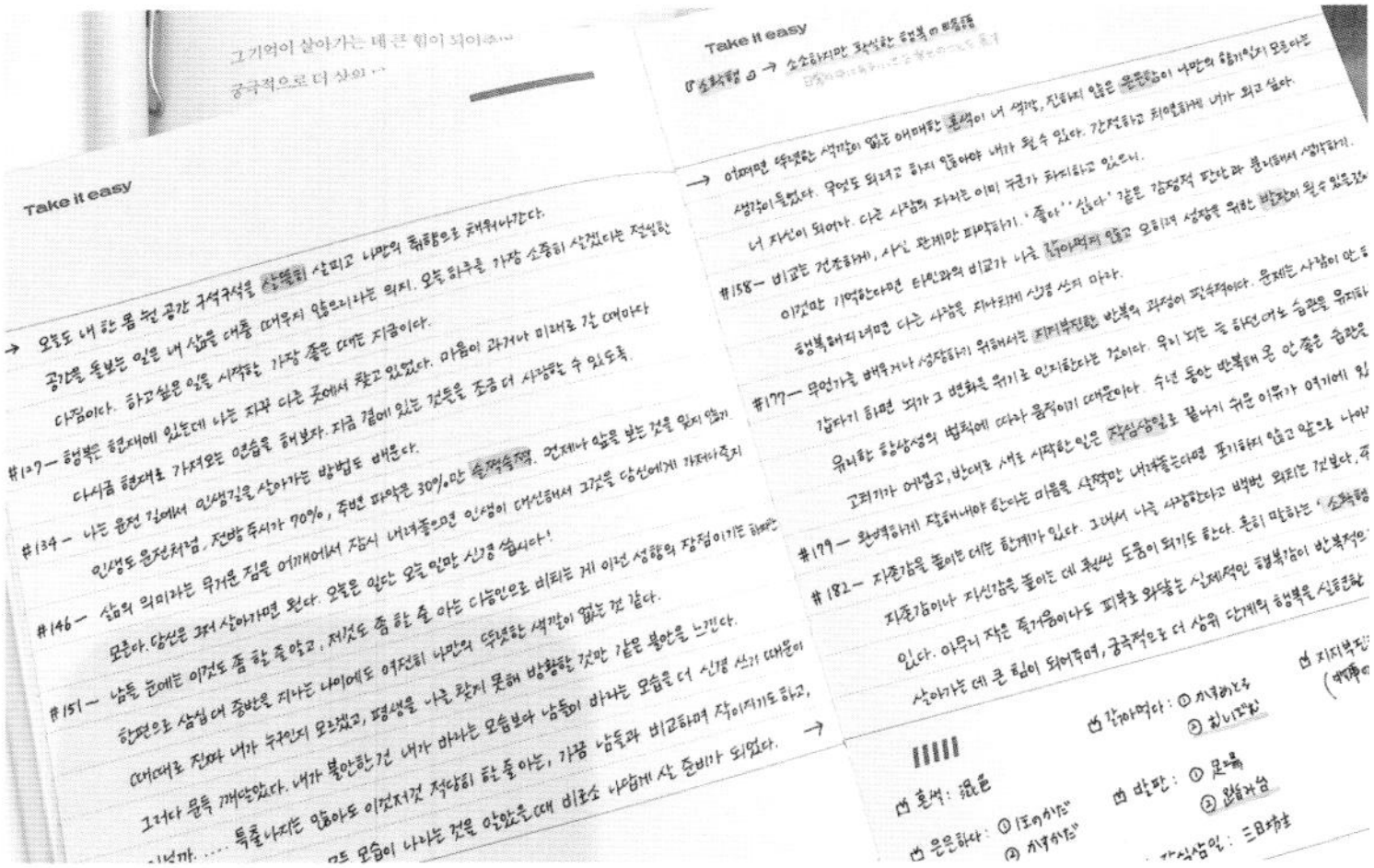

ハングルをぎっしり書くことが昔から本当に好きだなぁ！　しかも心に響く良い言葉だからなおさら良き。読書ノートを書くときは、わからない単語や意味が曖昧な単語は調べるようにしていて、単語によって意味が複数あるときは、この文章ではどの意味で使われているのか考えて、チェックするようにしています。（本を読み進めるときは若干曖昧な単語があっても、雰囲気で文の全体像がわかればひとつひとつ調べず読み進めます笑。でもこれも読解問題を解くとき、速読して全体把握する力になってると思います！）なので、読書ノートを書くときだけは、しっかり曖昧さをなくしながら進めています。

## 気に入ったノートは買いだめします

勉強ノートは、無印良品や100円ショップで購入することが多く、B5、A5の5ミリ方眼ノートを主に使っています。

ノートはまとめノートとして使うことが多く、A5サイズの5ミリ方眼が一番まとめやすく幅広く活用できるので愛用しています。

低価格で負担なく使え、さらに紙の質が良いもの、見た目がシンプルで自分好みのものを選んでいます。気に入ったノートは何冊も買いだめしています。

メモや付箋等は、文房具節約のため、活用方法が明確に想像できたものだけ購入するようにしており、100円ショップや、韓国文具を多く使っています。気に入った色合いやデザインのものを購入し、視覚的にも自分好みのノート作りをすることで、

**Yuu:)** さん

Instagram @Kr_study_yuu

福岡出身、韓国在住1年目。韓国語の魅力にハマり、語学学習10年目。三日坊主だった私の人生を変えてくれたのは韓国語！　一から独学でTOPIK6級取得。休日はカフェ勉でモチベーションUP。韓国書籍の読書、文房具が大好きで収集癖あり笑！　韓国ブランド「ICONIC」のダイアリーを愛用中。“楽しみながら韓国語に触れる”が私のモットーです！

## 01

今日は家で勉強する日。フレーズ本の単語テスト、SNS用語は普段から馴染みがあって意外と知ってたから2個だけわからなかった。ディクテーションでの単語テスト、リスニング力を鍛えながら、単語勉強もできておすすめです！　今日は家でゆるゆる勉強DAYでしたが、いい勉強になって良い日でした。

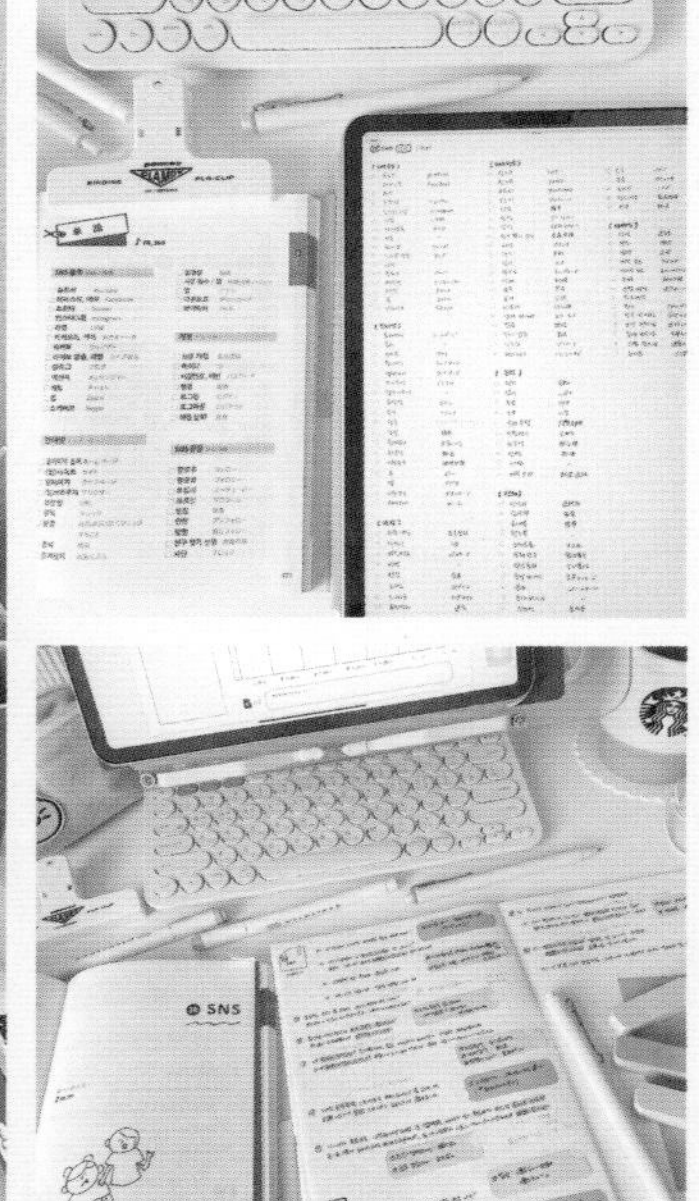


飽きずにモチベーションを保つことができています。

韓国ステーショナリーは、見た目も魅力的で実用的な商品がたくさんあります。

スタディープランナーで勉強計画や管理をしたり、試験勉強をする際は解答用紙付箋（マークシート付箋）なども使用していきたいと思います。

また、新出単語や、覚えていない単語などの管理を、デジタルツールNotionを使って効率的に管理していきたいと試行錯誤中です。

### 何度も見返すものは手書き。時間短縮にはiPad

**・アナログ手書き（ノート）とデジタルツールは意識して使い分けるようにしています。**

基本的な使い分けは、

**・まとめてあとで見返すものは、アナログ手書きノート。**

**・ディクテーション、ニュース翻訳、単語テストは、デジタルツール（iPad、goodnotes5を使用）。**

限られた時間で勉強するために、効率化を考え使い分けをしています。

内容をまとめて何度も見返すものについては、手書きでノートにまとめる方が頭にも入りやすく、視覚的にも印象に残りやすく、自分の弱点ノートが完成するので、多

## 02

読書ノートを書き進めながら読んでいきます。書き出した文の中で、特に良い！と思った部分や強調したい部分に線引きをしているのですが、結局良いな！と思った文を書き出しているから、線を引いたら色だらけになっちゃいます（笑）！　検索した単語はまた別の色で引いて、わかるように。やっぱり文字を書くのって大事だなぁとしみじみ感じながら書きました。

## 03

今日から読む本を何にしようかなと書店に行って、2冊買っちゃいました。読みたい気持ちを抑えて、とりあえず今日のタスクを終わらせて。読み始めると没頭。1時間半だけ読書したけどひたすら読めそうでした。単語帳では出会ってない難しい単語も出てくるけど、読書から得る単語、勉強になってやっぱり良き。

コツコツ進めている『韓国語日常フレーズ1420』。これを勉強し始めてから、ドラマや映画、韓国人との日常会話で聴こえてくる表現が格段に増えました。本当に使うんだぁと実感！　ネイティブの方からも、おもしろい参考書と言われることも多々あり（笑）！　実際にこの参考書に出てきた表現を日常会話で使ってみたら違和感なく通じて嬉しくなったり、おすすめの参考書です。こうやってまとめノートを作ることで、迷ったときに復習を兼ねてサッと確認できるところも、まとめノート作成の目的です。

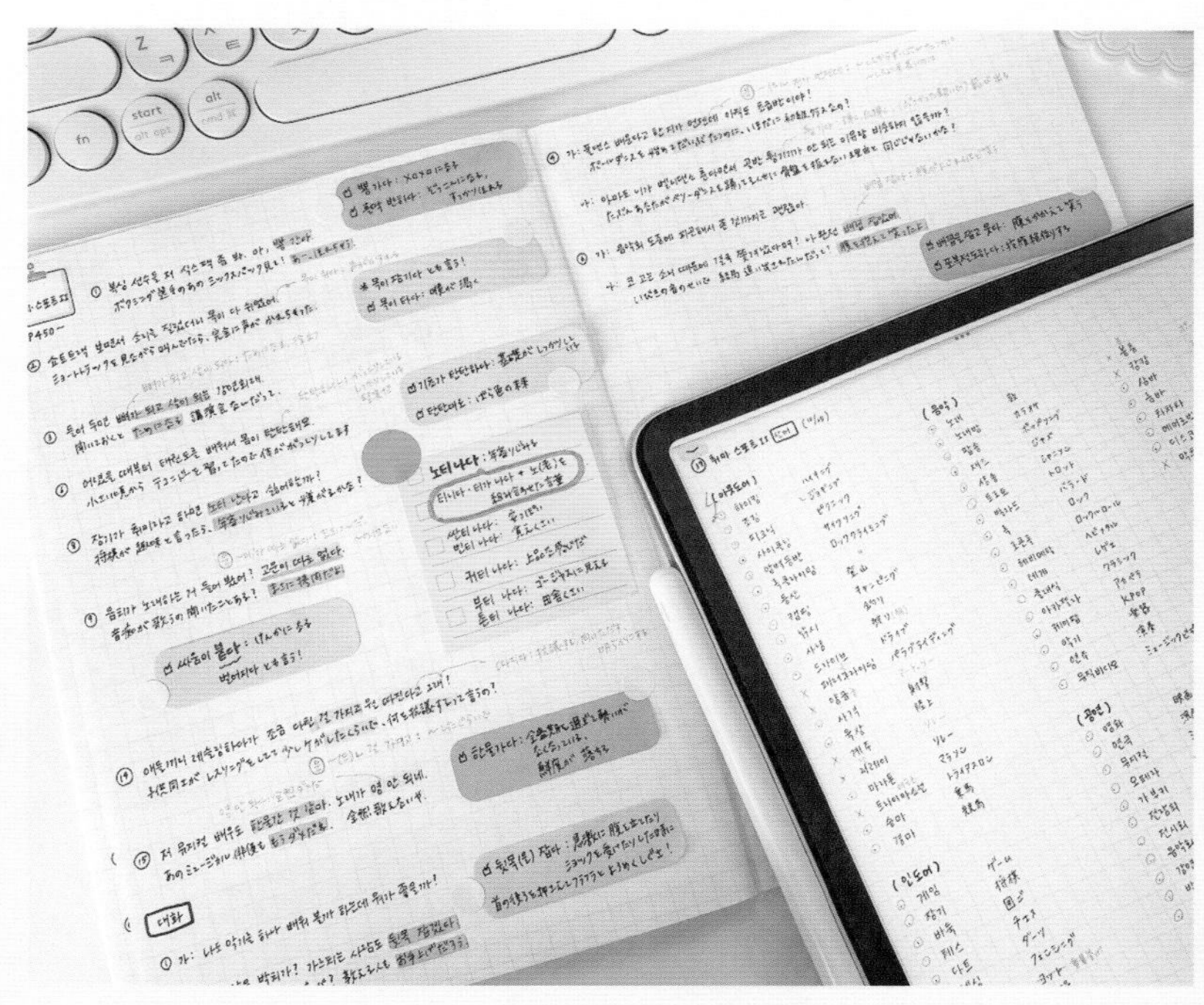

少の時間がかかっても、見やすくわかりやすいノート作りを心がけています。

一方、iPadを使用して効率化が図れるものについては、積極的に取り入れています。ディクテーションをする際、デジタルノートがおすすめな理由は、何度か聞いて解答を書き直したいとき、消しゴムを使わず電子ペン1本で、一瞬で書き込みたい空間作りができ、さらに解答の書き込みや色付けまで全てペン1本で完結できる点が、時間短縮につながる点です。

また、インターネット記事を使用してニュース翻訳をする際など、一瞬で本文をコピーして貼り付けられるので書き写す手間が省けますし、書き込みも同時にできるため、大幅に時間短縮できます。

単語テストをする際は、それぞれ単語帳に合ったテンプレートをkeynoteで作成し、使用しています。テストの度に、番号を記入するなどの時間短縮ができ、一度作成すれば繰り返し使用できるため、文房具の節約にもなります。

電子書籍（参考書）も多々活用し、スクリーンショット→goodnotes5に入れていますが、参考書自体に書き込みもできて便利です。

カフェで勉強することも多いため、荷物が減り、いつでも手軽に勉強できるのもデジタルツールの長所だと思います。

デジタルツールもたくさんあり、便利な時代だからこそ積極的に取り入れ、効率化

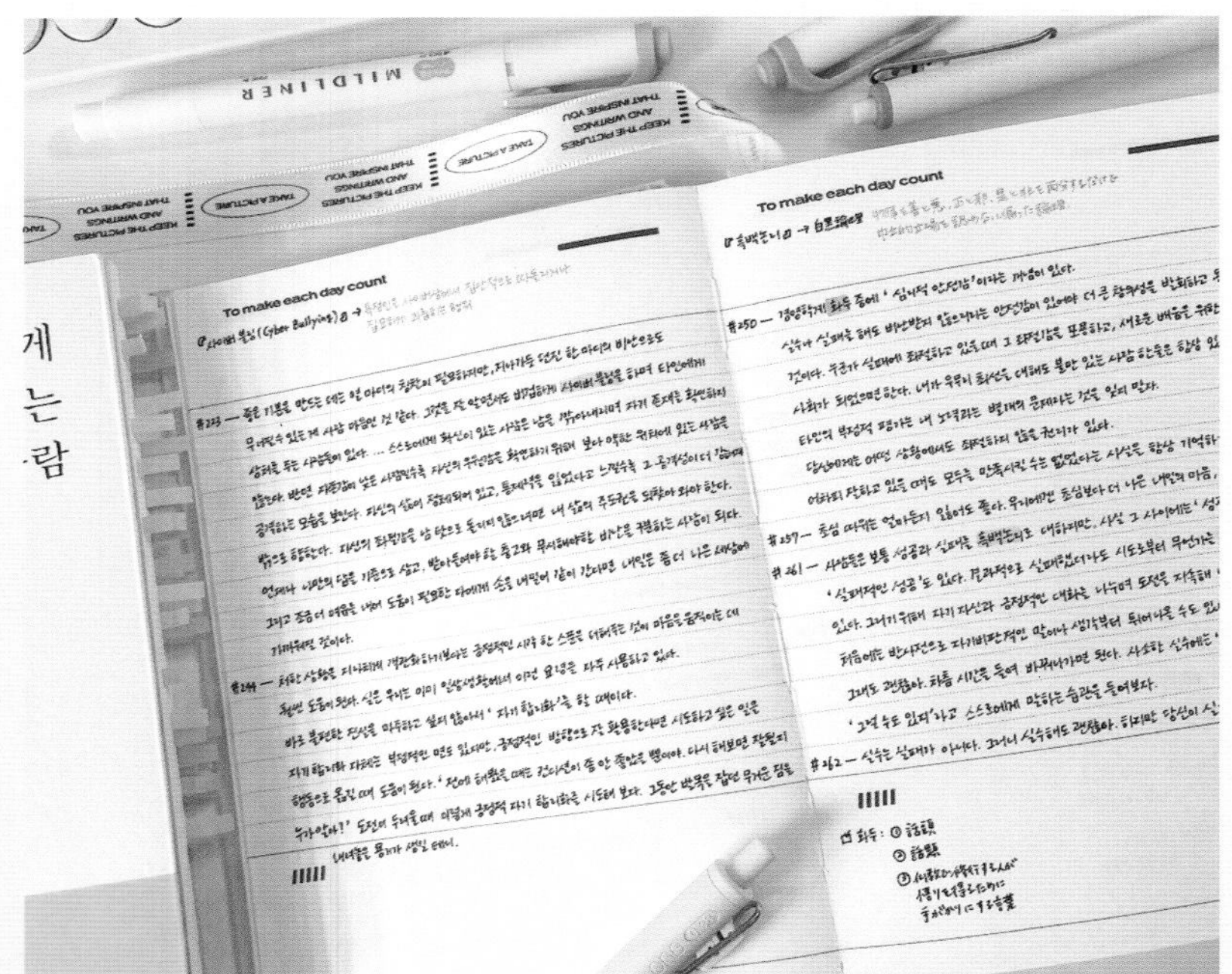

読書ノート、やっぱり好きだなぁと再確認しながらすんなり終了。この本は9ページ分になりました。次に読むやつからは読みながら並行して進めようと思います。読書ノートを書き出すとuni-ball oneの減りがやばい。ないと不安なので、いつも替え芯10本まとめ買い。単語とフレーズも忘れずにコツコツ進めています。

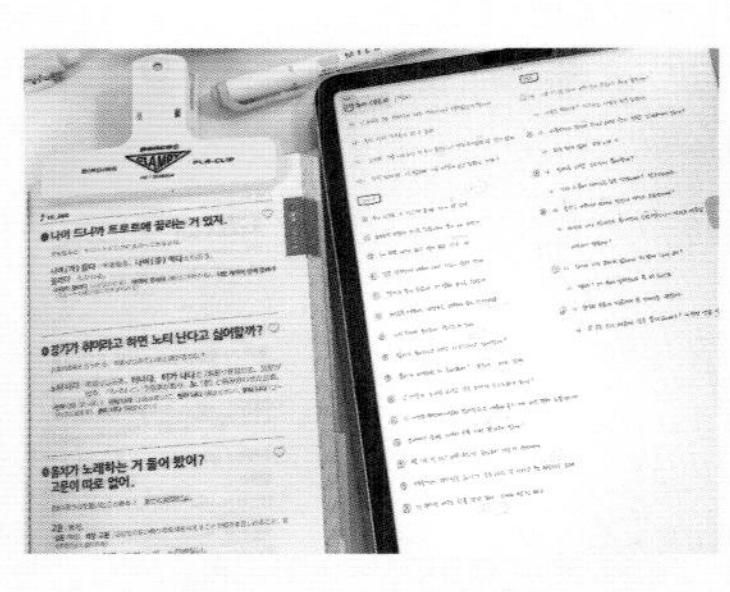

を図りたいと思います。

## 約10年間、365日、韓国語に触れています

試験対策（TOPIK等）の勉強と、日々の知識向上の勉強で勉強方法は大きく異なります。

試験対策では、期間を決め集中的に勉強し、TOPIK6級取得時は、3ヶ月と期間を定めて試験対策のみを行いました。

対策参考書を1冊すべて解き、解答も含めすべて翻訳、単語チェックをし、過去問を時間を測り解き、併せて単語帳で単語を叩き込み、作文対策では参考書はもちろん、ニュース記事を読むなど対策を行いました。インプットに特化したメリハリのある勉強を心がけました。

日々の勉強では、根本に【韓国語が好きで少しでもさらに上達したい！ 楽しみながら勉強する！】というモットーがあります。そのため、単語や文法を詰め込むだけではなく、ディクテーション、シャドーイング、生活密着型の参考書、韓国書籍の読書や、韓国語での読書ノートの作成、ニュース翻訳、ニュースのディクテーションなど、自身が飽きない勉強法を日々、試行錯誤しながら取り入れています。

机に向かう勉強だけではなく韓国ドラマや映画鑑賞、YouTube視聴など、楽しみながらリスニング力を高め、365日韓国

## 06

読書ノートは楽しいけど読書ばかりになると、という葛藤もあるし、なかなかバランスって難しいです。楽しめているときが一番頭に入ってると信じて思うままやろうと思います。すごくためになるけど疲労感たっぷりになる参考書も取り入れつつ頑張ります！

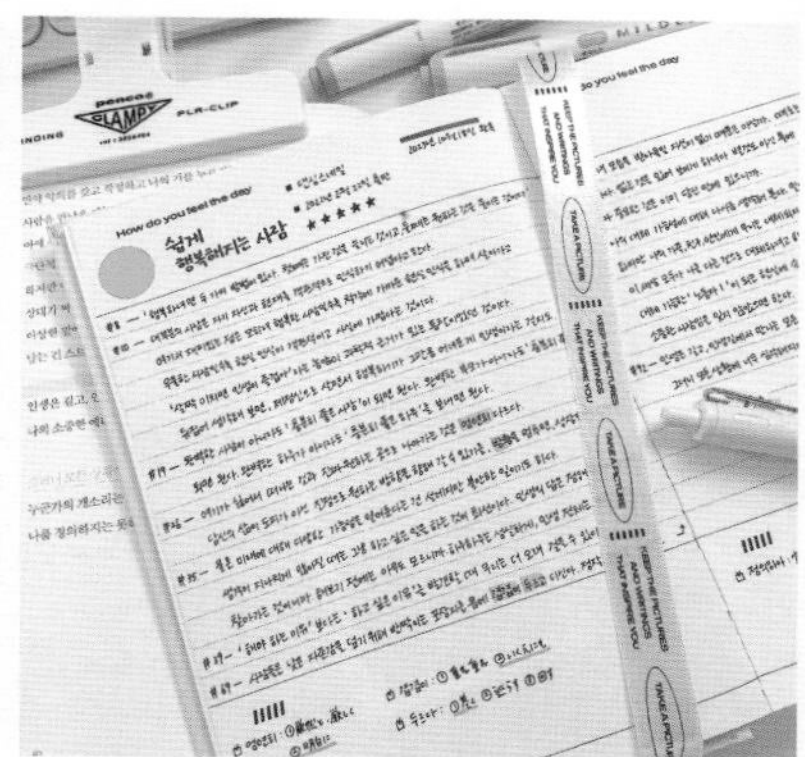


## 07

今日は素敵なキャンドルで癒やされながら勉強。秋の雰囲気たっぷりでアロマの香りも、まさに今私に必要な要素がたっぷりでかなりの癒やしになりました。

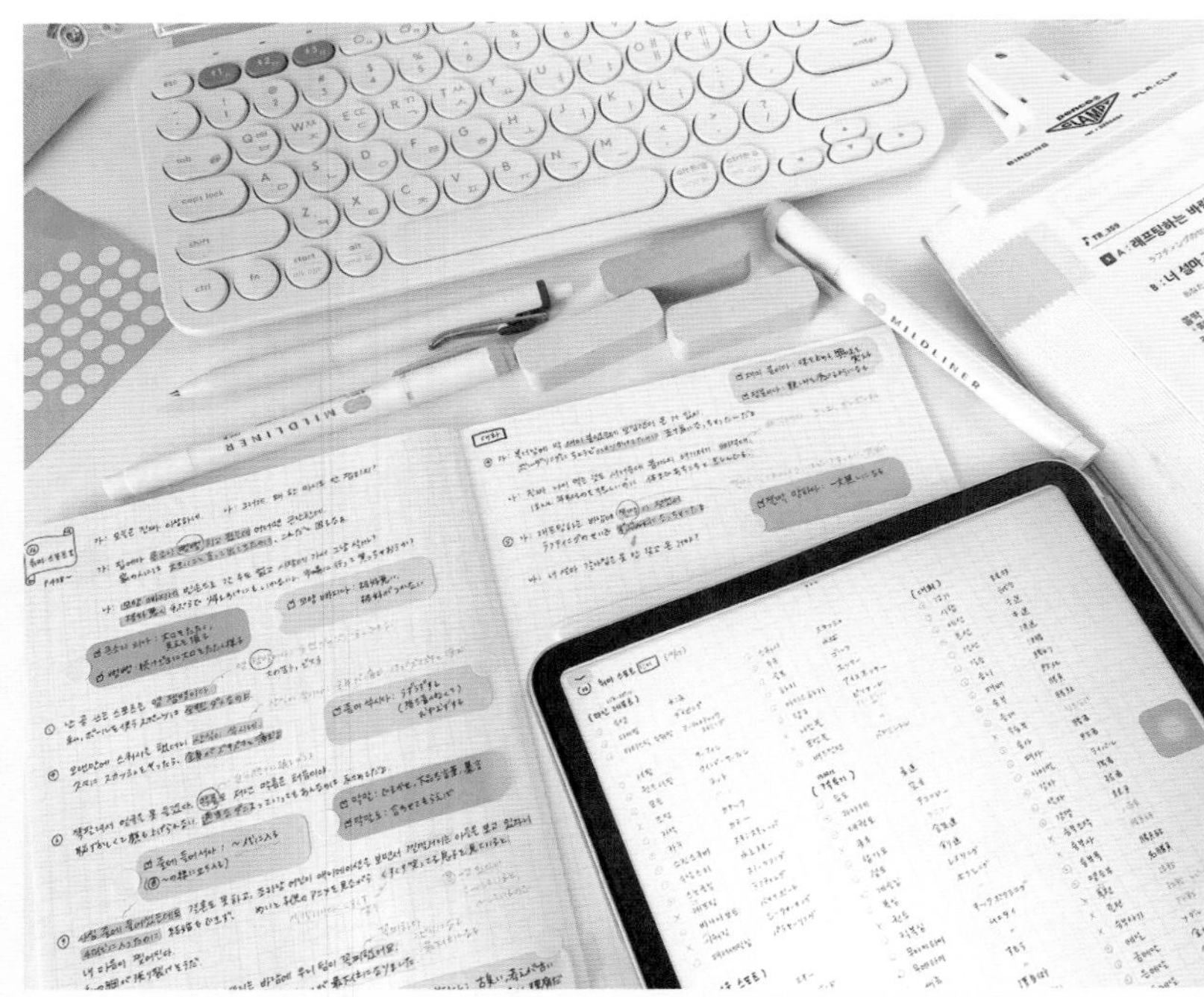

学びの多いフレーズ本、クリップがギリギリ止まるくらいまで、かなり進んだなぁ！　残りも頑張ろう。

語に触れる環境を作り、生活の一部、ルーティンにすることで自然と身につく知識もたくさんあると感じます。

約10年間、365日韓国語に触れなかった日は1日もありません。

心から楽しみながら言語に触れ習慣化することが、語学勉強を長く続けてきた私の勉強法です。

## 一度書いたものは、読むだけ、解くだけより頭に浮かびやすい

参考書を勉強していく際、ノートをまとめながら進めていきますが、新しい参考書を進めていくうちに、「これどこかで出てきたな」「あの例文で書いた記憶がある」など一度書いた記憶があるものは、ただ読んだだけ、解いただけのときより遥かに頭に浮かぶ回数が多いという経験が多々ありました。

その度に、ノートやメモを見返すことで復習になり、インプットにつなげています。

さらには、自分なりに例文を考えて記入したり、SNS（Instagram の勉強記録）に発信し記録することでアウトプットにつなげています。

# 09

フレーズ本が酒パートだったので、酒ぐせ系の単語や表現をたくさん勉強しました。お酒をチャンポンするときのチャンポンは韓国語でもチャンポンで使うんだぁ一緒だ！と思ったあと、「ふざけた奴」という表現が出てきてウケました。中級単語TESTも1800まであと少しなのに、後半に行くにつれて忘れててミスが多くて、復習に力を入れないと！

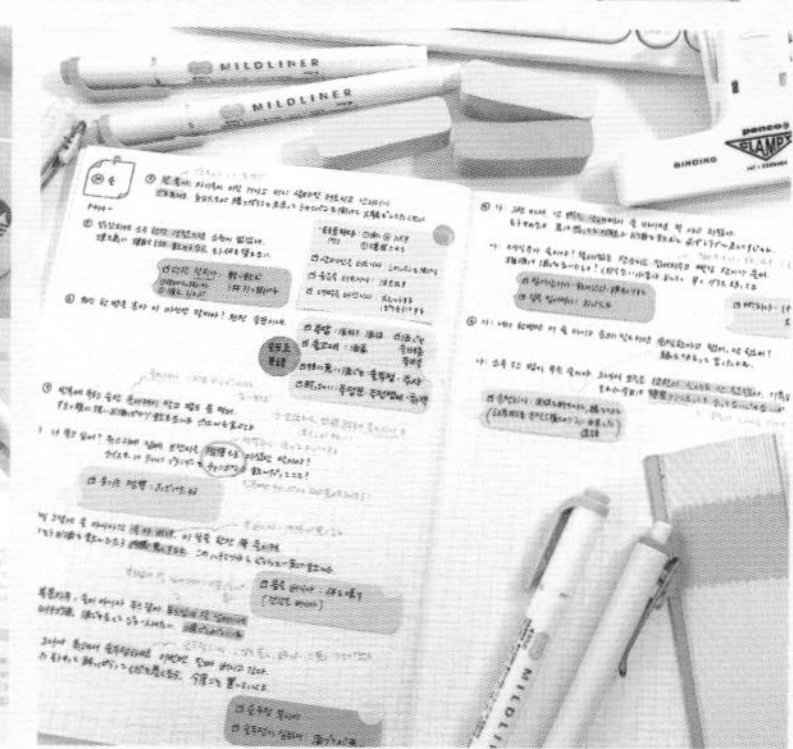

08

Instagram

# 書き出して意識することはとても大切

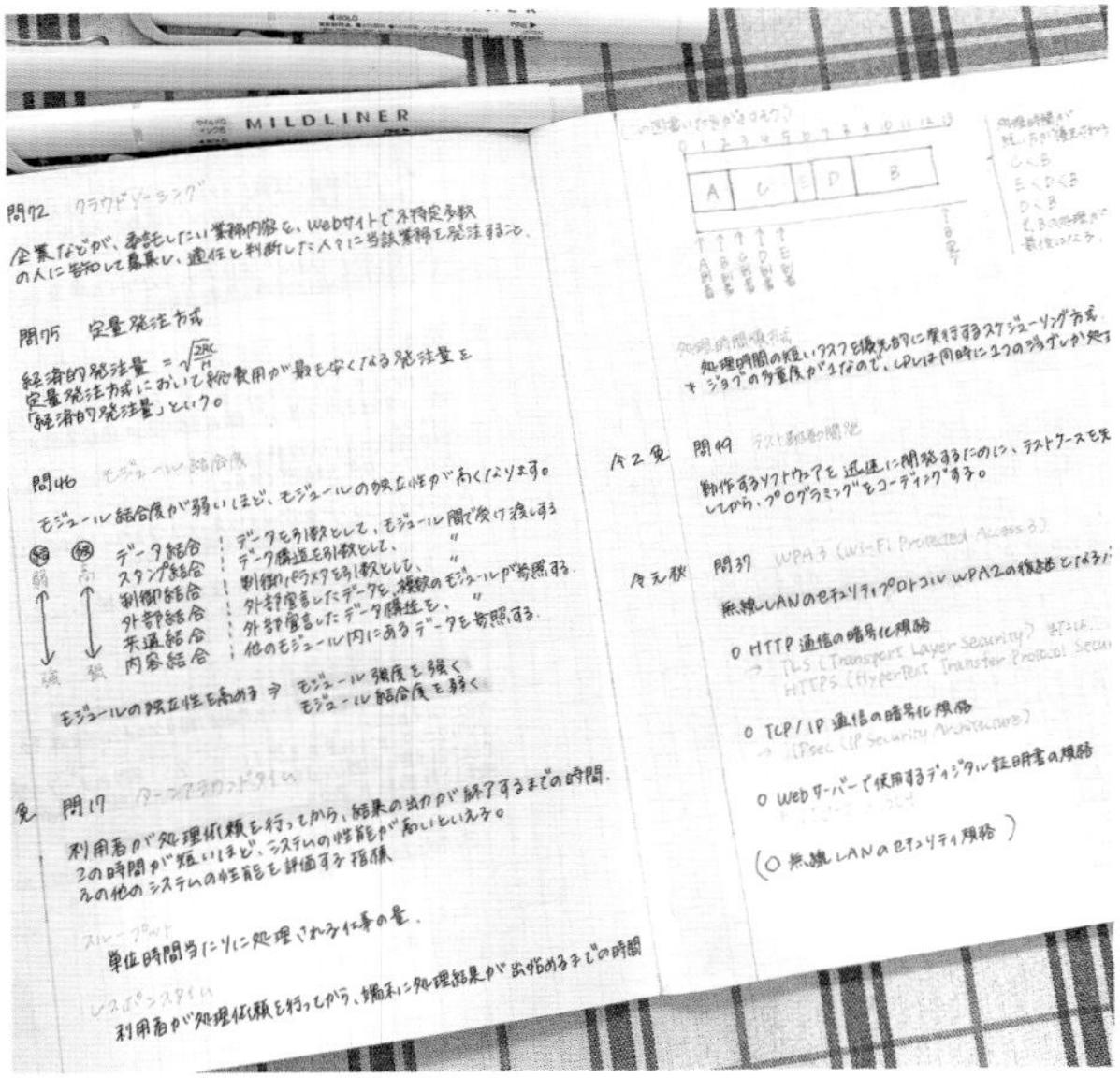

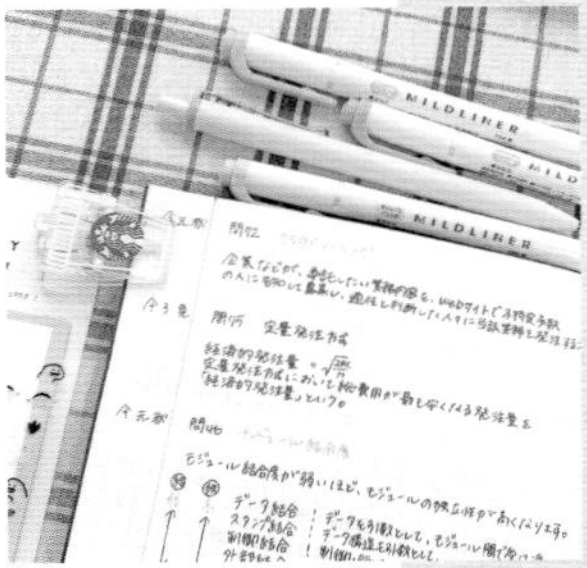

基本情報技術者試験を受けると上司に宣言してしまったので、今必死に勉強してます。以前ITパスポートの試験を受けたときと同じようにひたすら過去問を解き、テキストを読み、そしてまた解くを繰り返しています。

## 方眼ノートが欠かせない

いろいろなノートを試した結果、現在は無印良品の5ミリ方眼のノートを好んで使っています。

無地のノートやA罫やB罫のノートなどいろいろなノートを試してみましたが、方眼だと文字の大きさや上下の空白の幅を調節しやすく、線を引くのも簡単になるので今ではきれいなノート作りに欠かせないものになっています。

書き心地も大切にしていて、ペン先があまり滑らず表面がツルツルしていないものを使うようにしています。その方が、普段使っているペンで文字がよりきれいに書けるので。

付箋などは、あまり柄のあるものは使わず、ノートに貼るときのサイズや持っているペンの色との相性を特に重視して購入す

**Yura**さん

Instagram @yur_aran

韓国語と英語を勉強中の社会人。20代、横浜出身。新卒未経験でSEとしてITの会社に勤務。休日は大好きなみなとみらいを散歩してリフレッシュしている。文房具や韓国雑貨を集めるのが好き。いつか自分でデザインした雑貨を販売することが夢。

01

基本情報を急ピッチで勉強中。これ、問題は午前と午後に分かれていて午後の方が問題が難しいんですよね……。午前もまずいのに、午後いけるかな。あと、今月は推しのお誕生日が。それにポップアップショップや、グッズがたくさん出るので、それをゲットするためにお仕事もたくさん頑張りたいと思います。

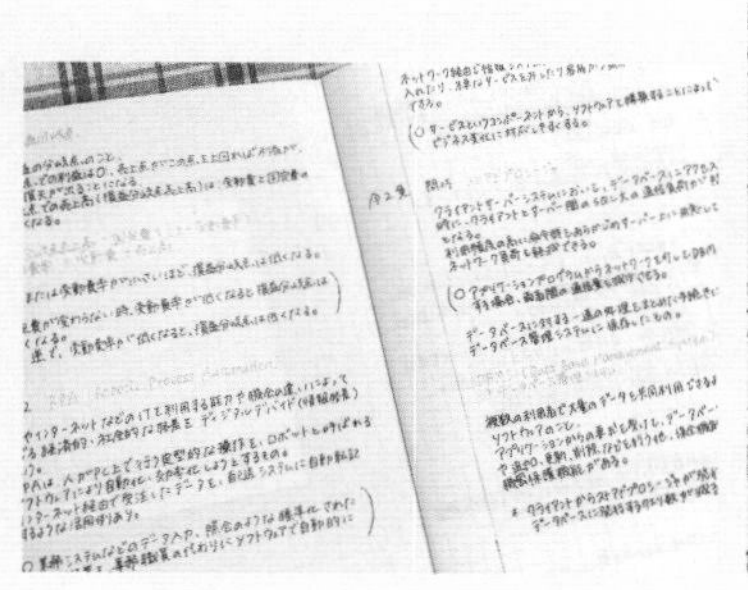

るようにしています。

ノートもメモも、購入時は自分の持っているものに合うかどうかをとても重視しています。

## 紙のノートを見返すのが好き

iPadのノートを使用することもありますが、自由度が高いのと、かわいいシールや付箋などを貼って自分好みのノートが作りやすいので、基本は紙のノートを使用することが多いです。

1冊使い終わった後に、ノートをペラペラ見返すのがとても好きで「こんなに書いたのか！」を味わえるのは紙ノートの特権だと思っています！

ノートの端に付箋を貼って苦手なところなどが一瞬で目につくようにして、日常的に付箋の箇所を重点的に見返したり、試験前に大事なところだけチェックするのに使ったりもしています。

ノートは後から見返したときに、見やすかったり印象に残りやすくすることを意識していて、パッと開いたときにどこが大切なのか、何がわからなかったのかがわかるように書くようにしています。

また、わからなかった単語や苦手な単語が出てきたときなどは、それに関係する単語や使い方などを一緒に調べて書くようにして連想しやすくしています。

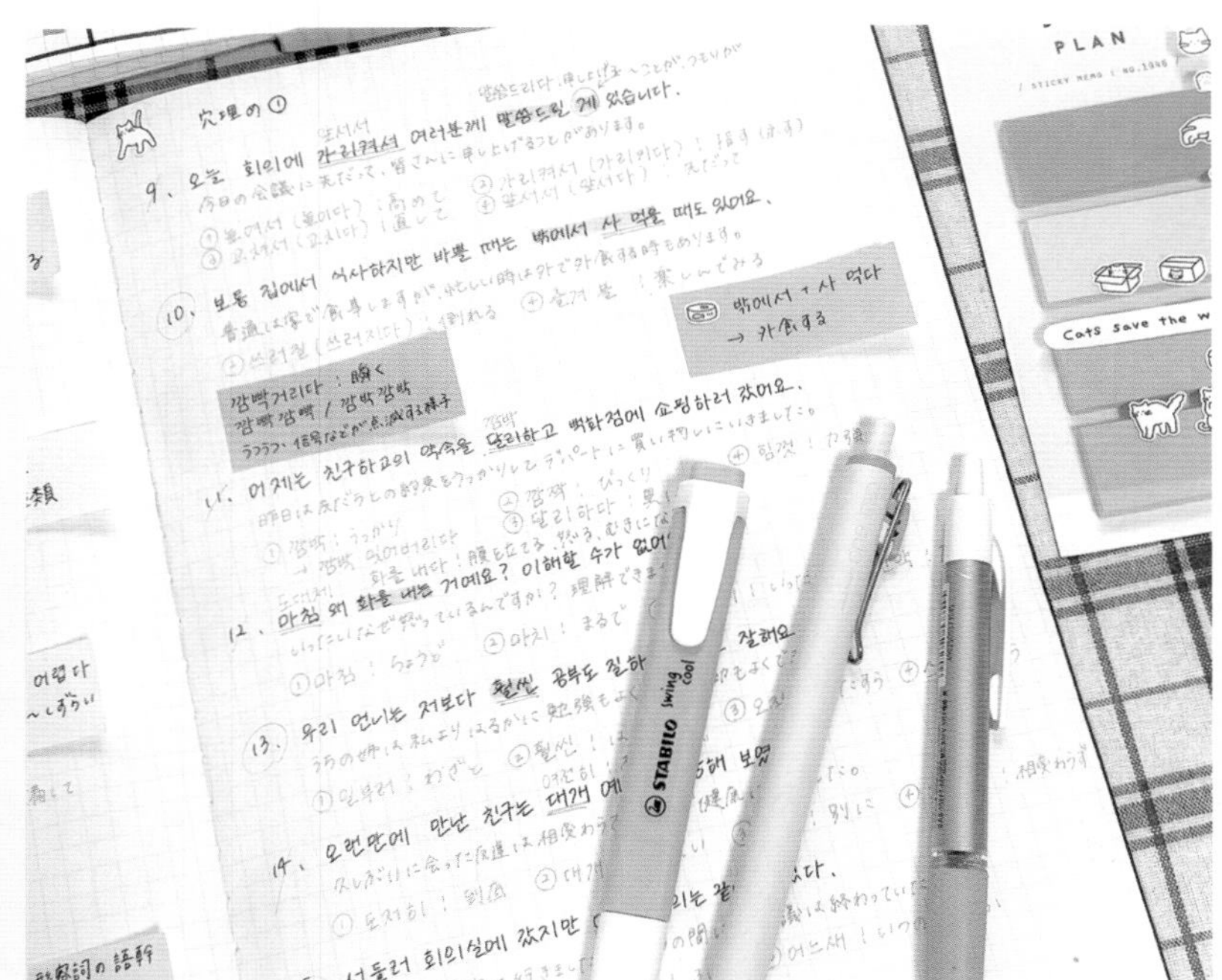


## 02

最近ずっと基本情報の勉強ばかりしていたので、久々に韓国語もやらないと！と思って問題を解いてみたんですが、やっぱり忘れちゃってる単語もちょくちょくありました。この単語苦手なんだよな～この前も間違えた！までは覚えてるのに、単語の意味は覚えてないのなぁぜなぁぜ？って感じです。基本情報の勉強もしつつ、しっかり韓国語の勉強もやっていかないとですね。Duolingoも毎日やってるけど、ちょっと足りなかったかも！勉強ノートに関して、私はページごとにいろいろ変えて書くようにしてます。理由はなんかその方が後から見返したときにかわいいから。見やすいのもありますが、何よりきれいでかわいい！ってなるので、色分けして自分の満足いくノートにしてます。

### 海外で働きたい。ブランドも作りたい

「推しの言葉を理解したい」から始めた言語学習でしたが、勉強をしているうちに、同じように語学学習をしている方のいろいろな投稿を見るようになりました。そのおかげで学習に力が入り、もっと勉強して話せるようになって「海外で働きたい」と思うようになりました。

将来的には、自身でデザインした雑貨や文房具を販売する小さなブランドも作りたいと考えているため、今は仕事終わりの隙間時間や休日などに言語学習の他、デザインの勉強なども行っています。

### 毎年「今年やりたい１００のこと」を書きます

わからない単語や、その単語の使い方なども調べて一緒に書くようにしているので、試験などを受けているときに単語を連想して答えられることなどがとても多いです。

ノートをわかりやすくまとめていることで「前に出てきた気がする」と思っても、すぐに見つけることができます。

毎年「今年やりたい１００のこと」を年始に書き出しているのですが、そのメモのおかげで毎年新しいことにチャレンジできています！

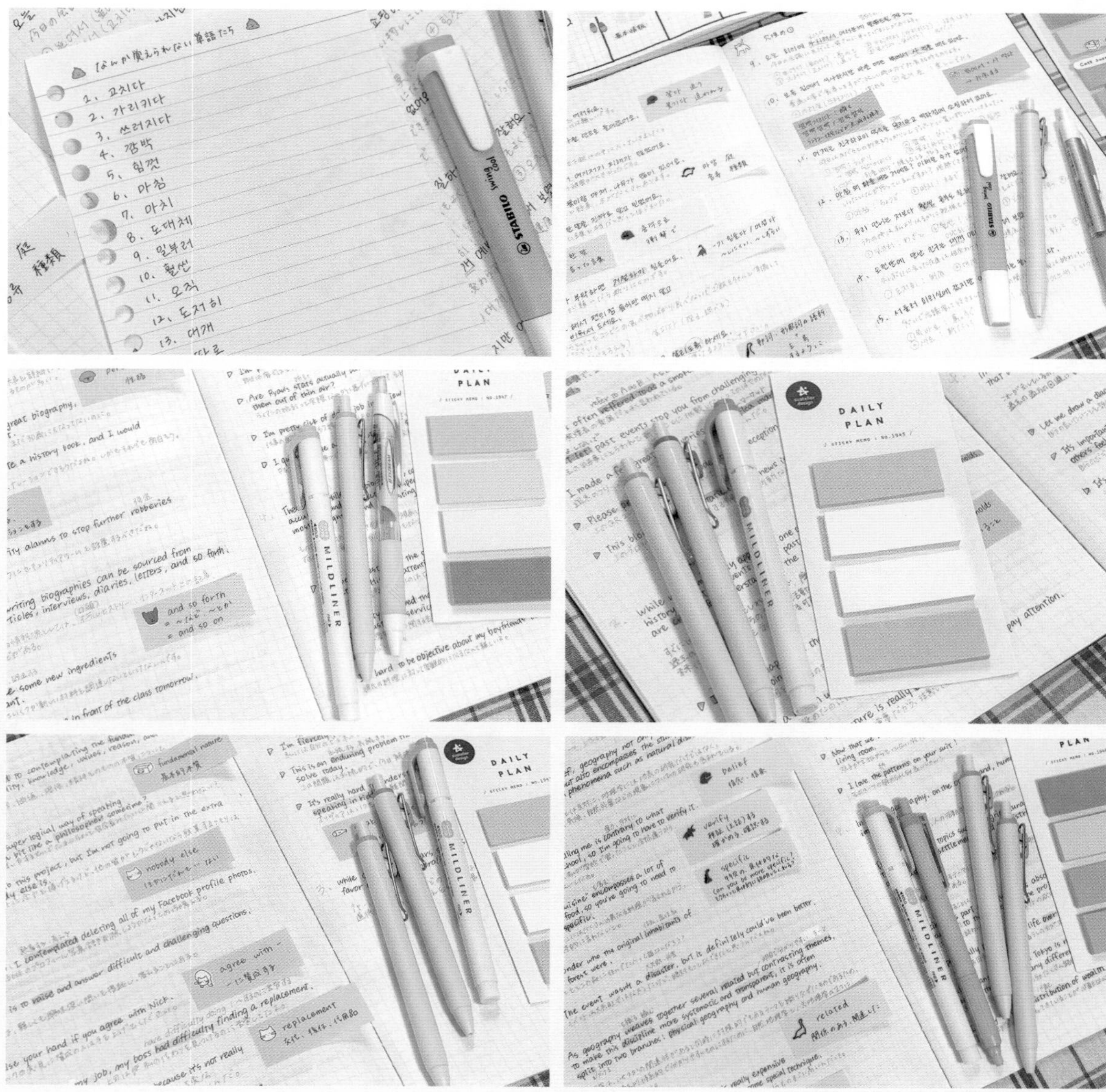
STABILO
swing cool
MILDLINER
DAILY PLAN

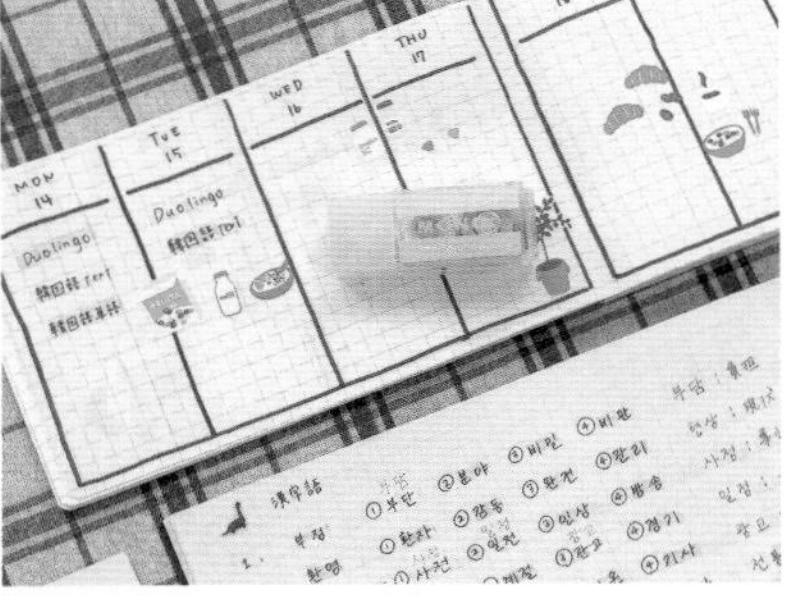

韓国語を頑張ろうと思える目的ができたので、より力を入れて頑張ろうと思います。目的があると、韓国語勉強は通過点という感じになって、やらざるを得なくなる。吸収力も違うなって。

04

かわいくておすすめのカラーペン。STABILO、MILDLINER、Lull MARKER、CLiCKART、uni-ball oneなど。色別にしてまとめると、後で見返したときに印象付きやすく、かわいいのでおすすめです。

今年はスペインに行ってきて、欲しかったデスクトップPCも購入し、デザインフェスタにも行って、ダイビングにも行ってきました！　やりたいことをたくさんできた気がします。

夢もそうですが、叶えたかったりやりたいと思っていても、常に思い返さないといつの間にか忘れてしまっていることがあるので、こうして書き出して意識することはとても大切だなと毎年感じます。

## 手帳をもっと活用していきたい

手帳を毎年購入しているのですが、普段スケジュールなどはアプリで管理してしまっているので、手帳の出番があまりなくただのメモ帳になってしまっています。

いろいろな方の手帳の投稿を見る度にかわいくてきれいで、1年分見返すのは絶対楽しいだろうなとうらやましく感じるので、今後手帳もマスキングテープやシール、付箋などを活用して、メモとしてではなくいろいろなことを記録することに挑戦したいと思っています。かわいくて後から見返したくなるものを作成していきたいです！

## 本書内容に関するお問い合わせについて

このたびは翔泳社の書籍をお買い上げいただき、誠にありがとうございます。弊社では、読者の皆様からのお問い合わせに適切に対応させていただくため、以下のガイドラインへのご協力をお願いいたしております。下記項目をお読みいただき、手順に従ってお問い合わせください。

### ●ご質問される前に

弊社Webサイトの「正誤表」をご参照ください。これまでに判明した正誤や追加情報を掲載しています。

　正誤表　https://www.shoeisha.co.jp/book/errata/

### ●ご質問方法

弊社Webサイトの「書籍に関するお問い合わせ」をご利用ください。

　**書籍に関するお問い合わせ**
　https://www.shoeisha.co.jp/book/qa/

インターネットをご利用でない場合は、郵便またはFAXにて、下記"翔泳社 愛読者サービスセンター"までお問い合わせください。
電話でのご質問は、お受けしておりません。

### ●回答について

回答は、ご質問いただいた手段によってご返事申し上げます。ご質問の内容によっては、回答に数日ないしはそれ以上の期間を要する場合があります。

### ●ご質問に際してのご注意

本書の対象を超えるもの、記述個所を特定されないもの、また読者固有の環境に起因するご質問等にはお答えできませんので、予めご了承ください。

### ●郵便物送付先およびFAX番号

送付先住所　〒160-0006　東京都新宿区舟町5
FAX番号　03-5362-3818
宛先　(株) 翔泳社 愛読者サービスセンター

※本書に記載されたURL、キャッチコピー、企業名、サービス等は予告なく変更される場合があります。
※本書の出版にあたっては正確な記述につとめましたが、著者や出版社などのいずれも、本書の内容に対してなんらかの保証をするものではなく、内容に基づくいかなる運用結果に関してもいっさいの責任を負いません。
※本書に記載されている会社名、製品名はそれぞれ各社の商標および登録商標です。

著者プロフィール

## 戸田 覚（とだ・さとる）

1963年東京生まれ。ビジネス書作家、コンサルタント。株式会社アバンギャルド、株式会社戸田覚事務所代表取締役。ハイテク、パソコン、成功する営業のコツ、新商品開発、新事業開発といったテーマを中心に、執筆、出版プロデュース、講演、コンサルティングに携わる。ビジネス誌、パソコン誌、情報関連雑誌をはじめとして多数の連載を抱える。著書に『あのヒット商品のナマ企画書が見たい！』『プレゼンの極意を盗め！』（以上、ダイヤモンド社）、『すごい人のすごい企画書』（PHP研究所）、『仕事で使える！ クラウド超入門』（青春出版社）、『LinkedIn人脈活用術』（東洋経済新報社）など多数がある。


装丁　小口翔平＋畑中茜（tobufune）
本文デザイン　杉江 耕平

**仕事と勉強ができる人の**
**リアル「ノート＆メモ」術**

2024年3月18日 初版第1刷発行
2024年5月10日 初版第2刷発行

著者　戸田 覚（とだ さとる）
発行人　佐々木 幹夫
発行所　株式会社 翔泳社（https://www.shoeisha.co.jp）
印刷・製本　株式会社 シナノ



©2024 Toda Satoru

本書は著作権法上の保護を受けています。本書の一部または全部について（ソフトウェアおよびプログラムを含む）、株式会社 翔泳社から文書による許諾を得ずに、いかなる方法においても無断で複写、複製することは禁じられています。


本書へのお問い合わせについては、151ページに記載の内容をお読みください。
造本には細心の注意を払っておりますが、万一、乱丁（ページの順序違い）や落丁（ページの抜け）がございましたら、お取り替えいたします。03-5362-3705までご連絡ください。


ISBN978-4-7981-7954-4
Printed in Japan